GUÍA PARA LA LECTURA
DE
«CIEN AÑOS DE SOLEDAD»

LITERATURA  Y SOCIEDAD

DIRECTOR

ANDRÉS AMORÓS

Colaboradores de los primeros volúmenes

M.ª EULALIA MONTANER

Guía para la lectura
de
"Cien años de soledad"

EDITORIAL  CASTALIA

Copyright © Editorial Castalia, 1987
Zurbano, 39 - 28010 Madrid - Tel. 419 58 57

Cubierta de Víctor Sanz

Impreso en España - Printed in Spain
Unigraf, S. A. Móstoles (Madrid)

I.S.B.N.: 84-7039-487-8
Depósito Legal: M. 9.547-1987

SUMARIO

SUMARIO

Los libros no se han hecho para que creamos lo que dicen, sino para que los analicemos. Cuando cogemos un libro, no debemos preguntarnos qué dice, sino qué quiere decir.

Umberto Eco, *El nombre de la rosa.*

A MODO DE INTRODUCCIÓN

Los MOTIVOS que me indujeron al estudio de la primera gran novela de Gabriel García Márquez fueron varios. De un lado habría que anotar el interés en indagar las nuevas aportaciones que el tratamiento del narrador había sufrido en los últimos años, y que el autor colombiano ha sabido burilar hasta dejarlo convertido en una técnica perfecta. Las afirmaciones generales de los críticos se han orientado siempre en el sentido de pontificar sobre un arcádico Macondo, la existencia de un patriarcado, la heroicidad del coronel Aureliano Buendía, el fin de Macondo envuelto en el huracán y la vitalidad de un gitano capaz de resucitarse a sí mismo y conocer las claves del futuro. En cambio, para mí, no hay maldición alguna sobre el incesto —al contrario, es una costumbre practicada por muchos pueblos en su origen, y por tanto en el originario Macondo debiera haber sido legal—; Melquíades es solamente una sombra; el régimen imperante en la familia Buendía es el de un matriarcado ininterrumpido; la magia es trabajo de estilista. A esta divergencia de opiniones, había que añadir el deseo de hallar las «cuarenta y dos contradicciones» que el propio García Márquez reconocía habérsele deslizado en el relato [1]. La

---

[1] Fernández-Braso, M.: *La soledad de Gabriel García Márquez,* Ed. Planeta, Barcelona, 1972, p. 115. Cita palabras del autor de *Cien años de soledad:* «Toda buena novela es una adivinanza del mundo. Los críticos han asumido, por su cuenta y riesgo, la grave responsabilidad de descifrarlas, y hay que esperar que lo hagan... Pero me alarma, en cambio, que nadie haya señalado ni una sola de las *cuarenta y dos contradicciones* que

patente de fisgoneador legal que el propio autor concede se ve aumentada por el —a mi parecer equivocado— empeño de colgarle a la obra garciamarquesca la ficha identificadora de *realismo mágico* o *real maravilloso*. El etiquetar los escritos de García Márquez de realismo mágico, o declarar que en sus personajes hay fuertes trazas de surrealismo, puede ser un apresuramiento innecesario[2].

En *Cien años de soledad* la fantasía sustituye a la magia, y la realidad yace bajo el ropaje del surrealismo aparente. La magia y la maravilla no son más que fantasía cuidadosamente encadenada a procedimientos estilísticos que la imaginación del poeta que hay en Gabriel García Márquez ha sabido combinar con perfección inimitable y rara técnica.

La guía va encaminada a perfilar cada uno de los personajes clave por medio de un análisis de los hechos que llevan a cabo, después ordenaré la trama y —por fin— señalaré el narrador. El espacio y el tiempo sólo se llamarán a escena en tanto que sean necesarios para definir los personajes y el argumento, o aclarar la elucidación de los errores y contradicciones.

El estudio lo presento ordenado según el «trayecto» que me vi obligada a recorrer. Me parece que éste es un indicador más exacto del proceso mental por el que discurrió la novela. Hubiera sido más espectacular tomar la figura de Melquíades y reducirla a sus auténticas dimensiones, lo que —por la vía del bisturí— hubiera dado un inicio de las conclusiones del narrador y hubiera enrumbado fácilmente la búsqueda de las contradicciones, pero eso se alcanzaría a costa de despojar a la

---

yo mismo he descubierto después de publicar el libro, ni *los seis errores graves* que me señaló el traductor italiano...»

[2] Si denominamos «realismo mágico» a que las alfombras vuelen o a que una persona desaparezca en los aires por tomarse un bebedizo, deberemos reconocer que ese «realismo mágico» no es el de Uslar Pietri, Carpentier o Asturias, o de cualquiera de los escritores del *boom* suramericano, sino que siempre lo hemos tenido entre nosotros desde los tiempos de *Las mil y una noches* y los *Cuentos de hadas,* hasta los pegasos-clavileños y las cabezas habladoras del manchego insigne.

novela de gran parte de su carga poética. Una estructuración de semejante talante hubiera tenido la frialdad de una exhibición de museo de Ciencias, con piezas oliendo a polilla. He preferido inclinarme por un relato puntual del safari literario que hube de realizar y que fue divertido y tonificante.

PRIMERA PARTE

EL RELATO

La historia de los Buendía, entre la tradición y el simbolismo

Cien años de soledad es la inacabable y nunca bastante ponderada historia de una familia cuya desbordante fantasía está presente en el acto de mayor simplicidad, pero cuya imaginación se eclipsa el día del bautizo de cada nuevo hijo. Y así, los hombres formarán, todos, en las filas combinadas de José-Arcadio-Aureliano. Las mujeres, harto escasas en la familia, se abastecerán del trinomio Ursula-Amaranta-Remedios. Las madres, concubinas en su mayor parte, no dejan huella en el conjunto onomástico.

En este laberinto de nombres repetidos hasta la maraña mental, y sembrado de personalidades semejantes y asimiladas, asistimos a la historia más abundante jamás contada. Es la fantástica y fabulosa historia que todos quisimos oír en nuestra familia, pero que nadie supo contarnos. Es una historia añorada por todos. El lector se siente plagiado en sus íntimos deseos más delirantes.

Es una crónica que abarca cuatrocientos años. De este tiempo, trescientos años corresponderán a los antepasados de la pareja de protagonistas, José Arcadio Buendía y Ursula Iguarán; los cien últimos son el relato desgranado, página a página, que cuenta los sucesos de la familia fundada por Ursula y José Arcadio, que viven cien años en soledad.

Cien años de soledad es una novela que puede ser contada con el inocente tono de un cuento infantil inductor de gratificantes sueños. Veámoslo:

«Erase una vez, hace muchos, muchísimos, años un aragonés que partió hacia América para hacer fortuna...» Subitamente, apenas iniciada la andadura anecdótica, el cerebro del lector se desdobla, porque, junto al relato del aragonés que viaja de Aragón a Colombia, de Riohacha al interior y de ahí a Macondo, surge otra historia que carga de connotaciones este triple éxodo. El primero de ellos está motivado por la maldición de la pobreza que obliga a emigrar para ganar un pan más fácil o con menos sudores. El segundo éxodo está presidido por Francis Drake, el «ángel» vengador con cuya presencia el paraíso de Riohacha se convierte en un lugar inhabitable —Francis, acorde con los tiempos, ha cambiado la espada de fuego por los perros de presa [3]—. El tercer éxodo está marcado por la muerte. Si en la historia bíblica se dicta la sentencia, los Buendía tienen que huir porque, una vez más, el inmediato castigo al pecado se sigue cumpliendo.

De esta forma, desde el principio de la historia de los Buendía, se inicia una dualidad ambigua que mantiene una superficie anecdótica de inocente relato tradicional y una intención subyacente que, por medio de sus connotaciones, alusiones e hiperbolizaciones, invita a pensar que todo puede ser —al mismo tiempo— eso y otra cosa muy distinta. Podría seguirse el razonamiento por el estudio de la analogía inversa; si en el principio fue la mujer la que provocó el desahucio del paraíso con su curiosidad, es ahora el hombre con su tozudez

---

[3] Drake, además de ser «ángel» para su *virgen* reina, comparte con los espíritus algunas de sus propiedades como el caminar sobre las aguas. Que use las alas de sus velas en lugar de las que Murillo les concede a los querubines no tiene la menor importancia en un mundo donde los personajes levitan con una taza de chocolate o ascienden a los cielos con la ayuda de unas sábanas de bramante. Que lo haga a bordo de sus galeras o montado en su capa —como el angelical Raimundo— no le resta simbolismo al cancerbero del paradisíaco Riohacha.

—«no me importa tener cochinitos» (p. 25) [4]—, quien origina la catástrofe. Pero puesto que he prometido desarrollar el relato con orden y por estadios sucesivos, queda aquí indicada la fecunda ambigüedad y vuelvo a retomar el hilo de la historia con la inocente despreocupación de una primera y alegre lectura superficial —aquello que hizo que recomendáramos el libro a nuestras amistades: «léelo, pasan tantas cosas divertidas»—.

URSULA, JOSÉ ARCADIO BUENDÍA, EROS Y LA DESCENDENCIA

La historia del tercer éxodo —de la ranchería del interior a Macondo— es la parte más amplia y eminente. Se inicia con los amores de Ursula y José Arcadio Buendía, sobre los que pesa una maldición de hada cruel y vengativa. (Vuelve a aparecer la posibilidad de la ambigüedad con la analogía del pecado original, que también vamos a dejar de lado.) Si la pareja se casa, serán castigados y, en lugar de hijitos engendrarán animales —como en las más antiguas historias de los libros de caballerías—. La perversa maldición no deja nada al azar: se sabe, a ciencia cierta, que los hijitos serán iguanas —lagartos o lagartijas—. Como en todo cuento con héroe, el amor vence al temor y la boda se celebra. Pero no se consuma —porque éste es un relato con suegra—. Hace su aparición el hombre malvado —Prudencio Aguilar— que critica el corto valor de José Arcadio. Por imprudente muere y se impone la huida hacia lugares ignorados atravesando montes, selvas y valles hasta la fundación de un nuevo pueblo en la orilla de un río: Macondo.

Allí, José Arcadio y Ursula prosperan y tienen tres hijitos: dos varones —José Arcadio y Aureliano— y una niña, Amaranta. José Arcadio, alto, fuerte y aventurero, un buen día se escapa con los gitanos. Volverá años más tarde y se casará con Rebeca —una prima lejana—. Ursula se enfada —porque piensa que tendrán hijitos-iguana— y los echa de casa. Al fuerte y

---

[4] Cito por la séptima edición de la Editorial Sudamericana, 1968. Los subrayados serán siempre míos.

valiente José Arcadio y a la hacendosa Rebeca eso no les importa mucho y se las arreglarán para ser muy felices. Se ponen a trabajar y van reuniendo muchas y buenas tierras y luego se van a vivir a una casa nueva muy grande y bonita que les regala un hijo que José Arcadio había tenido antes de casarse con Rebeca. Pero un día, no se sabe cómo, aparece José Arcadio muerto. Rebeca se entristece tanto que se cierra en la casa y nunca más saldrá a la calle hasta la hora de morirse. (Después de la muerte de José Arcadio, el lector piensa que Ursula debió haber esperado a echar de casa a su primogénito, ya que su nuera, Rebeca, parece no estar dotada para cargar con la maldición de engendrar hijos-iguana, y una empieza a pensar que Ursula no está demostrando ser tan buena madre como parece. Pero vamos a darle esquinazo a este pensamiento que nos aparta del relato de primera lectura.)

El segundo hijo, Aureliano, más tranquilo y sosegado, disfruta gastando su tiempo en la confección de pescaditos de oro. Un buen día se enamora de una niña muy bonita llamada Remedios, y al fin se casan. Antes del año, desgraciadamente, Remedios se muere de un mal embarazo. Aureliano, triste y desengañado, no piensa en mejor cosa que en irse a la guerra. Así es que organiza un ejército, se nombra a sí mismo coronel, y se va a pelear contra los malvados conservadores. Hace una guerra detrás de otra; lo menos, hasta treinta y dos guerras todas seguidas; pero como sigue triste por la muerte de Remedios, las pierde todas. Un día, cansado al fin, firma la paz y vuelve para encerrarse a confeccionar pescaditos, ya que la suerte rechazó el sacrificio de su suicidio. Encerrado en el taller, hasta el fin de sus días, hace igual que Penélope mientras esperaba la llegada de su marido: hace y deshace pescaditos; sólo que Aureliano no tiene que esperar nada. Ni siquiera la pensión del gobierno, porque su familia es lo bastante rica como para no preocuparse de eso.

Amaranta, la hija, tiene menos suerte que sus hermanos en lo de encontrar un Adán que muerda su manzana. Los hombres que a ella le gustan no le hacen caso. Y los que le hacen proposiciones no son de su agrado. Ni se casa con Crespi, ni con Gerineldo, ni con nadie. Y así Ursula no llegaría a tener niete-

citos a quienes contarles las aventuras de su propia bisabuela
con el inglesote Drake, pero...

LOS NIETOS BASTARDOS

Pero resulta que José Arcadio y Aureliano habían tenido
cada uno un hijo con una mujer del pueblo llamada Pilar Ternera. Así que Úrsula sí tiene nietos: Arcadio —de José Arcadio— y Aureliano José —de Aureliano—. Arcadio será un poco
cabeza loca y morirá fusilado por liberalote, pero antes tiene
tres hijos con una chica de nombre la mar de piadoso, Santa
Sofía de la Piedad. Los hijos de Arcadio se llamarán: Remedios
—la mayor— y José Arcadio Segundo y Aureliano Segundo
—los gemelos—. Aureliano José —el hijo de Aureliano— no
tiene suerte con su destino porque le sale cambiado. Las cartas
decían que sería feliz y se casaría con una niña muy guapa, pero
lo matan por la espalda. Úrsula, no obstante, tiene asegurada
la descendencia de la familia con los hijos de Arcadio: Remedios y los dos gemelos.

José Arcadio Buendía, el bisabuelo de los gemelos, hace ya
tiempo que murió. Después de haber trabajado mucho intentando perfeccionar los inventos de los gitanos, se vuelve loco
de tanto estudiar y tienen que atarlo a un árbol del jardín para
que no rompa todas las cosas que hay en la casa. Atado al árbol, se va decolorando con la lluvia y un día, mientras duerme
y sueña, se muere. Entonces cae una lluvia de flores para con-
memorar su paso por la tierra.

Úrsula y Amaranta cuidan de los tres hermanitos. Remedios
es muy bella, pero no se distingue por su inteligencia. No le
gusta casarse y ello es clara muestra de que está mal de la cabeza. La oportunidad que tiene de pescar novio en el carnaval
no la aprovecha. (Es como si se repitiese en ella la historia
de Amaranta, su tía abuela.)

En cambio, su hermano Aureliano Segundo, sí sabe cómo
espabilarse. A la fiesta del carnaval llega una joven muy hermosa —más hermosa que cinco mil mujeres— y de mucha clase
—es nieta de una reina, y Aureliano Segundo se enamora de

ella—. Así que cuando Fernanda vuelve a su casa, Aureliano Segundo va a buscarla sin saber dónde vive, igual que hizo años antes el príncipe de Cenicienta. Al fin la encuentra, se casa con ella y comienzan a vivir muy felices en Macondo, en la gran casa de Ursula.

Poco tiempo después, Remedios, la bella, a la que se le han muerto todos los novios, sube al cielo, lo cual es un descanso para los demás.

La «reina» Fernanda, Aureliano Segundo y la Bananera: auge y crisis

El matrimonio de Fernanda y Aureliano Segundo casi se estropea a los pocos meses porque Aureliano Segundo tiene una amante, y más la exhibe que la oculta. Pero como esta mujer les provee —misteriosamente— de ganados sin cuento, Fernanda calla y disimula.

Aureliano y ella tienen tres hijos: Meme, José Arcadio (Tercero) y Amaranta Ursula. El que más ilusión le hace a Ursula es José Arcadio, y decide que será Papa porque ya está harta de que los nietos le salgan alborotadores.

Los acontecimientos se suceden rápidamente:

— Meme se va al colegio y José Arcadio Tercero a Roma.
— Un Aureliano —uno de los diecinueve hijos, toooodos varones, que tuvo el coronel Aureliano— hace llegar el tren a Macondo.
— Los gringos se aprovechan de ello y fundan una compañía de banano.
— Los Aurelianos son masacrados por asesinos desconocidos.
— José Arcadio Segundo es el capataz de la Compañía Bananera.

Esta complicada superposición de acontecimientos tiene su repercusión en la casa de los Buendía, que parece un híbrido entre hotel y molino. Y Fernanda, sin comerlo ni beberlo, siempre tiene la casa llena de extranjeros que no hacen más que molestar y comer a costa de los Buendía.

Estando así las cosas, un mal día se inician los desastres:

— El coronel se muere un día de lluvia y circo.

— Meme, ya licenciada en clavicordio, regresa a Macondo y se enamora de un macondino que los gringos tienen empleado como mecánico.

— Cuando Fernanda se entere, la encerrará en el mismo colegio donde ella se educó.

— En el entretanto, Amaranta —cansada de odiar— ha hecho un trato con la Muerte y, cuando se encuentra preparada, se muere estropeando un concierto de Meme en casa de los gringos.

— Unos meses más tarde traen al hijo bastardo de Meme y Babilonia. Fernanda, avergonzada, lo esconderá.

— Los empleados de la bananera, con José Arcadio al frente como su capataz, se enredan en una huelga con los gringos que acaba en una matanza.

— José Arcadio Segundo es el único que se escapa de la masacre de la huelga, pero no le sirve de mucho, ya que hasta que se muera su hermano gemelo vivirá como emparedado en el cuarto donde están archivadas varias docenas de bacinillas.

— Comienza a llover. La lluvia durará más de cuatro años. En este tiempo los ganados que proporcionaba Petra Cotes se mueren, la casa parece que se reblandece y se oxida y lo que queda en pie casi lo derriba Aureliano Segundo buscando la fortuna de Úrsula.

Cuando terminan las lluvias, Aureliano está flaco y desmejorado, Fernanda malhumorada y quisquillosa y Úrsula está chocheando a más y mejor. Los únicos a los que no ha afectado el temporal son Aureliano —el bastardo de Meme— y Amaranta Úrsula— la benjamina de Fernanda. Ambos niños son sobrino y tía respectivamente.

Intentando recuperar algo de lo mucho perdido, Aureliano Segundo y Petra Cotes se dedican a hacer rifas de animales para poder mandar a Amaranta Úrsula a un colegio de Bélgica.

Cuando reúnen bastante dinero con la venta de las tierras del diluvio, Amaranta Ursula se va al colegio.

Al poco tiempo se suceden las muertes de Ursula —el día de Jueves Santo—, y poco después —como si hubiera estado esperando la muerte de la matriarca— fallece Rebeca. Tiempo atrás lo hizo el coronel Gerineldo Márquez, el antiguo pretendiente de Amaranta.

Luego le toca la vez a Aureliano Segundo, que sufre de una afección en la garganta. Ese mismo día muere su hermano gemelo. Su madre, Santa Sofía de la Piedad, lo degüella —tal como le prometió al hijo— para que no lo entierren vivo.

Un día, cansada de trabajar, Santa Sofía se va. Y en la casa que Ursula había mandado construir —la más grande y fresca de toda la ciénaga— no quedan más que Aureliano Babilonia y Fernanda. El primero se dedica a leer los manuscritos de Melquíades, una Enciclopedia y cuantos libros caen bajo su mirada que se han ido reuniendo desde tiempos inmemoriales y que ya fueron utilizados por José Arcadio Buendía para enseñar a sus hijos. Fernanda mata el tiempo escribiendo a sus hijos cuantas fantasías se le ocurren. Y cuando cree llegada su hora, en su afán de superar a la más original de las Buendía, se viste de reina, y muere con toda dignidad, como una auténtica faraona encerrada en su tumba-casa, rodeada de todos los utensilios que le pertenecen, y después de haber escrito sus memorias dirigidas al último vástago legal de los Buendía, el aprendiz de Papa.

El aprendiz de Papa regresa al hogar

Unos meses después llegará José Arcadio a Macondo. Entonces se sabe que no sólo no aprobó los estudios de Sumo Pontífice, sino que se pasa las semanas haciendo el vago por la casa. Un buen día traba amistad con unos chiquillos del pueblo y su vida cambia. Se vuelve más alegre y sociable, y se entretiene grandes ratos jugando con ellos. Un golpe de buena suerte viene a inyectar más alegría al grupo: encuentran el tesoro escondido de Ursula. A partir de este momento se inicia un nuevo esplendor en la casa de los Buendía: dormitorios con damascos, cenas fastuosas, diversiones caras e ilimitadas... De nada se privan José Arcadio y sus amiguitos.

Todo va como la seda, hasta el día en que José Arcadio se enfada con un chiquillo y los echa a todos después de azotarlos. Ellos, disgustados por el inexplicable proceder de José Arcadio, esperan que se le pase el malhumor para reanudar los juegos. Cuando esto suceda, entre varios de ellos ahogarán a José Arcadio en la bañera.

Amaranta Ursula vuelve a Macondo

Aureliano sigue imperturbable en su lectura, pero su soledad no le dura demasiado tiempo: Amaranta Ursula regresa de Europa con su marido, un belga muy complaciente y amable que monta en velocípedo, sueña con el correo aéreo y va a todas partes atado a la muñeca de Amaranta Ursula con un hilo de seda.

Amaranta Ursula y su marido se aman como los ya olvidados José Arcadio y Rebeca. La felicidad de ambos se interrumpe el día en que Gastón debe ausentarse para recuperar un avión que se le ha extraviado. Al quedar solos, Amaranta Ursula y Aureliano Babilonia se enamoran y, como no saben que son parientes e ignoran la maldición de engendrar hijos-iguanita, no se preocupan cuando Amaranta Ursula queda embarazada.

Y de este modo, cuando el bebé nazca tendrá una rizada colita de cerdo al final de la espalda.

El parto trae complicaciones y Amaranta Ursula muere a causa de una hemorragia. Aureliano Babilonia va en busca de sus amigos y no hallándolos, se emborracha. Así lo encuentra su antigua amante, Nigromanta, y se lo lleva con ella para consolarlo.

Al amanecer, Aureliano regresa a su casa y cuando entra en la habitación donde había dejado al niño, se da cuenta de que ha sido devorado por las hormigas.

De modo que a fin de cuentas, después de siete generaciones y de trescientas cincuenta y una páginas, la maldición de engendrar iguanas no se cumple porque el hijo de Amaranta

Ursula y Aureliano no se muere ni por ser iguana ni por tener colita de cerdo, sino porque la casa es tan vieja y decrépita que no puede alimentar a las hormigas hambrientas, quienes no tienen más remedio que comerse al bebé para saciar su hambre.

Como final apocalíptico, sobreviene un ciclón que arranca la casa de sus cimientos mientras Aureliano lee en los manuscritos de Melquíades la profecía de lo que está sucediendo.

UNA NOVELA, COMPENDIO DE CUENTOS

Llegado el final de la narración, el lector queda defraudado en su esperanza de ver al hijito-lagarto (¿«lagarto, lagarto»?), al hijito-esfinge, mucho más interesante que un bebé cerdoso; pero no obstante el lector no se enfada, porque se lo ha pasado en grande con una novela en la que suceden las cosas más impensables, y por donde caminan unos personajes tan vivos que uno espera encontrárselos al salir a la galería o al atender el timbre de la puerta. Es una novela donde todos los cuentos y las fantasías infantiles tienen un recuerdo tangible y actuante, donde los terribles gitanos que roban a los niños —según las abuelas temerosas cuentan a los niños que no se quieren dormir— son aquí simpáticos y divertidos y tienen alfombras voladoras —como las de *El ladrón de Bagdad*—, donde José Arcadio Segundo se comporta igual que el Príncipe de *La Cenicienta* —primero da una fiesta a la que acuden todas las mujeres hermosas y después de haberse enamorado de Fernanda va a buscarla hasta su casa—, y donde perecen todos los personajes como en el más abarrocado drama romántico.

Es una novela en la que —según se mire— el principal protagonista podría ser la propia casa. Se inicia todo en una casa de Riochacha asaltada por Francis Drake, sigue en la casa de la ranchería de donde deben huir para evitar las visitas del fantasma de Prudencio Aguilar, que perturba sus noches —tanto tiempo retrasadas— de recién casados. Después viene la pequeña casita de Macondo donde comienzan la nueva vida. Luego siguen en la gran casa que Ursula manda construir en la época de oro de los Buendía para que sus hijos puedan casarse y quedarse a vivir con ella. Y por último, la casa termina con el último de los Buendía. Todo lo que les pasa a los Buendía les sucede dentro de las casas. Aunque haya algunos acontecimientos que sucedan fuera, como las guerras del Coronel, se sabe poco de ellos y nada de los sentimientos de los Buendía mientras están fuera de las paredes de sus casas. Incluso la casa es la responsable de la muerte del último Aureliano —Aureliano Cuarto Babilonia Buendía— que iba a ganar treinta y dos guerras.

Es una novela en la que el lector encuentra las más contradictorias situaciones. ¿Dónde hallar un matriarcado tan silencioso como efectivo según lo entienden Ursula y Fernanda? ¿Dónde hallar hombres más inútiles que los Buendía? ¿Dónde encontrar hechos tan inverosímiles como que el patriarca descubra la redondez de la tierra en el siglo XIX, busque oro y encuentre hierro, se encandile con una bailarina de cuerda y se quede hasta el fin de sus días amarrado a un árbol como si se tratara de un perro rabioso?

¿Y qué decir de sus descendientes? De sus hijos, el uno muere de un disparo en un oído. En cambio, el otro pierde treinta y dos levantamientos y no encuentra el lugar de su propio corazón el día que pretende suicidarse. Un nieto es fusilado, el otro es acribillado por la espalda. Los bisnietos gemelos se mueren el mismo día, mientras que años antes, su hermana subió al cielo en cuerpo y alma. De los tataranietos, la una muere en Cracovia, el otro ahogado en la bañera y el otro es arrollado por un ciclón, mientras que al último se lo cenan las hormigas.

¿En qué otra novela se pueden encontrar anécdotas como en *Cien años de soledad?* Anécdotas como la ascensión de Remedios, la bella, después de haber despreciado a unos pretendientes que —invariablemente— mueren todos de muerte violenta; la muerte anunciada de Amaranta; la boda de Aureliano Segundo con la reina de Madagascar, parienta de los Duques de Alba; la resurrección de Prudencio Aguilar, de Melquíades y de José Arcadio Buendía; el milagro de que José Arcadio Segundo sea el único habitante de Macondo que escape de la masacre de la huelga; las innumerables guerras e hijos del coronel Aureliano Buendía; los incestos —siempre intentados y casi nunca realizados— de José Arcadio, Amaranta, Aureliano José, José Arcadio Tercero, Amaranta Ursula y Babilonia.

Hay piratas que asaltan pueblos entrando por las ventanas, gitanos que cuentan las mentiras más inimaginables; se encuentran tesoros escondidos; casi nadie se muere definitivamente jamás; los vivos están como muertos antes de fallecer.

Nunca nada es lo bastante sorprendente como para causar admiración. Por el contrario, lo más inesperado es lo cotidiano: el uno cría gallos en la casa cural, va a observar los fusilamientos, capitanea huelgas, termina leyendo sánscrito, y al final de sus días acaba con el cuello cortado como uno de sus gallos. La otra es hermosa hasta hacer enloquecer, pero más pazguata que un guante suelto.

A nadie parece importarle de quién es hijo nadie. Basta que tenga un cierto aire de familia para que las puertas se le abran y tenga derecho a la herencia familiar. Diecinueve hijos varones no son una cifra alarmante para ningún miembro de la familia.

UNA NOVELA DE DESPROPÓSITOS Y GENIALIDADES

¿En qué otra novela pueden encontrarse despropósitos tan antológicos? Una reina que tiene que bordar para poder comer; un abuelo que se envía a sí mismo como maloliente regalo de Navidad; una abuela que se niega a morir y prefiere servir de muñeca a los tataranietos; una lluvia que deja sin escuela a Amaranta Ursula y Aureliano por más de cuatro años; una casa laberíntica: laboratorio, taller, cuarto de bacinillas, cocinas, patios, baños, correrores, baúles, juguetes antiguos; una tía que, cansada de que se le mueran los novios, se envuelve en una sábana y se larga al cielo; otra no sabe esperar que le llegue la hora de la muerte y decide apalabrarla cara a cara; una casa que parece una posada siempre llena de invitados que nadie conoce personalmente. No en vano Prudencio Aguilar abandona su puesto en el otro mundo y va a visitar a José Arcadio Buendía con la excusa de que en el más allá se aburre. La verdad es que lo que les sucede a los Buendía es mucho más divertido que cualquier paraíso por bien organizado que esté.

¿Quién de entre los lectores no hubiera querido poder contar a sus compañeros de colegio que tenía un abuelo loco como José Arcadio Buendía, o haber sido cómplice de los amores clandestinos de una hermana como Meme, o tener un tío con un negocio de matronas francesas como José Arcadio Segundo, o un padre parrandero, juerguista y ganador de concursos gastronómicos como Aureliano Segundo? ¿Quién no hubiera querido poder empapelar la casa con billetes?

Una sola de estas genialidades basta para cumplir la fantasía de cualquier mente con una dosis normal de locura, y aquí hay tantas que el lector se siente fascinado, al par que humillado porque nunca podrá, ni lejanamente, imitarlas.

Por eso, aunque no se cumpla la maldición prometida de engendrar niños-lagarto, el lector no se enoja. Tampoco se siente defraudado porque muchas de las cosas que promete el narrador a lo largo de la lectura no se cumplen y, paradójicamente, hay eventos que se realizan a traición. Por ejemplo, no se cumple el fusilamiento del Coronel Aureliano Buendía a pesar de que es la amenaza con que se abre el libro, y se vuelve a ella cada tanto como en un círculo vicioso de montañas rusas. El lector espera de un momento a otro la descarga de fusilería que terminará con las infinitas guerras del coronel y su —también infinita— soledad y tristeza. Y cuando el lector, después de haber descartado la siempre imposible amnistía, lo ve contra el paredón, Gabriel García Márquez —como en un homenaje a Dostoievski— hace intervenir al hermano salvador. En cambio Arcadio es fusilado sin un «agua va» que alerte al lector sobre de qué trata el asunto. Es como si él tuviera que estar pagando con su muerte todas las equivocaciones de su tío el coronel.

También suceden casos parecidos entre las mujeres: Remedios, la bella, desprecia uno tras otro —sistemáticamente— a comandantes y príncipes, y en cambio Meme se entrega al primer menestral que le dice «qué bonitos ojos tienes».

Cien años de soledad es la narración que colma cualquier fantasía y donde no hay nadie cuya bondad merezca ser detallada. Todos tienen su parte de maldad y, gracias a ella, son castigados con una justicia no exenta de crueldad.

Los pocos buenos —con un porcentaje de tontez— desaparecen poco menos que sin dejar huella:

— Petra Cotes, una buena mujer, pero lo bastante tonta como para preocuparse exclusivamente de enriquecer a Aureliano Segundo, pagar el viaje de la hija de su amante a Bélgica y alimentar a Fernanda hasta la muerte, desaparece como la cuenta agotada de un banco.

— Sofía Santa de la Piedad, que acepta pasar de madre a criada para todo, en una casa que más parece un cuartel, se va un buen día como un perro harto de palos y de hambre.

— El estúpido Pietro Crespi que nunca supo dónde le apretaba el zapato, y fue incapaz de comprender a las mujeres mientras obsequiaba a un pobre loco, muere desangrado en una palangana como un canario sietemesino.

En *Cien años de soledad,* el lector se ve identificado con las locuras de Meme: la premeditada invasión con todas las compañeras del curso, la primera borrachera, la fingida sumisión a su madre, sus amores clandestinos, la complicidad con su padre, su silencio altivo y despectivo.

La figura hermética del coronel tiene el atractivo de quien alcanza el pedestal de héroe sin comerlo ni beberlo: es un hombre que pierde más de dos docenas de guerras como si se tratase de un puñado de canicas. Se casa con la mujer de sus sueños y no tiene que cargar con ella porque el destino le evita semejante engorro. Tiene docena y media de hijos sin que ello le represente problema alguno, ni moral ni económico. Pierde la guerra final contra sus propios partidarios y sigue siendo un prohombre y un héroe. Se da el gustazo de suicidarse y no lo consigue, mientras que su aureola va aumentando.

UNA NOVELA DE TIEMPO VOLUBLE

Es una narración en la que el tiempo no cuenta para todos igual: Pilar Ternera tiene veintidós años cuando se inicia el éxodo hacia Macondo, y en la página 334 aún está en todo su esplendor y capacidades mentales para aconsejar a Aureliano Babilonia sobre sus amores con Amaranta Ursula. Es una novela en la que el tiempo juega un importante papel: «el tiempo está dando vueltas en redondo» (p. 192) y se utiliza para llevar al lector de fusilamiento en fusilamiento y fusilo porque me toca; donde los hijos hablan y caminan y echan los dientes antes que hayamos sabido de su nacimiento. Es una novela en la que en una sola frase —«tuvo diecisiete hijos varones de diecisiete mujeres distintas, fueron exterminados uno tras otro *en una sola noche* antes de que el mayor cumpliera treinta y cinco años» (p. 94)— se anuncia el nacimiento de los Aurelianos y su muerte, e incluso el modo, pero se yerra en lo que respecta a que todos morirán en la misma fecha, porque Aureliano Amador muere en la página 317.

Es un relato en el que gran parte de las anticipaciones en el tiempo no se cumplen; entre ellas las que pronuncia Pilar Ternera y especialmente en lo que respecta a los amores. Tampoco se cumplen las que proclama —con el mayor aplomo— la voz que narra. Es un libro con situaciones genésicas fuera de lo normal: sólo veintiún hombres salidos de la ranchería en busca de Macondo, antes de cumplir treinta años, han conseguido que la multiplicación entre los huidos llegue a alcanzar la cifra de trescientos (p. 16). Es una obra en la que su autor se toma cuanta libertad le apetece ya que, de aceptar los datos que en él se dan, Gabriel García Márquez no podría haber escrito su obra sino seis años más tarde de lo que lo hace: Drake estuvo en Riohacha en 1573, añádanse los trescientos años de casualidades que Ursula recuerda de sus antepasados, más los cien años que dan título al libro —eso sin contar que Pilar Ternera en la página 333 hace años que ha cumplido ciento cuarenta y cinco, y por lo tanto lleva en Macondo unos ciento veinticinco años—, lo que da un cálculo mínimo para entregar el libro a la estampa en 1973. Y el libro fue impreso en 1967.

Cien años de soledad podría ser epigrafiada como novela de tiempo porque éste se maneja harto caprichosamente, y no cuenta para nada la muerte, por lo que los personajes pueden traspasar su barrera según propia conveniencia.

Una novela de novelas

Cien años de soledad podría ser una novela de personajes con mujeres que gobiernan sin casi mandar, y hombres que no sacan provecho de su incesante actuar.

Cien años de soledad es una narración en la que desde el principio al fin se suscitan las sospechas del lector porque se abre y cierra el libro con la presencia de los gitanos, sinónimos —siempre— de fantasía, error, engaño.

También cabría considerarla como una obra donde la anécdota tiene reservado el lugar preferente, ya que éstas se suceden con una abundancia tan asidua y prolífica que el lector se creería trasladado a los fabulosos cuentos de Sahrazad; donde el libro se abre con los recuerdos del primer Aureliano, el coronel, cuando va a ser fusilado por haber perdido treinta y dos guerras, y el último acontecimiento narra el nacimiento del último Aureliano —el cuarto—, que, según su padre, está destinado a ganar treinta y dos guerras. Un libro que se inicia con el recuerdo del hielo que trajeron los gitanos y termina con la lectura profética de los manuscritos escritos por el más ínclito de los gitanos: Melquíades.

Una novela de ausencias, pero plena de poesía

Pero para mí, es también, y sobre todo, una novela de AUSENCIAS Y POESÍA.

— *Hay ausencia de exactitud.* Dicho en otras palabras, HAY DEMASIADOS ERRORES. El escritor colombiano se permite en demasiadas ocasiones probar el temple de su lector. En la novela, el autor se autoriza demasiados juegos de pluma —de máquina de escribir, porque Gabriel García Márquez es un periodista nato— y donde cuantos sucesos se narran tienen —todos ellos— una base rastreable en la Historia y en la Literatura, con lo que el lector se siente inclinado a aceptar como válido todo cuanto se le sirve en letra impresa. El no hacerlo así le parece un delito de lesa literatura y cuyo remordimiento le persigue hasta que logra detectar y definir el más de medio centenar de «malas pasadas» que Gabriel García Márquez ha dispuesto para su regocijo personal y tortura del lector. De hecho, los errores pasan inadvertidos en las primeras lecturas, porque los peculiares miembros de la familia Buendía acaparan toda la atención del lector. Pero a lo largo de los días la imagen de un narrador excesivamente descuidado y socarrón va tomando cuerpo en la mente del lector.

— *Hay ausencia de conclusiones.* Es decir, se dan los datos pero se silencia adónde conducen los hechos narrados. Por ejemplo, sabemos el papel engendrador de Pilar Ternera con los dos hijos varones de Ursula. También conocemos que varios de los Buendía acuden a ella para que ésta les aconseje en sus amores. Pero el autor no enfatiza el hecho —al contrario, procura que pase ignorado— de que el único incesto de toda la obra es el cometido por Amaranta Ursula con Aureliano Babilonia. Es un incesto ignorado por aquellos que lo cometen. Ellos no saben que son tía y sobrino. No lo saben ellos, y parece no saberlo nadie. Ningún documento puede ayudarles a descubrir su parentesco. Todos los personajes ignoran lo que hay de cierto respecto a su consanguinidad, todos lo ignoran... excepto Pilar Ternera, que habiendo aconsejado a Meme que se entregara a Babilonia, no tiene más que sumar dos y dos —mejor dicho, uno a uno hasta nueve meses de embarazo— y saber que Aureliano Tercero Babilonia, el bebé que aparece por arte de magia en la casa de los Buendía, es su propio tataranieto e hijo de Meme. De modo que cuando Aurelio Babilonia —su tataranieto— va a contarle sus amores, y ella, Pilar Ternera, le anima a que se una con Amaranta Ursula —su tía—, de hecho los está empujando a cometer el incesto. Y ella, Pilar Ternera, no sólo conocía el parentesco entre Aureliano Babilonia y Amaranta Ursula, sino que también sabía la tragedia del primo de Ursula con la cola de cerdo, y su posterior muerte ante la hachuela de destazar, puesto que Pilar Ternera tenía veintidós años cuando abandonó la ranchería de indios para buscar Macondo.

Así que la destructora de la estirpe es Pilar Ternera; además de ser la mujer de vida más larga en la obra. No sabemos a qué edad se casó Ursula, pero no debió de ser mayor que Pilar. Y cuando Ursula muere, Pilar Ternera sigue viviendo como si ella no debiera ser regida por las mismas leyes que el resto de los mortales. Y esa Pilar Ternera que —a ciencia cierta— incita al incesto castigado con cola de cerdo, ella, fue la que hizo posible que Ursula pudiera sentir en sus rodillas a los pequeños nietos, favoreciendo así la prolongación de la estirpe.

¿Por qué se silencian estos acontecimientos? ¿Por qué es el lector quien debe percatarse de que la mujer más longeva es Pilar Ternera y no Ursula, como una lectura rápida parece insinuar? ¿Por qué no se hace mención ninguna al antagónico papel que desempeña Pilar Ternera con los primeros y con el último de los Buendía? ¿Por qué es el lector quien tiene que ir buscando los cabos y anudándolos para formar su propio quipu?

La intención del autor de ocultar este hecho y otros muchos en la obra es totalmente manifiesta, porque véase que el libro se abre haciendo mención al hielo de los gitanos, cuyo más conspicuo representante es Melquíades, y la obra se cierra con las encíclicas cantadas que Melquíades había escrito durante el tiempo de sus dos resurrecciones. Y sin embargo, Melquíades no es ni la milésima parte importante de lo que lo es Pilar Ternera. Ella OBRA. Ella, la insignificante Pilar que no fue aceptada por Ursula en la inauguración de la casa grande, y que tuvo que comprarle una esposa a su hijo Arcadio con los ahorros de toda su vida, ella, que no recibe otro trato de los Buendía que el reservado a una criada y a una prostituta, ella es la que precipita el fin de la familia Buendía. ¿A qué tanto bombo y platillo con Melquíades si las decisiones de Ternera son las que dictan las profecías del gitano?

Este tipo de conclusiones son las que Gabriel García Márquez deja a la discreción y la voluntad del lector. Encontrando la respuesta a ellas, se puede ir perfilando la figura del narrador.

— *Hay ausencia de Macondo.* Ninguno de cuantos críticos han abordado el estudio de *Cien años de soledad* han ignorado a Macondo. Yo misma lo he hecho aparecer en la presentación de la obra. Y sin embargo Macondo, como tal pueblo —primero— y ciudad —más tarde—, Macondo como entidad espacial no puede decirse que tenga cohesión ni entidad fija suficiente. Macondo es un «ente» que va evolucionado y cambiando a la par que la casa de los Buendía, y este paralelismo hace que el pueblo quede más o menos asimilado y disimulado con la casa. Primero será una pequeña aldea de casas de adobe, más tarde Ursula traerá la civilización, luego vendrá la bananera con su hojarasca y, finalmente, la lluvia conformará el Macondo que recorrerá Aureliano Babilonia con los amigos de Gabriel y del librero catalán.

Poco más sabemos de Macondo. ¿Por qué es ello así? ¿Por qué todos hablamos de Macondo menos el autor? ¿Qué piensan los macondinos de todo lo que sucede? ¿Qué piensan de los Buendía en especial? ¿Por qué esta ausencia tan flagrante?

Ese será otro de los puntos básicos que deberé tratar para saber qué es lo que impele al autor a comportarse así.

Y para equilibrar la balanza de tanta AUSENCIA, hay una avasalladora PRESENCIA de poesía del más alto nivel de pureza y de la más sugestiva quintaesencia. Pero no es gratuita. No está ahí como tal poesía, sino que tiene su función específica. En realidad no está como poesía, sino que está sirviendo a algún propósito y, *además,* es poesía. La confirmación de que no es una poesía gratuita es que no puede separarse del texto y seguir teniendo el mismo valor sugeridor. Y el relato no puede subsistir sin esa poesía porque ésta es una clave, o una-poesía-en-clave.

Así que la narración no sólo está modificada, sujeta y desvirtuada por un tiempo circular, recurrente y elástico, sino que la poesía lleva escondida alguna que otra zancadilla harto jugosa y sorprendente. Qué duda cabe que este apartado es el más gratificador porque el poeta que hay en Gabriel García Márquez ha sido bondadoso y entrega al lector las metáforas sin alambicamientos o —mejor aún— reintegradas a su original simplicidad.

Hay otra presencia manifiesta: alguna técnica narrativa nueva, de neto cuño garciamarquezco, que llamaremos SUPERPOSICION Y ENSAMBLAJE DE ESCENAS que se inicia en *Cien años de soledad* —y tendrá su culminación en *El otoño del patriarca,* de perfección luciferina donde las haya—, pero que en esta obra es un simple ensayo de fácil calibración.

Por último, hay una tercera y última presencia: el narrador tiene distintos tonos de voz. Para ser exactos, son tres modos de encarar lo narrado; tres formas de estructurar las anécdotas y de utilizar la poesía. Estos tres narradores —en alguna forma— se corresponden con las tres épocas de la casa de los Buendía.

Todo ello: las ausencias, los errores, las recurrencias, el libro-espejo, el tiempo, el espacio único, la poesía, las nuevas técnicas narrativas, todo ello, nos llevará al conocimiento de la concurrencia de narradores. Ya desde ahora dejo sentado que *no puede ser uno solo el narrador de toda la obra,* porque los intereses que persigue quien narra en las diversas partes de la acción no son los mismos.

Y desde luego que el Narrador (con mayúscula), el Cronista, el Omnisciente, el Demiurgo, el Imperturbable, está ausente en *Cien años de soledad.*

LOS BUENDÍA: ANTEPASADOS Y PROGENIE

A continuación, aparece insertado un cuadro genealógico de la familia Buendía; ocioso —en cuanto que varias ediciones lo incluyen en su prólogo—, pero útil en tanto que va a tener que ser consultado minuciosamente a lo largo de las argumentaciones que se siguen.

Dado que se nombra a los bisabuelos de los protagonistas, hemos comenzado por ellos la numeración de las generaciones.

En este cuadro genealógico son varias las correspondencias verticales y generales —directas e inversas— que pueden observarse.

— José Arcadio Buendía es «rey» y su bisnieta Remedios, la bella, también lo es.

— Crespi, el eterno novio de Amaranta, es italiano; e italiano es el marido de Amaranta Ursula.

— Crespi, el italiano, muere desangrado en una palangana; y José Arcadio, el que estudió en Italia, muere ahogado en una bañera.

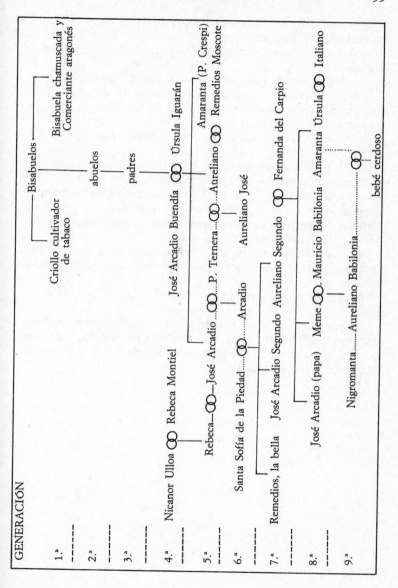

GENERACIÓN

Bisabuelos

Bisabuela chamuscada y
Comerciante aragonés

Criollo cultivador
de tabaco

abuelos

padres

1.ª

2.ª

3.ª

4.ª   Nicanor Ulloa ⊙⊙ Rebeca Montiel   José Arcadio Buendía ⊙⊙ Úrsula Iguarán

5.ª   Rebeca—⊙⊙—José Arcadio ...... P. Ternera ...... Aureliano ⊙⊙ Remedios Moscote
                                                                    Amaranta (P. Crespi)

6.ª   Santa Sofía de la Piedad ...... ⊙⊙ ...... Arcadio   Aureliano José

7.ª   Remedios, la bella   José Arcadio Segundo Aureliano Segundo ⊙⊙ Fernanda del Carpio

8.ª   José Arcadio (papa)   Meme ⊙⊙ Mauricio Babilonia   Amaranta Úrsula ⊙⊙ Italiano

9.ª   Nigromanta ...... Aureliano Babilonia   ⊙⊙
                                                                         bebé cerdoso

— Tanto Amaranta como Remedios, la bella, propician la muerte de sus pretendientes.

— Arcadio muere fusilado y Aureliano José tiroteado por la espalda.

— Remedios, la bella, es reina; Fernanda también lo es.

— José Arcadio y Aureliano comparten la amante —Pilar Ternera—; los gemelos comparten a Petra Cotes durante los primeros tiempos.

— Fernanda pasa parte de su vida en un convento; su hija Meme, también.

— Ninguna mujer desde la cuarta a la novena generación —excepto Fernanda— concibe legalmente.

— Excepto en el caso de Fernanda, la familia se propaga siempre —entre la quinta y novena generación— por línea bastarda, mientras que los matrimonios son infecundos (José Arcadio, Aureliano, Amaranta Úrsula).

— Las amantes tienen cada vez la sangre más oscura: Ternera, Santa Sofía, Petra Cotes, Babilonia —el amante de Meme— y Nigromanta.

— Los Arcadios mueren con mayor violencia que los Aurelianos.

El recuento, sin ser ilimitado, es casi inacabable en sus combinaciones. El lector puede encontrar varias docenas más con sólo variar la posición del espejo que refleja los fragmentos de la historia de los Buendía.

AMOR Y SEXO

> *Cuando Gastón le preguntó cómo había hecho para obtener informaciones... recibió la misma respuesta que José Arcadio: «Todo se sabe.»*
>
> (p. 322)

CON ESTA sucinta y pseudobobalicona lectura de *Cien años de soledad*, que acabo de exponer, se termina la labor de lo que Cortázar, en un momento de menor profundidad definitoria, llamó «el lector hembra» —y que levantó ronchas entre las féminas conscientes, y masculinos de pro. De ahora en adelante voy, vamos —quien esto escribe y quienes lo leen— a convertir el proceso de lectura en una reescritura en el sentido de no prestar esa credulidad *prima facies* con que Gabriel García Márquez, buen psicólogo y mejor escritor, cuenta sus anécdotas. Voy, vamos, a inundar de luz el habitáculo para ver cómo se entrecruzan las manos que fabulan las quimeras de esas sombras chinescas que presentan distorsionados a los personajes: desde un coronel esperando impasible el fusilamiento que nunca llega, o sufriendo como un estoico —primicia de paradoja— la heroicidad de haber errado el tiro suicida, hasta la ascensión de Remedios, la bella, y las minuciosas profecías de Melquíades —menos útiles que Babieca en Pearl Harbour—. Cada afirmación, cada situación, y todas las escenas que nos presente Gabriel García Márquez, serán pasadas por el tamiz de la aduana mental sin dejarse obnubilar por esa máquina fabuladora que es el novelista colombiano.

Esta será *una* lectura. Ni siquiera podrá responder de ser *mi* lectura, sino —y simplemente— *una de mis lecturas*. Cada cual, basándose en conclusiones, procedimientos y análisis, irá construyendo *sus* lecturas de un libro que es al mismo tiempo varias historias en un solo sentir.

Las siguientes páginas intentarán demostrar que es más importante la función del adverbio que la del verbo, más necesario prestar la atención al COMO que a la misma anécdota.

Francis Drake, los Buendía y los Iguarán en el inicio de la historia

Para comenzar el análisis de *Cien años de soledad* debemos situarnos en el arranque de la narración. El relato que Gabriel García Márquez nos ofrece en su novela comienza *in medias res*. El inicio y continuación de la historia hay que rastrearlos entre los innumerables *raccontos* y las frecuentísimas incursiones en el futuro, a que tan aficionado es el autor colombiano. La narración de los avatares de los Buendía se inicia en la página veinticuatro con un breve esquema de árbol genealógico que se remonta a los bisabuelos de los protagonistas. Una asustadiza bisabuela y un anónimo bisabuelo, el comerciante aragonés, son los bisabuelos de Ursula. También se nos presenta al bisabuelo de José Arcadio Buendía, que es un «criollo cultivador de tabaco».

El bisabuelo de Ursula tiene establecido su comercio en Riohacha, mientras que el de José Arcadio Buendía vive en una ranchería del interior, donde cultiva sus plantaciones de tabaco. En 1573, el pirata inglés Sir Francis Drake asalta Riohacha. Esta experiencia impresiona tan desfavorablemente a la bisabuela de Ursula, que le hace confundir el fogón encendido con una silla, y se sienta en él. Es tal su aturdimiento que sólo el olor de sus glúteos a medio rustir hace que se dé cuenta del error cometido. No se queda ahí el accidente. Además de haberse quemado la vecindad de la espalda, la bisabuela comienza a sufrir de frecuentes pesadillas amenizadas por Drake entrando al asalto con sus perros por la ventana del dormitorio. El comerciante aragonés, dispuesto a proporcionarle a su esposa la tranquilidad necesaria, se traslada a una ranchería del interior, lejos de los galeones de Drake. Es así como los bisabuelos de los protagonistas traban amistad. La inclinación entre ambas familias se patentiza con el matrimonio del tataranieto del criollo con la tataranieta del aragonés. Los sucesivos entrecruzamientos de los miembros de ambas familias pueblan los siguientes trescientos años.

La atracción entre ambas familias, facilitada por la proximidad de sus viviendas, también se manifiesta en los protagonistas del relato —Ursula Iguarán y José Arcadio Buendía—, que se sienten mutuamente seducidos y contraen matrimonio. Pero esta unión está marcada y amenazada por la consanguinidad que se viene arrastrando desde hace casi trescientos años, y ya ha mostrado sus nefastos resultados en un primo que nació con un quinto, inusitado e inesperado miembro: «una cola cartilaginosa en forma de tirabuzón y con una escobilla de pelos en la punta. Una cola de cerdo...». Este tremendo precedente no asusta a José Arcadio Buendía, que quiere casarse con Ursula y acepta el riesgo de procrear «cochinitos, siempre que puedan hablar» (p. 25), con tal de llevar a Ursula al altar.

Se celebra la boda, pero la madre de Ursula aterroriza a la recién casada con la posible descendencia anormal y consigue que su hija rehuya consumar el matrimonio. La nueva señora Buendía toma la resolución de impedir al marido el acceso al huerto deleitoso de su intimidad, vallándolo con un pantalón fabricado con lona de velero y reforzado por varios pares de correas cerradas con una hebilla de hierro. Esta actuación de Ursula convierte el tiempo nocturno en sucesivas sesiones de curiosos forcejeos que no facilitan en un ápice el acercamiento de la pareja (p. 25). Durante el día, José Arcadio Buendía entretiene sus ocios con —irónicamente— sus gallos de pelea, mientras Ursula, la mujer asediada, conserva incólume su integridad física.

Esta situación de mujer solicitada con asiduidad pero a la que no se puede acceder por causa de una barrera física, recuerda al lector la anecdótica y manida costumbre medieval impuesta por los —supuestamente— piadosos cruzados a sus esposas cuando partían a pelear a Tierra Santa. Sólo que aquí es la esposa la que idea servirse del artefacto ante un marido presente y apremiado por su fogosidad amatoria.

URSULA LLEVA LOS PANTALONES EN SU CASA

Nos hallamos ante la primera contradicción que invalida la tradición literaria, porque el cinturón de manufactura casera no es utilizado para que el hombre patentice el derecho sobre la esposa, sino que es un símbolo para indicar que se le están negando los derechos al marido. Es decir, que sirve para conculcar la autoridad del hombre y que, en el más vulgar de todos los lenguajes, se expresaría con la frase de *que en esta casa quien lleva los pantalones es Ursula* y que, por tanto, la autoridad del matrimonio reside en la mujer. Esto es lo que se puede leer en esa expresiva metáfora con que Ursula le niega los derechos al marido. Aquí no se trata de un cinturón de castidad en forma de pantalón. Es un auténtico pantalón con una doble finalidad: impedir real y concretamente la unión conyugal y, principalmente, advertir al lector que se halla ante un régimen matriarcal.

La severidad de este régimen es tal que José Arcadio Buendía no gozará de su mujer hasta que haya demostrado su hombría matando a un hombre. Asesinar a Prudencio Aguilar tiene todo el valor de un rito: antiguamente, en algunas tribus indígenas americanas, el hombre, antes de poder llevarse a su casa la mujer que sus padres o la tribu le habían designado, necesitaba demostrar su vigor masculino, y esto sólo se probaba cazando un gran félido sin ayuda de nadie. Después de acarrear su trofeo hasta la plaza de la aldea para presentarlo ante la asamblea de ancianos quedaba autorizado para la consumación del matrimonio previamente concertado. Aquí, José Arcadio Buendía se enfrenta a su tigre-Prudencio y lo mata con una lanza (p. 26). Acto seguido, José Arcadio clava «la lanza en el piso de tierra» dando testimonio de su valor y consuma el matrimonio: «Quítate eso».

He insinuado la posibilidad de que Prudencio Aguilar sea una metáfora del animal ritual. Las alusiones que he hallado en apoyo de semejante afirmación son varias. En primer lugar está el arma empleada. Es una lanza cuyo destino es matar tigres, no hombres; la herida es en la garganta, lugar apropiado para acabar con un tigre más que para un duelo a la usanza de Ivanhoe. Segundo: si se considera que, *sensu estricto,* en América no hay tigres —sino pumas o jaguares—, aún podemos añadir un perfil más a esa personalidad metafórica de Prudencio Aguilar. Súmese a ello el lugar donde tiene lugar el velatorio, la gallera, para que la animalización de Prudencio suba de grado. Su valor metafórico aumenta al leer la frase equívoca con que se sentencia el hecho: «el asunto fue clasificado como un *duelo de honor*» (p. 26). En realidad no puede ser un *duelo* porque el contrincante de José Arcadio «no tuvo tiempo de defenderse» (p. 26). En tal caso no hay *honor* en la actuación del marido de Ursula. Al contrario, es una acción despreciable porque abusa de la indefensión de su oponente.

Completemos el panorama del ritual matrimonial con el recuerdo de dos anécdotas: Cuando Aureliano Segundo —tres generaciones posteriores— decida casarse, lo hará según la ceremonia seguida por todos los príncipes de los cuentos de hadas: convoca a la juventud de la región a un gran carnaval. Una vez hecho esto sigue con el ritual americano: se disfraza de tigre (p. 172). El carnaval resulta una sangrienta represión de los conservadores contra los liberales. Después de esta ocasión, en la que se vuelven a combinar *la sangre* (p. 175) y *el tigre,* se realiza el matrimonio de Aureliano Segundo con Fernanda del Carpio, que procrean un primogénito varón: José Arcadio (Tercero), el aspirante a Sumo Pontífice.

Años más tarde, Fernanda piensa utilizar el disfraz de *tigre* para visitar a un ginecólogo yanqui (p. 270), ya que los médicos telepáticos no le solventan su incapacidad para la maternidad, detectada después del nacimiento de Amaranta Ursula. Fernanda, con tanto médico telepático, está declarando al lector su necesidad de cohabitar con el parrandero Aureliano Segundo. No puede ser que su interés esté dirigido al marido, según se desarrolla el relato y según opina su cónyuge, sino a la búsqueda de un nuevo hijo. El primogénito no ha salido apto para prolongar la familia, ya que es homosexual, los otros dos hijos son hembras y el nieto es bastardo. Fernanda busca la forma de volver a procrear a un varón que continúe la familia, sin percatarse de que los Buendía-Iguarán desde la tercera generación son bastardos. (En realidad Meme no ha hecho más que continuar la tradición al entregarse a Babilonia.)

De modo que en *Cien años de soledad* hay *tigre* siempre que se prepara un matrimonio legal, una unión legal, que va en busca del heredero que perpetúe la especie. Para que la consumación tenga efecto debe, además, correr *la sangre*.

Así que Gabriel García Márquez ha cuidado el ceremonial con sumo tiento. Aunque haya cambiado el tigre por un hombre, el ritual se conserva, porque el velatorio entre las gentes de raigambre indígena es una «celebración» que reviste caracteres más impresionantes que los de una boda: la cena abundante, la reunión de los parientes, las conversaciones e, incluso, la posibilidad de una borrachera mansa son una constante. Se puede comprobar este extremo con ocasión de la muerte de Melquíades: «Le hicieron sus nueve noches de velorio. En el tumulto que se reunía en el patio a tomar café, contar chistes y jugar barajas, Amaranta encontró una ocasión de confesarle su amor a Pietro Crespi» (p. 69) [5].

Así, pues, Gabriel García Márquez, con el episodio de la muerte de Prudencio Aguilar confirma lo ya insinuado en el primer fragmento del relato con el cinturón de castidad: lo que se va a narrar es la historia y los aconteceres por los que atraviesa un régimen *matriarcal*. (Más adelante se prestará atención al personaje de Prudencio Aguilar como elemento secundario

---

[5] Esta tradición fue exportada por los españoles, y basta asomarse a *La casa de Bernarda Alba* para comprobar el paralelismo costumbrista, y que el velatorio del padre es buena ocasión para que Angustias y Pepe el Romano se miren a hurtadillas, y para que las chismosas oficiales puedan opinar sobre el noviazgo de ambos.

con valor de metáfora. De momento hay que fijar toda la atención en Ursula, la matriarca.)

José Arcadio Buendía, un patriarca de pacotilla

Ursula es la figura principal, la que ocupa mayor espacio en la acción. Su matriarcado es flagrante desde los primeros párrafos. Lo voy a demostrar por la forma más eficaz, que es ejemplificar detalladamente, y con suficientes pruebas —en número y calidad—, que jamás ha existido un auténtico patriarcado, sino un distorsionado remedo de él. Una vez quede patente que la figura del líder masculino no tiene más consistencia que la de una irisada y efímera pompa de jabón, el escenario narrativo estará lo bastante despejado para ir presentando a Ursula en sus fecundas facetas. Estas se encauzan en dos direcciones: frenan el quehacer del hombre impidiéndole actuar, y lo sustituyen al frente de los hechos con una vitalidad soterrada que es la que permite a la novela seguir su andadura, hasta el final felizmente destructivo.

La oposición del matriarcado/patriarcado no es exclusiva de Ursula y José Arcadio Buendía, sino que se hace extensiva a todos los hombres y mujeres de la familia Buendía —aunque con marcadas evoluciones según va desarrollándose el relato—. Los Buendía son una larga familia iniciada por José Arcadio —el fundador de Macondo, el alquimista, el loco—; se continúa con José Arcadio —muerto misteriosamente—; con Arcadio —precoz guerrero—; con sus activos gemelos; con el aprendiz de Papa y con el bastardo Babilonia. Esta impresionante —cuanto aparente— galería de prohombres ha dejado en la penumbra a las mujeres que han compartido los sincopados devenires de una larga familia de derrotados generales, varones incestuosos y fracasados innovadores; familia que, si algo vale, lo debe precisamente a su carácter matriarcal. Vamos a sacar de la oscuridad a esas mujeres que son las actantes más potentes de la narración. Primero demostraremos que José Arcadio Buendía no es mucho más que un monigote de cartón piedra, una especie de

cabezudo de fiesta folklórica, y después ilustraré las cualidades
—y los graves defectos— de la gran matriarca de la familia.

Ya se ha visto con la anécdota de la boda quién posee la
voluntad más firme. Porque si José Arcadio Buendía tuvo suficiente empuje para contraer matrimonio, le faltó —en cambio—
el ímpetu para completar su unión. Ello es así porque José Arcadio Buendía tiene un temperamento disociado (Gabriel García
Márquez lo explica gráficamente cuando lo presenta como gallero
durante el día y como capón nocturno). Durante las setenta y
cuatro páginas que dura su permanencia humana en la novela
mantendrá esa oscilación pendular. José Arcadio Buendía va
dando bandazos incoherentes desde su realidad pedestre —con
ribetes de romanticismo heroico— hasta una fantasía nociva
—con brotes de enajenación amnésica e inútil tenacidad—, que
son producto de su pobre espíritu que no sabe cómo hacer
frente a la fuerte personalidad de su consorte.

La dualidad gallo/capón —ya revisada— se continúa con la
de paladín/monigote. Durante el éxodo-huida hacia Macondo
emerge, de nuevo, la genialidad de José Arcadio Buendía, que
se convierte en el caudillo de las veintiuna familias. El reverso
de la moneda es el incansable y penoso éxodo de veintiséis meses que desdora el aura de liderazgo conquistado. Una vez fundado Macondo, José Arcadio Buendía dirige su colonización
ajustándose a esa misma intermitencia dual: actividad física ex-
terna febril, seguida de un estupor y quietismo inútil e ilógico.
El primer período de gobierno eficaz recoge la actividad del
«patriarca juvenil que daba instrucciones para la siembra y consejos para la crianza de niños y animales, y colaboraba con todos,
aun en el trabajo físico, para la buena marcha de la comunidad»
(p. 15). Acto seguido sobreviene una época de cuatro años en
la que José Arcadio Buendía mata los meses buscando oro con
imanes, inventando el arma lupesca, destruyendo la herencia
de Úrsula e intentando emular a los geógrafos renacentistas.
Su fracaso como descubridor de riquezas, como inventor bélico,
como geógrafo y como alquimista, lo van hundiendo en una domesticidad y servidumbre absoluta en la que su mente —como
después se verá— llega a tocar fondo.

La última aparición de Melquíades, al frente de su tribu, exhibiendo el invento de la dentadura postiza parece insuflar al patriarca el perdido vigor y se lanza a la búsqueda de un camino que lleve al mar. Un nuevo fracaso —igual que el eco sigue a la voz— se une a los anteriores, y José Arcadio Buendía se da cuenta de que el acierto en la elección del lugar para fundar Macondo fue nulo. Ante esta constatación no se le ocurre otra solución que reverdecer éxitos polvorientos, y pretendiendo forzar una regresión a su rôle de Moisés —que tan gratificante fue para él— planea un nuevo éxodo. El patriarca tropezará con la oposición de Ursula, que es total, definitiva y eficaz. Y no sólo la obedecerá y no saldrá de su casa, sino que acatará las órdenes de Ursula y limitará su actividad al ámbito reducidísimo de sus hijos: embaucará a ellos con sus fantasías, en lugar de hacerse obedecer por todo el pueblo.

La llegada de una nueva raza de gitanos —los de Memphis— no alejará a José Arcadio Buendía de su domesticidad. En cambio, su primogénito huirá en compañía de los gitanos. Ahí tenemos —en realidad— una especie de relevo: la vitalidad alocada de José Arcadio Buendía estará representada por su hijo mayor, mientras que el auténtico poder decisorio pasará a ser patrimonio de Ursula. El último amago de actividad de José Arcadio Buendía tendrá lugar con la llegada de gentes de su misma raza que aparecen en Macondo acompañando a Ursula —que salió en busca de su hijo huido—. La llegada de esos «hombres y mujeres como ellos, de cabellos lacios y piel parda, que hablaban su misma lengua y se lamentaban de los mismos dolores» (p. 38) hace que José Arcadio Buendía, respondiendo al estímulo de su presencia, se lance a sus tareas de colonizador en jefe. Esta actividad tiene un penoso trasfondo de *déjà vu:* del mismo modo que intentó remozar su papel como líder con una segunda emigración, la llegada de estos hombres comandados por Ursula son el resorte que le hace saltar como un autómata que intenta salvar lo poco que queda de su prestigio. (Pavlov hubiera aprobado con satisfacción este binomio de estímulo/respuesta representado por Ursula/José Arcadio Buendía.)

A partir de este último esfuerzo, los altibajos cíclicos del patriarca quedarán ceñidos al ámbito de la casa de los Buendía.

Allí, encerrado, pasará de la alquimia al perfeccionamiento de la burocrática máquina de la memoria —como ayudante de su hijo Aureliano—. La aparición de un Melquíades resucitado —fantástico náufrago de los restos de su tribu—, portador del agua milagrosa que cura el insomnio y del arte de la daguerrotipia, retirará a José Arcadio Buendía de su puesto de chupatintas oficial, para recluirlo en el último cuartucho de la casa mientras intenta, desesperadamente, fotografiar a Dios. De este retirado rincón al que está confinado, no saldrá más que para demostrar su inutilidad en el salón de la nueva casa que Ursula ha construido con sus solas fuerzas, y que ella en solitario disfrutará. Así, el día de la inauguración, José Arcadio Buendía representará el desairado papel de tonto del pueblo que se exhibe ante los invitados como escarmiento y ludibrio por haber saqueado la pianola italiana.

El último paso en este declive acelerado será la participación del patriarca en el velatorio de Melquíades. José Arcadio Buendía, abocado a su trágico destino —con la tenacidad fatal que lo caracteriza—, organiza las más sonadas honras fúnebres, que son aprovechadas para que Amaranta le confiese su amor a Pietro Crespi. Éste la rechaza, y se plantea el urgente viaje de Amaranta y Ursula a la capital. Durante esta ausencia, José Arcadio Buendía traspasará el siempre —para él— tentador umbral de la locura. De modo que cuando Aureliano se case, su padre habrá llegado al punto más bajo de su descenso: mientras en el salón principal de la casa de Ursula se está celebrando la única boda oficial a la que el patriarca hubiera podido asistir, éste está amarrado al castaño —igual que un mascarón de proa compartiendo el espacio vital con los baños y el gallinero—, mientras la matriarca capitanea la casa y la familia.

La trayectoria de José Arcadio Buendía es tan simétrica como la de un *boomerang*. Las correas con que su mujer se amarró el vientre impidiendo al marido sus derechos, se emparejan con estas cuerdas que lo tienen alejado de su puesto de jefe de la familia. Los gallos, en el pasado, y el gallinero al fin de sus días, son su compañía más fiel. Inicia su aventura con veinte compañeros más, y serán veinte los hombres necesarios para arrastrarlo hasta el castaño del patio, y dejarlo allí amarrado tan concienzudamente como si fuera el pavo del *Thanksgiving Day*.

MELQUÍADES Y SUS «GITANERÍAS», AL SERVICIO DE URSULA

Párrafos atrás he achacado al temperamento del patriarca las peculiaridades de éste. No obstante hay que declarar que su constitución caractereológica ha necesitado de un tratamiento especial para desarrollarse al máximo y llegar a convertirse en algo semejante a un limón al que —una vez exprimido— se tira al basurero del traspatio porque ya no sirve para nada más que para ser usado como estiércol. El caldo de cultivo que ha hecho aflorar la locura latente en José Arcadio Buendía han sido los gitanos. Sin Melquíades y sus «inventos» esa faceta menos sana —tal vez pseudo-epilepticoide y senilmente precoz— del patriarca no se hubiera manifestado tan temprana y totalmente. El lector de *Cien años de soledad* debe considerar que cuando el patriarca ha quedado reducido a una especie de espantapájaros —con sistema linfático y aparato digestivo— aún no ha tenido lugar ningún hecho importante de los que la obra rebosa. La boda de José Arcadio Buendía y Ursula, el éxodo, la colonización y el nacimiento de sus hijos no abarcan más allá del inicio de la madurez de un hombre —la porción menos fructífera en un líder pacífico como es el caso del patriarca—. Ni las bodas de Aureliano y José Arcadio, ni las treinta y dos guerras del coronel, ni su frustrado suicidio, ni el carnaval sangriento que propicia la fastuosa boda de Aureliano Segundo han tenido lugar. Ursula, en cambio, asistirá al asesinato de José Arcadio, al de Aureliano José y al fusilamiento de Arcadio. Conocerá a los tres bisnietos, hijos de Arcadio; asistirá a la boda de Aureliano Segundo, al nacimiento del tataranieto que será Papa e, incluso, verá rondar por la casa al bebé Babilonia, hijo de su tataranieta Meme. Al lado de este abultado y constante devenir, la vida de José Arcadio Buendía ha quedado en el reducido lugar que le está reservado al prólogo del drama. El patriarca ha participado, apenas, en el mundo exterior, ha crecido hacia dentro, rodeado de un mundo invisible e inasible. Ha gastado la vida luchando contra sí mismo, contra sus propias carencias y deficiencias. Quien ha propiciado en forma inmediata los materiales para esa existencia reducida y adulterada ha sido Melquíades, el gitano, quien con sus engaños y halagos lo ha alejado del camino real que Úrsula precisaba ocupar para poder edificar su matriarcado.

La utilización de Melquíades como propiciador del matriarcado está cuidadosamente camuflada y disimulada. Veamos algunas pruebas de esta manipulación y de la sugerente ambigüedad con la que el narrador va detallando los sucesos (intentando cumplir con la mínima ética profesional que le obliga a relatar lo real sucedido, aunque arrimando el ascua a su sardina).

Una primera lectura superficial hace pensar al lector que la tribu de Melquíades aparece en cinco ocasiones:

1.º imanes,
2.º catalejo y lupa,
3.º mapas portugueses e instrumentos de navegación,
4.º alquimia,
5.º dentadura postiza. (Cuando Melquíades llega con la dentadura postiza Aureliano tiene seis años —p. 20— y José Arcadio catorce.)

Una vez que el lector tiene fijado en su mente este ordenado ciclo de los —que llamaré— «gitanos viejos», se tropieza —con lo que parece un despropósito— en la página 16: «*la primera vez* que llegó la tribu de Melquíades vendiendo *bolas de vidrio* para el dolor de cabeza». La aparición de esta nueva mercancía —las bolas de vidrio— aumenta a *seis* las ocasiones en que los gitanos visitan Macondo. Pero la puntualización temporal: «la primera vez» sume al lector en una perplejidad ambivalente, porque son dos las posibilidades de interpretar ese «primera vez». La primera explicación que se le puede dar es que las cinco posibilidades enunciadas —desde los imanes a la dentadura postiza— se vean incrementadas en una ocasión más, la cual habría que situar al frente de la enumeración. Entonces resultarían ser seis los viajes de los gitanos viejos a Macondo:

1.º bolas de cristal,
2.º imanes,
3.º catalejo y lupa,
4.º mapas portugueses e instrumentos de navegación,
5.º alquimia,
6.º dentadura postiza.

Para que el relato tuviera el sentido que acabo de enumerar sería preciso que se alterase la puntuación que el narrador le ha adjudicado al pasaje, añadiendo una coma entre «Melquíades» y «vendiendo». Este cambio de puntuación convertiría la oración en una *relativa explicativa:*

> La primera vez que llegó Melquíades, vendiendo bolas de vidrio para el dolor de cabeza, todo el mundo se sorprendió...

Al modificar la puntuación, esta «primera vez» cobra un valor absoluto en el palmarés de los inventos macedónicos, y las «bolas de vidrio» no son más que una aclaración *complementaria* a la oración principal.

Pero si no se modifica la puntuación establecida por el autor, y se mantiene el criterio de *especificación* que le corresponde, aparece una segunda posibilidad —altamente sorprendente— que modifica los hechos, porque lo que se lee es: que *Melquíades visita varias veces Macondo vendiendo bolas de vidrio y que en la primera ocasión —de las varias que comercia con las bolas de vidrio— los macondinos se extrañan de su aparición.* Esta lectura deja el relato en una completa indeterminación, ya que no se sabe cuántas ocasiones quedan agrupadas detrás de esa primera vez en que Melquíades apareció por Macondo para librarles del dolor de cabeza.

TODO COMIENZA A COBRAR SENTIDO

MACONDO, UN LUGAR FALSAMENTE ARCÁDICO

PUESTO QUE —de momento— no es posible averiguar el número de ocasiones, voy a analizar esa «primera vez». La *primera vez* que llegan los gitanos de Melquíades, los macondinos *se sorprenden* de que hayan hallado su aldea, construida —supuestamente— en lo más intrincado de la selva y alejada de toda civilización. La respuesta de los gitanos es de una sospechosa simplicidad: «se habían orientado por el canto de los pájaros» (p. 16). Se impone identificar a estos pájaros que actúan de reclamo-radar. Estos pájaros son los que José Arcadio caza *in situ* «desde los tiempos de la *fundación*» (p. 16). El cazar a las aves cantoras es un intento de querer conservar incólume parte de la naturaleza que —tanto José Arcadio Buendía como sus veintiún compañeros— van a tener que degradar al querer establecer una aldea civilizada. Ahora bien, lo cierto es que los pájaros cazados por José Arcadio Buendía y encerrados en sus jaulas *siguen cantando en el mismo lugar que solían* desde que la naturaleza decidió que los pájaros poblaran los árboles y mantuvieran el equilibrio ecológico en esa zona del continente sudamericano. Lo único que ha sido modificado en ese cálido rincón —respecto a las aves canoras— es su libertad, no la algarabía que hacían oír diariamente en esa zona de la selva. Por lo tanto la respuesta de los gitanos viene a resultar una frase cortés pronunciada con el ánimo de halagar a José Arcadio Buendía, el cazador y carcelero de los pájaros, pero no tiene ningún valor en el sentido de que signifique que la presencia de los nuevos pobladores haya alertado a los gitanos de su presencia, dado que *el canto de los pájaros es lo único invariable en Macondo.* Se habrá talado el bosque, se puede haber desviado el incipiente camino, se puede haber modificado el curso del río y la cuantía de su cauce, pero *lo único que permanece* en esa aldea de casas de barro y cañabrava con calles sembradas de almendros *es el canto de los pájaros.* Por lo tanto, la respuesta de los gitanos significa que *nada nuevo los ha atraído,* porque los cantos de los pájaros suenan en el lugar que solían. Dicho en otras palabras: Macondo ha sido construido en un lugar por el que acostumbran a pasar *cada año* los gitanos. Macondo ha sido construido en la ruta de los gitanos. No son los gitanos quienes han ido a Macondo, sino Macondo quien se ha sentado a la orilla del camino por donde pasaban los gitanos, esperando que lleguen éstos.

Estamos, pues, ante una realidad inesperada: Macondo se construye en la ruta del avituallamiento de los gitanos. La tribu de Melquíades visita Macondo desde el primer marzo y aporta todos los materiales necesarios para la construcción de la aldea. Su periódica presencia es tan oportuna como si saliese de la *bola de cristal* de un mago, y los géneros que vende a los emigrados les «quitan todos los dolores de cabeza» —con mayor eficacia que el más resolutivo de los analgésicos— producidos por el largo éxodo de veintidós meses. Es así como los macondinos se proveen de los útiles imprescindibles para las faenas agrícolas y las herramientas usadas en la construcción de las casas y los primitivos muebles. Piénsese por un instante que hasta el momento en que Úrsula regresa al pueblo, después de haber salido en busca del primogénito de dieciséis años, que huye con los gitanos nuevos, no entra en Macondo nadie más que los gitanos de Melquíades.

Si los gitanos de Melquíades no son los que traen todos los útiles necesarios para la subsistencia, el episodio de los imanes no tiene posibilidad argumental de existir. ¿De dónde iban a salir los calderos, las pailas, los anafes, las tenazas, los clavos, los tornillos y cuantos objetos metálicos han sido arrinconados porque su utilidad quedó atrás en los primeros años de la fundación? No hay que olvidar que en Macondo hay cosas, muebles,

corrales, campos labrados y cosechados, graneros... y todo es artesanal. Debe recordarse que los chivos y el mulo que José
Arcadio cede a Melquíades a cambio de los imanes (p. 9), no
los tenía durante el viaje ya que Ursula peregrinó varios meses
a hombros de los expedicionarios y se alimentaba con carne de
mico y caldo de culebras (p. 27) a pesar de su gravidez. Si José
Arcadio Buendía hubiera poseído esos animales *desde el principio,* Ursula hubiera ido a lomos del mulo —en una perfecta
recreación bíblica— y los chivos hubieran pasado, tajada a tajada, a su estómago de mujer encinta que debe ser bien alimentada.

Una prueba de que lo dicho no son fantasías de lector paranoico se halla en la página 215. Allí leemos que Ursula, un
día, mientras menea la sopa dice que «el molino de maíz que
le compraron a los primeros gitanos, y que había desaparecido
desde antes de que José Arcadio le diera sesenta y cinco veces
la vuelta al mundo, estaba todavía en casa de Pilar Ternera».
El testimonio es digno de un jurado: el molino lo traen los
gitanos «primeros», es decir, los de Melquíades. El molino ya
había dejado de usarse en la casa de los Buendía y se lo habían
regalado a Pilar Ternera —la concubina de los hijos— porque
con toda probabilidad un nuevo molino había sustituido al viejo. Este molino se le regala a Pilar Ternera *antes* de que José
Arcadio se escape con los gitanos nuevos, y, por tanto, nadie
sino los gitanos viejos han entrado en Macondo. (Habrá que
esperar a que Ursula salga de Macondo persiguiendo al hijo
huido para que los adelantos de la civilización hagan su aparición.) Hasta entonces Melquíades es el cordón umbilical que une
Macondo con la civilización.

Si tenemos pruebas de que los gitanos trajeron un molino
de maíz, basta aplicar el refrán de que quien trae un molino,
puede traer cientos de calderos, pailas, anafes, tenazas, clavos,
tornillos, sierras y cuanto utillaje sea necesario para levantar
la aldea.

Debe aceptarse, pues, la necesidad de que los gitanos aparezcan cada mes de marzo para realizar los trueques agrícolas
necesarios para la subsistencia de los macondinos. Sus visitas
traen lo necesario para convertir Macondo en un paraíso terre

nal y después que se han satisfecho las necesidades y eliminado todos los dolores de cabeza que la fundación les ha producido, las apariciones de los gitanos por «el agujero del muro» de la Arcadia vallada aportan las «maravillas» más inusitadas. La utilidad ha sido sustituida por entretenimientos ociosos. La trabajosa cotidianidad ha dejado paso a la diversión. La realidad ha sido sustituida por la fantasía. El narrador puede dedicarse a los más alambicados delirios.

LOS GITANOS, MENOS FANTÁSTICOS Y MÁS REALES

Pero no estará de más echar un vistazo a esos episodios donde se relatan los «maravillosos» aparatos que exhiben los gitanos. Después de las bolas de cristal contra el dolor de cabeza, que aceptan una doble lectura: por una parte significan *comprimidos esféricos* de ácido acetilsalicílico —píldora, cachet, gragea, de un analgésico o antipirético—, y también aceptan una lectura metafórica que englobaría todos los utensilios que los gitanos proporcionan a los macondinos y que son más eficaces que el mejor tratamiento para la más pertinaz de las cefaleas, después de las bolas de cristal, aparecen los lingotes. Examinémoslos de cerca.

Los lingotes imantados, por más objetos y curiosidad que atraigan, no consiguen sino un adepto incondicional: José Arcadio Buendía. La «fiebre del oro» que se despierta en el patriarca no se contagia más que a cuatro —de los veinte— partidarios incondicionales que le siguieron después de la muerte de Prudencio Aguilar. El hecho de que la fascinación de los imanes aparezca desmesurada, si se compara con los adeptos que consigue el plan del patriarca, nos hace considerar que el narrador está presentando el episodio desde un punto de vista muy cercano al impresionable e inestable José Arcadio Buendía. El patriarca sale muy mal parado de este episodio. Su «desaforada imaginación» hace que pierda la posesión de «un mulo y una partida de chivos» por unos lingotes que sólo le sirven para hallar una armadura del siglo XV y un relicario de *cobre* (p. 10). Los lingotes han venido a ser una piedra de toque que declara la estulcia del hombre que promete oro: «muy pronto ha de sobrarnos oro para empedrar la casa», y sólo consigue malgastar «el desmedrado patrimonio doméstico».

Le toca la vez a la lupa gigantesca. Dado que un fragmento de botella es capaz de concentrar los rayos solares y asolar, con el fuego producido, varias hectáreas de bosque, la excesiva magnitud de la lente de aumento —«una lupa del tamaño de un tambor» (p. 10)— además de ser ociosa, es antieconómica, de costoso y delicado transporte, y por tanto, ilógico implemento de unos gitanos itinerantes [6].

El espectáculo montado con el catalejo es tan forzado y cuidadosamente inexacto, al no aclarar si la gitana y la carpa están en los extremos opuestos del pueblo [7], que el lector se sorprende más de la astucia del narrador que de la simplicidad e ineptitud de José Arcadio Buendía. Sus intentos por convertirse en candidato a Nobel de la guerra «entregado por entero a sus experimentos tácticos con la abnegación de un científico y aun a riesgo de su propia vida», no tienen éxito alguno. Su tenacidad sin límites («pasaba largas horas en su cuarto... hasta que logró componer un manual de una asombrosa claridad didáctica y un poder de convicción *irresistible*») se estrella ante el dique de silencio del mutismo oficial. Sus inacabables sacrificios, «pasó largos meses de lluvia encerrado en un cuartito», su paciencia sin fronteras, «durante años esperó la respuesta», más la energía derrochada y el trabajo robado a los asuntos familiares, deja menos huella en la historia de Macondo que el vuelo de una golondrina sobre los Andes.

---

[6] Dado que en el Caribe hay variedad de tambores —algunos de ellos tan reducidos que una pareja de los mismos puede montarse sobre un muslo, a modo de alforja musical, para ser tañido con una sola mano—, la comparación empleada para determinar el tamaño de la lupa goza de la misma exactitud que la concedida a una cinta métrica de caucho.

[7] «Sentaron a la gitana en el extremo de la aldea e instalaron el catalejo a la entrada de la carpa.» Mientras no aclaren que la carpa está situada en el extremo opuesto a aquel en que está sentada la gitana, el espectador macondino puede contemplar a través del catalejo a la gitana frente por frente, con lo que la magnitud de la fantástica situación queda reducida a un invento renacentista cuya capacidad de sorpresa es limitada por lo demostrable.

La espera de la respuesta gubernamental la aprovecha estudiando un aspecto, más importante si cabe, que el del arma lupesca: encontrar la fórmula exacta del componente del aire para poder viajar por él sin verse sometido a la esclavitud de andar sobre la tierra. Para ello utiliza la nueva maravilla aportada por Melquíades: los mapas portugueses, los instrumentos de navegación y las instrucciones para el uso del sextante, la brújula y el astrolabio[8]. De todo este saber enciclopédico el patriarca saca —por los mismos procedimientos que nuestro más ilustre hidalgo estrechará amistades con Palmerines y Amadises— idéntico premio al alcanzado por el Genial Manchego: sin moverse del cuartito del fondo de la casa navega por mares incógnitos y traba relación con seres espléndidos (p. 11). El estudio de José Arcadio Buendía se patentiza en dos logros: establecer un método exacto para hallar el mediodía[9] y definir la redondez de la tierra: «se sentó a la cabecera de la mesa, temblando de fiebre, devastado por la prolongada vigilia y por el encono de su imaginación, y les reveló... La tierra es redonda como una naranja» (p. 12). Lástima que ésa era una teoría «comprobada en la práctica» (entre otros por Francis Drake cuando visitó Riohacha para asustar a la bisabuela de Ursula).

LOS MARAVILLOSOS «INVENTOS» DE LOS GITANOS

Antes de entrar en consideraciones sobre la calidad y adelantos que podrían estar presentes en los mapas y aparatos regalados —que no vendidos— por el gitano, será conveniente aportar un dato interesante que ayude a medir la gravedad de algunas situaciones. Me estoy refiriendo al tiempo cronológico

[8] Y mientras José Arcadio Buendía se convierte en un Ptolomeo, Humboldt y Darwin casero, todo en una pieza, «Ursula y los niños se partían el espinazo en la huerta cuidando el plátano y la malanga, la yuca y el ñame, la ahuyama y la berenjena».

[9] Como se puede comprobar, a José Arcadio Buendía le han sido de menos utilidad veintidós meses de éxodo selvático —acompañado de sus amigos— que la camaradería practicada por Grestoke con los monos de la selva africana.

e histórico en que se desarrollan los acontecimientos que sobre los gitanos estamos analizando. Las vaguedades y alusiones empleadas por el narrador se esfuerzan continuamente en desorientar al lector en la fijación de un tiempo concreto y determinado. Dejando aparte los raccontos —sin mayor complicación—, el tratamiento de los calificativos y sustantivos está orientado a desplazar hacia atrás, en el tiempo, todos los sucesos. Las piedras son como huevos *prehistóricos;* los sabios son de *Macedonia;* la armadura, del *siglo* xv; hay *doblones, incontables* viajes de Melquíades a *Persia* y *Alejandría;* el chaleco tiene verdín *de siglos,* el alambique es de *María la Judía,* las fórmulas son de *Moisés* y *Zósimo*... Media docena de páginas más adelante hará su aparición Drake como contemporáneo de los bisabuelos de Ursula y José Arcadio. Toda esa parafernalia narrativa debe ser dejada de lado por corresponder a un narrador que —como demostraré cumplidamente— tiene intereses determinados en los sucesos —lo que le hace distorsionarlos según le convenga— y donde los dichos y los hechos no se corresponden. Ante esta situación anómala es preferible dejarse guiar por los hechos y hacer oídos de mercader a la verborreica veleidad de un narrador atareado en sus propios intereses. Por lo tanto, dejando de lado la lejana temporalidad en que parecen discurrir los hechos, voy a examinar detalladamente las referencias temporales ciertas, que serán quienes delimiten el marco del curso de los acontecimientos.

Como son muy pocos los hitos culturales, sin contenido político, que hacen su aparición en la novela, debo dar un salto en la narración y pasar del tiempo de los gitanos —en que el mayor de los hijos de José Arcadio Buendía es apenas un adolescente y el pequeño tiene muy pocos años— a la época en que el coronel va a cumplir casi el medio siglo y Ursula, temiendo que se enmohezca encerrado siempre en su taller, ruega a José Arcadio Segundo que lo lleve al cine. (Acudo a un hecho científico-cultural y no a uno histórico-político porque *Cien años de soledad* es una obra en la que está omnipresente la invención y por tanto, la política y la historia se aportan al relato como analogías —oblicuas e inversas— grandemente desfiguradas por la ecuánime determinación de huir del testimonio.

Hay que desechar las guerras civiles y el establecimiento de la bananera, aunque son hechos reales de la Historia de Colombia, porque su utilización en el relato no tiene otra finalidad que cooperar a dar verosimilitud al mundo de la novela —mundo cruel, cuanto humano—. No se puede pretender que los hechos reales cumplan con las coordenadas normales de espacio y tiempo en un mundo creado a imagen y fantasía del autor, y ubicado al margen de los atlas.)

LA AMISTAD ENTRE JOSÉ ARCADIO BUENDÍA Y MELQUÍADES TIENE LUGAR EN 1880

Así pues, voy a tomar como punto de apoyo, para fijar el tiempo, al cinematógrafo. Una vez establecido este tiempo, podré volver a retomar la narración en el punto en que dejamos al patriarca medio sepultado entre mapas, sextantes y alambiques. Entonces podremos saber lo descabalado de los descubrimientos del patriarca.

Cuando Úrsula pide a José Arcadio Segundo que lleve al cine al coronel, el invento está tan avanzado en su comercialización que ya ha llegado a Macondo. Si combinamos la difusión del cine con la alusión al primer *latin lover* acuñado en Hollywood para polarizar la histeria colectiva de sus admiradoras —las gentes de Macondo «se indignaron con las imágenes vivas que... proyectaban en el teatro... porque un personaje muerto y sepultado en una película, y por cuya desgracia *se derramaron lágrimas de aflicción,* reapareció vivo y convertido en *árabe* en la película siguiente» (p. 194)— y con el atraso crónico de Macondo[10], creo que 1925 sería una buena fecha para que Úrsula pida a su bisnieto: «convéncelo [al coronel Aureliano] de que vaya al cine» (p. 225). Si en 1925 (±) el coronel tiene unos cuarenta y nueve años —«aún no cumplía

_____

[10] Macondo permanece alejado de las rutas del comercio y de la civilización del país hasta que el primogénito cumple dieciséis años. Tardan más de otra década en tener corregidor, se enterarán de la guerra civil tres meses después de que haya estallado...

cincuenta años» (p. 211)— y cuando Melquíades le regala el aparato de alquimia a José Arcadio Buendía el pequeño Aureliano tiene cinco años (p. 13), viene a resultar que como los acontecimientos que se desarrollan con ayuda de los mapas portugueses suceden un año antes, estos hechos ocurren cuando Aureliano cuenta cuatro años. Es decir, cuarenta y cinco años antes de que Úrsula lo envíe al cine. Si a 1925 —cuando el coronel va al cine en sus cuarenta y nueve años— le restamos los cuarenta y cinco que lo separan de su infancia —vinculada a los mapas portugueses—, tenemos la fecha de 1880 ($\pm$) para cuando el patriarca anda luchando a brazo partido con el sol y el relente para determinar el mediodía solar y la redondez de la tierra.

COLOMBIA EN 1880

Fijada la época —año más, año menos—, voy a ilustrar un aspecto de la situación de Colombia para esas fechas, a fin de tender un puente entre Macondo y el resto del país, el cual permita determinar la inoportunidad, anacronismo y locura que significa descubrir la redondez de la tierra en la Colombia de 1880.

El panorama colombiano para esa fecha tiene ciertas peculiaridades. Entre ellas, que en 1878 se funda la Compagnie Universelle du Canal Interocéanique con intención de propinarle un tijeretazo a ese cordón umbilical que une el Norte y el Sur del continente americano. ¿Su fin? Reducir la vuelta al *redondo* mundo en tantos kilómetros cuantos mide el perímetro del Cono Sur. No puede pensarse que esta obra estuviera pasando desapercibida para cualquier habitante de las tierras que formaron la antigua Provincia de Castilla del Oro —aunque vivieran en Macondo—, ya que todos ellos se mostraban muy orgullosos de ser el centro comercial más importante de ese *redondo* planeta cuyo centro neurálgico era Nombre de Dios —donde se intercambiaban el oro del Perú y los productos chinos procedentes de Manila por las manufacturas de la metrópoli—. Aun en el caso de que alguien ignorase tan comentada y debatida noticia —que traía preocupados hasta a los más arriesgados tiburones del Caribe, que no sabían cómo iba a solucionarse el desnivel interoceánico en forma satisfactoria para su hábitat— José Arcadio Buendía nunca podría hallarse entre esos desconocedores. ¿La razón? José Arcadio Buendía sabe el modo en que Drake mata románticamente las horas de su tiempo asesinando caimanes y llenándolos de paja (p. 16) —como si fueran bibelots o souvenirs— para demostrarle a su reina el debido agradecimiento por haberle concedido patente de corso para atacar repetidamente Nombre de Dios —centro del comercio mundial—. El silogismo que se desprende de estos hechos es el siguiente:

— Existe Drake porque existe Nombre de Dios;
— Nombre de Dios existe porque la tierra es redonda;
— José Arcadio Buendía conoce a Drake —que combate al Imperio en cuyos dominios no se ponía el sol porque tenía posesiones repartidas por toda la *redondez* de la Tierra—;
— LUEGO, José Arcadio Buendía TIENE QUE SABER QUE LA TIERRA ES REDONDA.

Es imposible conjugar el conocimiento de la existencia de Drake con la ignorancia de la redondez de la Tierra. Es imposible ser bisnieto de un criollo, saber que América fue denominada «Indias Occidentales» —lo que presupone la redondez del mundo— e ignorar, simultáneamente, la forma del planeta Tierra.

Ahí tenemos el retrato de ese líder épico que Gabriel García Márquez nos entrega con unas coordenadas aparentemente dignas, pero que se pasa el relato cometiendo desmanes lógicos. Esta disociación entre apariencia y realidad es la ambigüedad de que está henchido el relato y que es especialmente sugerente en estas anécdotas del hallazgo del mediodía y de la redondez de la Tierra.

Esta ambigüedad se refuerza con el lenguaje recto con que se relata la opinión general: «toda la aldea estaba convencida de que José Arcadio Buendía *había perdido el juicio*». También hay que contar con la sorna con que se describe cómo Melquíades exalta «en público la inteligencia [de José Arcadio Buendía] que por pura especulación» construye una teoría que ya se practicaba desde casi tres siglos antes, y que el propio Melquíades ha ratificado al realizar «incontables viajes *alrededor* del mundo» (p. 12) producto de los cuales son las maravillas que exhiben en Macondo. No obstante la abundancia de datos, el patriarca ha quedado ayuno sobre la forma y dimensiones de la Tierra. Ante este hecho, el diagnóstico que se puede establecer sobre la salud mental del patriarca es inequívoco e irrevocable.

A medida que José Arcadio Buendía manifiesta más paladinamente su locura, la ambigüedad del narrador crece y también aumenta la presencia del gitano al lado del patriarca, de modo que a mayor presencia de Melquíades, más locura se manifiesta en José Arcadio Buendía. Veámoslo en la siguiente anécdota del episodio de la duplicación del oro colonial de Ursula, en el que se combinan la intervención de Melquíades y las locuras de José Arcadio Buendía.

TODO LO QUE RELUCE NO ES ORO

JOSÉ ARCADIO BUENDÍA Y LA PIEDRA FILOSOFAL

No VOY A ENTRAR ni salir en los componentes de la fórmula magistral para multiplicar el oro. La receta de Melquíades es tan buena como cualquier otra fórmula que requiriera el sazonamiento de la mezcla obtenida con retazos de un lienzo de la época azul de Debussy, mientras se interpretaran en un órgano eléctrico los últimos compases de *El mar* de Picasso —a fin de acelerar la culminante ebullición—. Lewis Carrol, Cervantes y García Márquez tienen derecho a reducir o aumentar el tamaño de sus personajes, hacer galopar por el aire caballos de madera o querer emular al legendario Midas con recetas caseras, porque la fantasía tiene sus leyes que no deben ser accesibles a la razón. Lo que no puede permitirse a ninguno de ellos es pretender que sus personajes quebranten inexorables constantes físicas y químicas cuidadosamente detalladas en los grandes mamotretos de los sabios.

El lector —por expresa voluntad del narrador— ignora la fórmula esotérica que Melquíades ha propuesto a José Arcadio Buendía para duplicar el oro —sólo le consta el cambio de manteca de cerdo por aceite de rábano— pero sí sabe lo que paso a paso hace el patriarca para intentar convertir los treinta doblones de Ursula en sesenta piezas de oro colonial: «echó treinta doblones en una cazuela, *los fundió* con raspadura de cobre, oropimente, azufre y plomo. Puso a hervir todo a fuego vivo *en un caldero* de aceite de ricino... fundida con los siete metales planetarios, trabajada con el mercurio hermético y el

vitriolo de Chipre, y vuelta a cocer en manteca de cerdo...»
(p. 14). Salvando la perfección del calificativo «hermético»
para mercurio, el resto no es más que un mal chiste para el
más lerdo de los lectores. Basta haber roto un termómetro —de
mercurio—, haber puesto ese metal en contacto con un anillo
de oro amarillo, haber expuesto este último al fuego para eliminar la sal de mercurio del anillo, para saber que *el oro no
funde con fuego casero, ni con un mechero de laboratorio escolar*.
De modo que la «cazuela con los treinta doblones» nunca podrá contener oro fundido, ni cobre fundido, por más fuego
vivo que se le aplique, porque 200° C. —que es la máxima temperatura que puede alcanzarse en una «cazuela» o en un «caldero»— de nada le sirven a los metales que precisan 1.062° C. y
1.083° C. respectivamente para alcanzar su fusión. ¿Que el narrador dice que José Arcadio Buendía consigue la fusión? De
acuerdo. Que la consiga. Pero en este caso *Ursula no le entrega
a su marido las monedas de oro colonial*, sino que lo está en-
gañando (con la misma jugada con que el narrador embroma al
lector incauto). Así de sencillo. Así de fácil. No es posible pensar que Ursula le engañe sin saberlo, es decir, que ella misma
ignore que las monedas que entrega a José Arcadio Buendía
no son de oro, porque cuando Ursula necesite —realmente—
su fortuna personal seguirá teniéndola. Y así cuando su hijo el
coronel precise del oro de Ursula para seguir con sus guerras,
Ursula irá a buscar su fortuna cuidadosamente escondida y fuera del alcance del manirroto y loco marido. Es así como en la
página 121 leemos: le dio «el resto de la herencia enterrada»
—al coronel— más todos sus ahorros. De modo que José Arcadio Buendía no tocó más oro que las «tres piezas de oro colonial» (p. 10) de la herencia de Ursula, las que malgastó en
la lupa y cuya entrega costó un grave disgusto a su mujer, quien
«lloró de consternación» (p. 10). Después de comprobar que
el marido además de derrochón, es un tontaina, Ursula habrá
tenido buen cuidado en impedir que el estupidizado marido
meta mano a los dichosos doblones, que ella guarda para mejor
ocasión.

Otra prueba de que la escena es «de pega» la tenemos en
los efluvios que emanan de ella, y que repetidamente se invita

al lector para que los olfatee. En la página 13 —después que Melquíades ha devuelto «la fama» al descubridor de la redondez de la tierra— se hallan ambos en el rudimentario laboratorio de José Arcadio Buendía, que está repleto de todos los aparatejos que Melquíades ya le ha regalado para que se entregue a sus experimentos. Ursula —acompañada de sus hijos— pasa por el laboratorio antes de irse con los niños a cumplir con sus devociones piadosas: «Ursula... entró al cuarto en el momento en que Melquíades rompió por distracción un frasco de *bicloruro de mercurio. —Es el olor del demonio—*, dijo ella... Aquel *olor mordiente quedaría para siempre en su memoria,* vinculado al recuerdo de Melquíades». Ahora bien, cualquier Química —de hermanos o parientes que hayan estudiado la carrera de Farmacia— de la que debe haber un ejemplar en casa de Gabriel García Márquez —cuya esposa es farmacéutica— aclara la inexistencia del *olor,* de cualquier *olor,* para el *bicloruro de mercurio.*

Por lo tanto, de la misma forma que el frasco que rompe Melquíades no puede ser de bicloruro de mercurio —porque éste no huele—, lo que José Arcadio funde no puede ser oro, porque el oro funde a más de mil grados y esa temperatura no se puede alcanzar con un fuego casero y en atmósfera libre. Lo más lógico es pensar que Ursula utiliza la prudencia para defenderse de un marido loco, dándole algunas monedas falsas, que junto con todos los mejunjes que Melquíades le ha regalado, lo tendrán entretenido en una inofensiva domesticidad. De esta forma, Melquíades, se convierte en una especie de preceptor —casi niñera— que tendrá ocupado a José Arcadio Buendía, a fin de que no moleste a la matriarca en su laborioso papel de jefe de familia. Esta y no otra es la finalidad de Melquíades: ir alejando a José Arcadio Buendía del centro de la escena para que Ursula la llene toda con su presencia.

JOSÉ ARCADIO BUENDÍA, UN LOCO «DE ATAR»

El desairado papel del patriarca queda de manifiesto cuando, después de la serie de fracasos —el no descubrimiento del oro, el arma-lupa, el hallazgo del mediodía y de la redondez de la tierra, más el desastre de la piedra filosofal—, decide «trasladar Macondo». Como Ursula ha tomado ya las riendas de la familia en su propia mano «en una secreta e implacable labor de hormiguita» (p. 19), José Arcadio Buendía verá cómo «sus planes se fueron enredando en una maraña de pretextos, contratiempos, y evasivas, hasta convertirse en una pura y simple *ilusión*». Cuando José Arcadio Buendía quiera convertir esta nueva *ilusión* en realidad, aparecerá Ursula con su decisión inquebrantable: «Si es necesario que yo me muera para que se queden aquí, me muero.» Véase que Ursula no está hablando en nombre propio, o en nombre de su familia. Es portavoz de todo el pueblo. No dice: «si es necesario que yo me muera para que *nos* quedemos nosotros aquí» sino: «si es necesario... para que se *queden* [ellos, todos los del pueblo] aquí, me muero». A partir de esta afirmación —después de este enfrentamiento con su marido—, Ursula no sólo es la cabeza de toda su familia sino el jefe del pueblo. Esta jefatura la ha alcanzado mediante una serie continuada de matriarcados que están repartidos por todas las casas del pueblo: «en una secreta labor de hormiguita *predispuso a las mujeres de la aldea* contra la veleidad de *sus hombres*» (p. 19). (Este es el primer paso de Ursula en su proyección fuera de la casa. Luego veremos cómo se irá afianzando su posición.)

Acto seguido de haberse negado a secundar los planes de su veleidoso marido, pasa al juicio acusador y ataca la actitud del marido con respecto a la forma en que se preocupa de la familia: «en vez de andar pensando en tus *alocadas novelerías, debes ocuparte* de tus hijos... mirá cómo están, abandonados a la buena de Dios, igual que burros» (p. 20). José Arcadio Buendía *obedece* a su mujer y emprende un nuevo tipo de actividad: la educación de sus hijos, que tienen catorce y seis años, respectivamente. Ya tenemos al líder encerrado en los linderos demarcados por las paredes de su propia casa. Sus actividades recuerdan —en cierto modo— su primera ocupación de criador de gallos de pelea, porque las sesiones pedagógicas tienen más de lucha contra la erudición que ánimo de asimilarla: «los niños terminaron por aprender que en un extremo meridional de Africa había hombres tan inteligentes y pacíficos que su único entretenimiento era sentarse a pensar, y que era posible atravesar a pie el mar Egeo saltando de isla en isla hasta el puerto de Salónica» (p. 21). La ambigüedad del narrador es tal que el lector no sabe si José Arcadio Buendía ha trabucado Sudáfrica con la primitiva Grecia —cuna del pensamiento— y se ha hecho un embrollo con el atlas y el juego de la Oca, o está aludiendo a Th. Pringle y O. Schreiner, los pioneros de la literatura sudafricana en lengua inglesa —y por tanto los primeros ingleses inteligentes y pacíficos que se sientan a pensar en lugar de dedicarse a obligar a otros a buscar oro y diamantes—. Con la domesticidad del Egeo ¿no podría estar refiriéndose a las experiencias en globo similares a la de Gambetta en 1870? La ambigüedad está ahí. Cada cual puede elegir lo que más le guste.

Yo me quedo con la auténtica erudición por dos razones: primera, porque los Buendía literaturizan su existencia hasta el extremo de creer que ciertos pasajes de *Las mil y una noches* han sucedido realmente en Macondo, y segunda —y mucho más importante—: el afán lúdico de Gabriel García Márquez que le impide mantener demasiado tiempo al lector en el mismo paralelo. Lo que le fascina realmente es el juego de las analogías inversas. Si antes rodeó de pomposidad la estupidez de descubrir la redondez de la Tierra en 1880, ahora esconde bajo la capa de la ridícula trivialidad una erudición de auténtico cuño.

De este modo, acto seguido podrá mostrarnos al patriarca en el otro extremo del péndulo confundiendo el hielo con un diamante: «*es el diamante más grande del mundo*». No —corrigió el gitano—. *Es hielo...*» (p. 23). Y luego añade: «Este es el gran *invento* de nuestro tiempo». Aquí la ambivalencia vuelve a aparecer porque aunque el hielo no puede ser nunca «invento», el emplearlo masivamente para conservar los alimentos sí lo será. Cuando Aureliano Triste instale una fábrica de hielo (p. 189) habrá —únicamente— copiado a la Naturaleza. Pero cuando empiece a «experimentar la elaboración de hielo con base de jugos de frutas en lugar de agua» (p. 192), Macondo tendrá la primera fábrica de helados, lo cual sí es un *invento* de gran rentabilidad.

La anécdota del hielo, con su dosis de equívoco, marca el principio del fin del patriarca, porque el primogénito huirá con los gitanos que han traído el hielo y Ursula saldrá en su busca para traer —cuando vuelva— la civilización. Esta invasión pacífica enriquecerá a Ursula con sus ventas de caramelos y bollería; la opulencia engendrará en Ursula el deseo de poseer la mejor casa de la ciénaga y para ello comprará la pianola. Crespi, su montador, enamorará a Rebeca y a Amaranta. Para que esta última se olvide de Crespi, Ursula la llevará en su compañía a la capital. Durante esta ausencia de Ursula, José Arcadio Buendía se volverá loco —definitivamente— y será atado al árbol del patio. Este rápido encadenamiento de circunstancias voy a repasarlo menos apresuradamente, porque hay que considerar el papel que desempeña Melquíades en el proceso desintegrador del patriarca.

URSULA INICIA SU MATRIARCADO, SU INFLUENCIA POPULAR Y SU FORTUNA

Retomo el análisis de la anécdota de los gitanos de Memphis en cuya compañía huye el primogénito de Ursula y José Arcadio. El patriarca aceptará encantado la desaparición pensando en las ventajas que ello puede representarle al hijo: «Así aprenderá a ser hombre». Lo que el patriarca ignora es que su hijo podrá aprender cualquier otra cosa entre los gitanos, porque lo de «ser hombre» hace tiempo que lo practica —y muy eficazmente— con Pilar Ternera. José Arcadio Buendía tendrá que reconocerlo así cuando al cabo de pocos meses le traigan al primer nieto bastardo.

La huida del hijo —es huida, no escapada; huye de la responsabilidad que su amistad con Ternera le ha proporcionado— es aprovechada por Ursula para dar una vuelta de tuerca más a su afianzamiento como matriarca [11]. Bajo achaque de encon-

---

[11] Los motivos que aquí hago aparecer como impulsores de la huida de José Arcadio son los que se desprenden del primer nivel de lectura y los que se pueden deducir del estudio de ese personaje. Ello no implica

trar al hijo, Ursula deja abandonado al marido obstinado que sólo le ha producido penuria, sinsabores y obcecada fantasía. La ausencia de Ursula descubre la dosis de cruel ironía y meditado sarcasmo que el narrador tiene archivado para el caudillo de Macondo. Veámoslo.

José Arcadio Buendía no descubre la falta de su mujer hasta las «ocho de la noche», cuando la «pequeña Amaranta estaba *ronca de tanto llorar*». Entonces, decide salir en busca de su esposa. Recorre los alrededores de la aldea durante *tres* días, hasta que, cansado, regresa y acepta sustituir —durante largo tiempo— a Ursula en lo que de más femenil tiene la esposa: «Se ocupaba *como una madre* de la pequeña Amaranta. La bañaba y cambiaba de ropa, la llevaba a ser amamantada cuatro veces al día y hasta *le cantaba en la noche las canciones que Ursula nunca supo cantar*» (p. 37). ¿Hay acaso una estampa menos varonil que ésta? [12].

Durante la prolongada ausencia de Ursula, José Arcadio Buendía, acompañado de su hijo Aureliano y la pequeña Amaranta, vuelve a la rutina del laboratorio hasta que llega Ursula exaltada y rejuvenecida, con ropas nuevas. Su marido, en el colmo de la felicidad, confiesa que ése y no otro era el resultado que esperaba obtener como producto de sus manejos alquimistas. Ese era «el prodigio esperado»: «el regreso de Ursula» (p. 38).

Ursula ha traído consigo la civilización que insinuaban los gitanos. Estas maravillas que acompañan a Ursula estaban «sólo a *dos* días». José Arcadio Buendía, en su expedición de búsqueda de «tres» días, no pudo encontrar la civilización, que estaba solamente a «dos» días. Anteriormente, en el viaje realizado para hallar el mar y en que sólo encontró el galeón español,

---

que más adelante no pueda modificarse la motivación, su origen, consecuencias y dirección de la misma, a la vista del sesgo que vayan tomando los acontecimientos y las conclusiones. Este primer nivel da *conclusiones parciales «prima facies»* con las que se alcanzan algunos *aspectos definitivos*. De momento estoy estudiando los padres. Los hijos quedan en la penumbra —por ahora—. Tiempo tendrán de ocupar el primer plano.

[12] Es cierto que hay una alusión a Hércules y Onfalia, pero a modo de remedo y por la vía de la caricatura inversa.

emplearon una «semana», «diez días», otra «semana» más, y por último, otros «cuatro» días. Ello determinó la falsa afirmación de la insularidad de Macondo —a excepción de oriente, que limitaba con «la sierra y la antigua ciudad de Riohacha»—:

> ¡Carajo! —gritó—. *Macondo está rodeado de agua por todas partes.*
>
> (p. 18)

Y muy contrariamente a lo que declaró José Arcadio Buendía, Ursula demuestra, fehacientemente, que la civilización se encuentra a *«DOS»* días solamente.

Esta vuelta de Ursula en olor de civilización parece que despierta a José Arcadio Buendía de su letargo, al paso que acusa su fracaso personal ante el éxito de Ursula. Se diría que, espoleado por la usurpación del poder de que su mujer lo ha hecho objeto, pretende volver a los antiguos y cómodos días del patriarcado.

MATRIARCADO «VERSUS» PATRIARCADO

No se debe ignorar que el matriarcado que estamos estudiando se presenta en virtud de una evolución: cuando José Arcadio Buendía demuestra su hombría matando al tigre Prudencio Aguilar y su virilidad consumando el matrimonio, es él quien gobierna la casa de los Buendía; él, quien decide salir del pueblo; él, quien organiza la expedición de los veintiún hombres; él quien determina dónde hay que fundar el pueblo, qué nombre se le pondrá... Por ese entonces José Arcadio Buendía es el hombre fundamental de la población, es «una especie de *patriarca* juvenil que daba instrucciones para la siembra... consejos... y colaboraba con todos... para la buena marcha de la comunidad... era el hombre más emprendedor que se vería jamás en la aldea... había dispuesto trampas y jaulas...» Pero todo eso se terminó el día que llegaron los gitanos —con Melquíades a su frente— y José Arcadio Buendía comenzó a lucubrar con imposibles procedimientos de irrealizables planes.

Cuando Ursula trae la civilización, José Arcadio Buendía recupera su antiguo puesto de líder (p. 40):

> *volvió a ser el hombre emprendedor de los primeros tiempos* que decidía el trazado de las calles y la posición de las nuevas casas, de manera que nadie disfrutara de privilegios que no tuvieran todos. *Adquirió tanta autoridad* entre los recién llegados que no se echaron cimientos ni se pararon cercas sin consultárselo, y *se determinó que fuera él quien dirigiera la repartición de la tierra.*

Además, «*impuso* en poco tiempo un estado de orden y trabajo... *decidió* que sembraran almendros en vez de acacias, y... descubrió los métodos para hacerlos eternos» [13].

El florecimiento del patriarcado de su marido no apoca a Ursula, porque mientras su marido está extendiendo su poder

[13] Seguimos a vueltas con las ganas que tiene el autor de tomarle la peluca al lector, porque no se puede hablar de que un hombre trate seriamente de conseguir una especie de almendros *eternos*. Hay que considerar que eterno es algo que no tuvo principio ni tendrá fin. Como mucho, y si acaso, el «eternos» debiera interpretarse como *perpetuos* —de duración ilimitada—. Pero esta supuesta perpetuidad no puede aplicarse a los almendros que siembra José Arcadio Buendía por un montón de razones. El promedio de vida de los almendros es mayor que el que se le reconoce a la raza humana y, por tanto, ningún hombre puede tener la menor seguridad de que los almendros que él ha plantado alcanzarán la *perpetuidad*. Como José Arcadio Buendía perderá la razón y será amarrado al castaño antes de que los almendros den fruto, la afirmación de la *eternidad* de los almendros, puesta en su boca, tiene menos valor que la firma de Ruy Díaz en el tratado de Roma. Estos almendros *eternos* —debidos a un narrador pseudo omnisciente— son parientes de la hamaca —red gruesa— capaz de actuar inesperadamente como un *papel secante* (p. 86), del acordeón que nunca pudo haberle regalado Sir Walter Raleig a Francisco el Hombre (página 51) —porque el fundador de Virginia llevaba más de dos siglos alimentando malvas cuando a Buschmann se le ocurrió transformar la armónica en acordeón—. Estos almendros pertenecen al mismo rango que la visión de la nave *fantástica* de Hugues (p. 84), que el poder oír los monólogos *sordos* (p. 19), que la existencia de naranjos *autóctonos* —por «silvestres»— en América del Sur (p. 17) y que todo un cúmulo de aberrantes lindezas que el escritor colombiano va soltando acá y allá con idéntica despreocupación a la de las fábricas nacionales de papel moneda que emiten billetes inflaccionistas. Es así como el lector, goloso y encantado, se traga sin el más leve pestañeo cuantas fantasías se le pongan a tiro. Y cuanto más azúcar, más dulce.

por *fuera* de la *casa,* Ursula monta un negocio de animalitos de caramelo que «dos veces al día salían de la casa ensartados en palos de balso», y que la enriquecían fácil y rápidamente.

Es tanto el afán de trabajo de José Arcadio Buendía y Ursula Iguarán que despiertan y contagian al pueblo, el cual cae en un estado de excitación febril —hiperbolizado por Gabriel García Márquez con la enfermedad del insomnio—, y hasta consiguen arrastrar a Aureliano y auparlo al vórtice de esa tarea. De esta forma Aureliano, que se había quedado en el laboratorio abandonado por su padre «aprendiendo por pura investigación el arte de la platería», toma bajo su cargo la parte intelectual: «fue Aureliano quien había de defenderlos durante varios meses de las evasiones de la memoria».

Esta segunda versión de la faceta patriarcal de José Arcadio Buendía dura muy poco. En parte porque lo que había provocado su actividad no era la realidad sino la ilusoria fantasía: «fascinado por una realidad... *más fantástica que... su imaginación...*» (p. 39). Pero, sobre todo, José Arcadio Buendía vuelve a perder la dirección del patriarcado renacido porque llega el «gitano» antiguo, Melquíades; el cual aparece, como siempre, acompañado de un clásico y nuevo invento. Esta vez es la daguerrotipia.

Unido al arte, Melquíades, al volver, trae la medicina. Cura a José Arcadio de la enfermedad del insomnio con una «sustancia de color apacible». (Al lector no se le explica cómo se curan el resto de los macondinos, pues todos estaban bajo los efectos de la plaga.) Pero, paradójicamente, en lugar de curarlo simplemente de su enfermedad, Melquíades logra insuflarle una inoperancia absoluta. De esta manera se cumple que los gitanos —atraídos por los cantos de los pájaros cazados por José Arcadio Buendía, entretenido en esa diversión en lugar de hacer cosas de más provecho— son quienes con cada nueva visita van apartando al patriarca del poder. Esta última vez conseguirán arrinconarlo definitivamente de la misma sociedad y civilización que José Arcadio Buendía creyó hallar en los inventos de los gitanos.

El tratamiento que recibirá el patriarca en lo que queda de narración es sangriento: el daguerrotipo lo muestra como un «general *asustado*» (p. 49). A la ferocidad de la antítesis —un general de «lanza» y «susto» —hay que añadir el «pelo erizado y *ceniciento*» —de cenizo, de «cenicienta» masculino— y su «estupor» y «asombro» al ver en qué ha quedado él y cómo Ursula celebra su derrota «muerta de risa».

Desde este momento en adelante, las ocupaciones del cabeza de familia serán cada vez más estrafalarias: el laboratorio de daguerrotipia servirá, primero, de estudio teológico «para obtener la prueba científica de la existencia de Dios» (p. 52). Cuando José Arcadio Buendía desiste de hallar el daguerrotipo de Dios, pasa a algo mucho más sencillo como hallar la imagen «del ejecutante invisible que teclea incansable el teclado de la pianola» (p. 58). Cuando el patriarca se canse de estas prácticas pseudo-espiritistas de andar por casa, destruirá la fantasmagórica pianola en una espléndida rabieta infantil: «José Arcadio Buendía renunció a la persecución de la imagen de Dios, convencido de su inexistencia, y *destripó la pianola* para descifrar su magia secreta» (p. 59). Esta triste imagen de un abuelete memo destrozando una pianola como si fuera el camión que acaban de traerle los Reyes Magos desde el lejano Oriente, supera el irrisorio retrato en dos dimensiones del daguerrotipo que Melquíades había realizado para complacer a Ursula. Pero aún falta dar publicidad a este retrato. La locura de José Arcadio Buendía se proclamará en un *tableau,* que rezuma animosidad corrosiva, el día de la inauguración de la nueva casa. En ese momento tan señalado y esperado por toda la familia —que ha trabajado, trasteado, limpiado, desempaquetado y soñado— Ursula presenta con toda solemnidad una alegoría del presunto líder «empantanado en un reguero de clavijas y martinetes sobrantes, chapuceando entre un enredijo de cuerdas... [que] logró poner por *equivocación* un dispositivo atascado... contra las cuerdas sin orden ni concierto...» (p. 60).

Melquíades ha cumplido su misión. Puede morir de nuevo, ahora en Macondo, para que Ursula dé la última vuelta a la tuerca del cepo en que tiene a su marido. Cuando muera Melquíades, Ursula lo llorará «con más dolor que a su padre» (p. 69) —no en vano, ya que le ha dado más que su progenitor—.

Melquíades ha sido el ayudante perfecto, el manager —sin precio ni calificativo— que ha proporcionado a su protegida cuanto ésta deseaba. Ursula lo ha llorado como se merece: a tal servidor, tal honor.

El tono de estas últimas consideraciones —reprochando a Ursula su crueldad— no significa que me ponga de parte del patriarca caído y denueste los procedimientos de la matriarca. Nada de eso. Ursula lo arriesga todo por ocupar un lugar duro, incómodo y desagradecido que José Arcadio Buendía demostró no tener interés en desempeñar. La lucha se traba, desde el principio, entre la astucia y la estulticia y, como es lógico, gana la primera. Ello no quiere decir que Ursula no haya sufrido, porque —y remitámonos al principio de la historia—, si de José Arcadio Buendía puede rumorearse que es impotente ¿qué no murmurarán las mujeres sobre la esposa que no ha merecido siquiera la elemental atención de que su marido compruebe si es mujer o sirena, encandilado por el tejer y destejer de unas correas? Si José Arcadio Buendía no supo estar a la altura de lo que su misión reclamaba y Ursula se creyó capacitada para suplirlo, creo que hizo muy bien en salir a la palestra y emplear el arma más eficaz que tenía a mano: el gitano, el embaucador Melquíades, que sirve para eliminar al marido inútil.

En el palmarés del patriarca aún falta un último «éxito»: consigue hacer bailar un juguete durante tres días, sin interrupción. El hallazgo excita a José Arcadio de tal forma que pierde la razón.

De esta forma su auténtico y único éxito se convierte en su fracaso más rotundo, ya que al perder la razón pierde con ella su cómodo sillón de patriarca. No hay que ignorar que, siendo éste el único *éxito* de José Arcadio Buendía, ha necesitado de la ausencia de Ursula para lograrse: «*Sin la vigilancia y los cuidados de Ursula* se dejó arrastrar *por su imaginación* hacia un estado de delirio perpetuo del cual no se volvería a recuperar» (p. 72).

Y cuando Ursula vuelva del viaje en compañía de Amaranta, José Arcadio Buendía, el patriarca, habrá sido «echado» de la casa. Ya no hay lugar para él en el laborioso enjambre:

Se necesitaron diez hombres para tumbarlo, catorce para amarrarlo, veinte para arrastrarlo *hasta el castaño del patio,* donde lo dejaron atado... Cuando llegaron Ursula y Amaranta todavía estaba *amarrado de pies y manos al tronco del castaño... Ursula... lo dejó amarrado solamente por la cintura.*

(p. 74)

De esta forma termina el patriarcado de José Arcadio Buendía: fuera de *la casa,* sometido y amarrado —como un nuevo Minotauro encerrado en el laberinto de su locura—, siendo testigo, amenaza y escarnio al mismo tiempo.

URSULA, DUEÑA Y SEÑORA DE SU CASA Y FAMILIA

Desde este templo acabado de inaugurar —la mejor casa de toda la ciénaga— Ursula oficiará como suprema sacerdotisa. Ella ha soportado las estupideces, rarezas y holgazanería de su marido mientras ha sido necesario para que el relevo de su poder se realice dentro de la mayor legalidad. Por eso Ursula ha tolerado a José Arcadio Buendía hasta la inauguración de la casa, porque su presencia era necesaria para dar realce al cambio de poder que se acaba de iniciar. En la fiesta de la inauguración, todo el pueblo invitado es llamado a testificar sobre la definitiva tontez del patriarca. Allí tienen la prueba fehaciente: la pianola destripada por José Arcadio Buendía —que ha actuado bajo la vigilante mirada de su mentor, el gitano Melquíades—.

Sólo hace falta que Ursula se ausente para que el desarreglo en el comer y en el vestir acaben con el estorbo del marido inútil. Ni siquiera será Ursula quien deba juzgar la incapacidad de José Arcadio Buendía. Los vecinos de Macondo serán jurado y juez. Cuando Ursula vuelva con Amaranta se encontrará con que el trabajo sucio se lo han servido en bandeja. Ella no tendrá más que dejar que el estado de cosas sea inmutable. El zángano, cumplido su deber de procrear, ha sido desalojado de la colmena.

Ursula y cierra Macondo

Hasta el presente momento estos son los actos de Ursula: se ha negado a consumar el matrimonio mientras José Arcadio Buendía no ha mostrado su valor. (Que la justificación recaiga sobre la muerte de Prudencio Aguilar, es meramente anecdótica y aleatoria.) Después ha aceptado el éxodo hacia Macondo porque ello significa la posibilidad de iniciarse en el poder desde su base. En cambio, estorbará los planes de una segunda emigración, porque ello la perjudicaría: tiene echados los cimientos del poder y volver a comenzar significaría pérdida de fuerzas y, tal vez, de unas posiciones ya consolidadas en el ánimo de los macondinos. Será ella la que vaya en busca de la civilización —so capa de buscar al hijo que huye con los gitanos— aunque sea a costa de dejar sin cuidado alguno al bebé Amaranta. Con la civilización, Ursula se enriquece y construye la *mayor casa de la ciénaga, y la mejor*. Una nueva ausencia de Ursula, que se lleva a pasear a Amaranta a la capital para que se olvide de Crespi, termina con la poca cordura de su marido. Eliminado el contrincante, Ursula puede expandir su poderío sin trabas de ninguna clase.

Primero casará a Aureliano con una hija de la autoridad conservadora. Aceptará sin chistar que su hijo se autoproclame coronel liberal, sin más trámite que renunciar al diminutivo que le había adjudicado su suegro Moscote. Después, Ursula esperará pacientemente que su nieto Arcadio cometa el desliz de atacar a Moscote —consuegro de Ursula—, lo azotará públicamente y se erigirá en el único poder que regirá Macondo: «antes de que Arcadio tuviera tiempo de reaccionar le descargó el primer vergajazo... azotándolo sin misericordia» (p. 95). A partir de ese día «fue ella quien mandó en el pueblo». Y aunque su hijo Aureliano está peleando al frente de las tropas liberales, ella organiza el pueblo conservadoramente: «restableció la misa dominical, suspendió el uso de los brazales rojos [14] y descali-

---

[14] Inexplicablemente, llevan brazales rojos los «hombres mayores de edad». ¿Acaso los hombres *menores de edad* no caben en la clasificación de *jóvenes*? La tendencia al pleonasmo estilístico es un arma tanto más eficaz cuanto que el lector lo asimila sin parar mientes en ello.

ficó los bandos atrabiliarios». A Ursula le importa un ardite el
nieto bastardo, y aprovecha la ocasión para montar el espectáculo ante el pueblo. El *coup de théâtre* es psicológicamente
perfecto: ni la posición política del hijo coronel ni el rango
político y civil del nieto son respetados porque su poder no
reconoce obstáculos. De esta forma, ganen los conservadores o
los liberales, Ursula tiene la espalda cubierta.

A partir de este momento, Ursula no sólo domina en su
casa, sino que se ha erigido en dueña y señora del gobierno del
pueblo. Aún así, le parece poco. Ella aspira a más. Un golpe
de suerte la aúpa a un cesaropapismo digno del mejor Renaci-
miento italiano. El motivo lo halla en el episodio de la muerte
de Pietro Crespi. El suicidio «a la palangana» hace que el padre
Nicanor se oponga a los oficios religiosos y al entierro en tierra
sagrada del italiano de la pianola. Ursula coge la ocasión por los
pelos, se enfrenta a la autoridad eclesiástica y determina: «lo
voy a enterrar, *contra su voluntad*... Lo hizo, con el respaldo
de todo el pueblo, en funerales magníficos» (p. 99).

La voluntad de poder de Ursula no se verá detenida, ni
siquiera, por el apabullante aparato del poder militar. El primer
intento de ir contra él tendrá lugar cuando intervenga, con todo
su tozudo poder, en favor del coronel Moncada (p. 140). Su
petición no llegará a buen fin. Por ello en la próxima ocasión
pondrá toda la carne en el asador cuando quiera salvar al coronel Gerineldo Márquez de la justicia de sus propios partidarios,
que lo consideran traidor al liberalismo por un quítame allá esas
pajas. Ursula ya no suplicará ni argumentará. Exigirá y amena-
zará: «una cosa te advierto: tan pronto como vea el cadáver
[del coronel Gerineldo] te *lo juro* por los huesos de mi padre
y mi madre, por la memoria de José Arcadio Buendía, te *lo juro*
ante Dios, que te he de sacar de donde te metas y *te mataré
con mis propias manos*» (p. 148).

Esta actitud de su madre hace dar un giro de 180 grados
al coronel Aureliano Buendía, que preferirá organizar otra guerra CONTRA LOS LIBERALES —«nunca fue mejor guerrero que
entonces»— (p. 149) que enfrentarse contra el rencor de su
madre iracunda.

Este es, a grandes rasgos, el perfil de una matriarca que decide hacerse con el poder a la vista de la comprobación de que el marido es inútil —«impotente»— (p. 25). Si se observa con cuidado podrá apreciarse que la incapacidad de José Arcadio Buendía no es heredada porque sus antepasados sí han sabido gobernar sus casas. Prueba de ello es que de los antepasados de Ursula sólo se conocen con la vaga e indeterminada designación de: «bisabuela» y «comerciante aragonés» (p. 24). En campio, de la rama de los Buendía aparecerá el nombre completo: «don José Arcadio Buendía» (p. 24), el criollo cultivador de tabaco.

Esta es Ursula: la fuerza motriz del relato, su núcleo de cohesión, su justificación primera. Es la gran madre que todo lo ordena, todo lo crea y todo lo sostiene. Es el personaje con mayor potencial del relato, ante quien todos los demás semejan muñecos desvaídos. Es el sol del sistema planetario de los Buendía. Y ese es el valor metafórico del curioso pantalón post-nupcial con que Ursula obsequia al marido y al lector: su matriarcado ineludible y poderoso. Ella cuenta con las simpatías de los conservadores por haber defendido al coronel Moncada y con el agradecimiento de los liberales por haber salvado la vida al coronel Gerineldo; maneja a la Iglesia en la persona del padre Nicanor Reyna, que diariamente irá a jugar a las damas con el marido de Ursula (¿cabe mayor sometimiento que el de servir de niñera a un loco?); y no permite que ninguna *delfina* empañe en lo más mínimo su omnímoda autoridad. La casa que tantos sudores le costó edificar estará regida con leyes tan inflexibles como las que sostienen los avatares de una colmena: sólo un zángano y no más de una reina.

SEGUNDA PARTE

PODER Y FAMILIA

Los varones Buendía, unos zánganos de tomo y lomo

Antes de revisar las acciones de las mujeres «mis mujeres son masculinas»[15] consideradas en su faceta de posibles herederas de la dinastía matriarcal, veamos una de las circunstancias peculiares que sólo se cumple en la más inteligente asociación de insectos: en la afanosa colmena de Ursula nunca se consiente más de un zángano.

— José Arcadio, el hijo primogénito, *se va* en cuanto ha sido lo bastante hombre para engendrar un hijo.

— José Arcadio Buendía, el padre, *saldrá* de la casa y quedará a merced de la lluvia bajo el castaño, en cuanto Aureliano —por su edad— sea un hombre hecho y derecho capaz de hacer algo más importante que enamorarse de una chiquilla de trece años.

— Aureliano y su hermano José Arcadio, ya adultos, no viven nunca juntos en la casa. Cuando José Arcadio vuelve bordado en punto de cruz, pasa la mayor parte del tiempo en la tienda de Catarino, y el día de la boda, Ursula *lo echa* de casa.

— Aureliano José y Arcadio, los nietos, se encuentran mejor fuera de la colmena que dentro de ella, donde hay un jefe incontestable: el coronel Aureliano. Y aunque Ursula se lamente

---

[15] Se cita textualmente a Gabriel García Márquez: «Gabriel García Márquez o la cuerda floja», en Harss, Luis: *Los nuestros,* Buenos Aires, Editorial Sudamericana, 1973. Página 403.

de que abandonan la casa, la realidad es que nada hizo por salvar a Arcadio de ser fusilado, mientras que al coronel Moncada y al coronel Márquez los defendió con dientes y uñas (igual que al corregidor Moscote).

— De los gemelos, José Arcadio Segundo y Aureliano Segundo, uno se queda en casa y el otro se va. En cuanto Aureliano Segundo se hace cargo de la casa, el coronel —el primer Aureliano— se encierra en el taller para dejar el campo libre al zángano de turno.

— Cuando el coronel y Aureliano Segundo desaparezcan de la escena, los restos de la maltrecha herencia serán recogidos durante breves —y no muy honrosos días— por el único varón de Aureliano Segundo, José Arcadio el estudiante de Papa, lo cual implicará que Aureliano Babilonia se encierre en el taller a leer.

— Cuando los jovencitos dan al estudiante papal una muerte digna de un emperador romano, el último Aureliano, Aureliano Tercero Babilonia, saldrá para consumar el desastre de la estirpe.

De hecho, no hace falta leer más allá del nacimiento del cuarto Aureliano. La muerte ya hace rato que ronda en torno de Amaranta Ursula. Desaparecida la última mujer de la familia, la más valiente, la única capaz de arriesgarse a cometer un incesto, la historia de los Buendía está terminada. Los Buendía son una familia de mujeres. Faltando éstas, los hombres desaparecen. De no haber habido un vendaval hubiera dado lo mismo; un zángano adulto y otro recién nacido no pueden sobrevivir sin reina que justifique la presencia de las obreras, en quienes recae toda la responsabilidad de la convivencia.

El papel de auténticos zánganos, de zánganos de colmena, de zánganos de matriarcado, viene iluminado por la cita de la página 132: «... estamos haciendo esta guerra [la del coronel Aureliano Buendía] contra los curas para que uno se pueda casar con su propia madre».

De modo que la guerra, la vida o muerte, están causados por la necesidad de vivir indefinidamente bajo la protección de la madre, primero como madre-engendradora y después como madre-esposa.

El incesto institucionalizado

Creo innecesario insistir en el papel de *esposa-madre-protectora* (y destructora cuando deba realizarse el relevo por el hijo zángano) que Ursula se atribuye en las relaciones con su marido José Arcadio Buendía.

Veamos cómo se manifiestan las relaciones entre hijo-madre en los miembros de la familia Buendía.

— El hijo de José Arcadio Buendía, José Arcadio, busca en Pilar Ternera a la *esposa-madre:* «... trataba de acordarse del rostro de ella [Pilar Ternera] y *se encontraba con el rostro de Ursula,* confusamente consciente de que estaba haciendo algo que desde hacía mucho tiempo deseaba que se pudiera hacer...» (p. 31). En cierto modo Pilar Ternera es la *madre-protectora* de José Arcadio. El provecho que José Arcadio sacará de Pilar Ternera es un hijo: Arcadio. Y este hijo Arcadio legalizará los títulos de propiedad de todos los terrenos que José Arcadio se ha apropiado. Cuando Arcadio muera, José Arcadio heredará su casa. De modo que, algo indirectamente, Pilar Ternera ha sido la causa de toda la riqueza de José Arcadio.

— El coronel Aureliano busca en Pilar Ternera a la *esposa-protectora,* tanto para conseguir a Remedios Moscote como para averiguar las veleidades de su destino hostil.

— El hijo de José Arcadio, Arcadio, intenta establecer con Pilar Ternera relaciones incestuosas de *madre-esposa:* «... él esperó en la hamaca temblando de ansiedad, sabiendo que Pilar Ternera tenía que pasar por ahí. Llegó. Arcadio la agarró por la muñeca y trató de meterla en la hamaca» (p. 101). Pilar Ternera será la *madre-protectora* de Arcadio. Cuando él la desee como esposa, ella lo protegerá como madre pagándole la esposa: la mitad de sus ahorros de toda la vida para Santa Sofía si ella consiente en entregarse a Arcadio, y la otra mitad para los padres de Santa Sofía. (He ahí una dote que rige en toda su tradicional tribalidad.)

— De los hijos gemelos de Arcadio el que sigue la línea de descendencia es Aureliano Segundo. Santa Sofía es la *madre-protectora* de Aureliano Segundo y José Arcadio Segundo. Trabaja en la casa como una esclava hasta que se mueren los gemelos. Después del entierro dura muy poco en la casa de los Buendía.

— El hijo de Aureliano, José Arcadio, el aprendiz de Papa, sustituirá a la madre —que desconoce— por quien hace el papel de tal: Amaranta. A ella se sentirá inclinado hasta el último aliento, antes de desaparecer en las aguas lustrales de la bañera de granito. Amaranta exhibe con Aureliano José y José Arcadio, el Papa, el papel de *tía-esposa*. Intenta propiciar un incesto que nunca cumple. En parte, porque con quienes pretende establecerlo son los menos definidos sexualmente entre todos los Buendía, y en parte, por el peculiar *rôle* que tanto Gabriel García Márquez como Úrsula le han reservado a la acuosa Amaranta y que estudiaré luego brevemente. Mientras José Arcadio, el Papa, circula por la casa pensando en Amaranta como *madre-esposa* aparecerá el tesoro de Úrsula, con lo que una vez más esta última actúa como madre-protección. Así que en el último José Arcadio se funden y confunden las matriarcas de los Buendía.

— El nieto de Aureliano Segundo, Aureliano Babilonia, tendrá de Fernanda solamente una imagen lejana etérea e incomprensible. Su mente guardará una sola imagen familiar, la de Amaranta Úrsula, cumpliendo al fin el incesto tan largamente anunciado. La única que no es ni *madre-esposa* ni *madre-protectora* es Fernanda. Y ahí estará el principio del fin. Aureliano Babilonia no tendrá en quién apoyarse y la estirpe será destruida.

Pero no es el incesto lo que aniquilará a la familia de los Buendía. El incesto no puede destrozarlos porque es una fuerza centrípeta de incalculables resultados. Antropológicamente, el incesto es una fórmula legal y leal de mantener el poder. Los egipcios y los incas así lo practicaron y no fue ésa la causa de su destrucción.

En los Buendía tampoco. Babilonia no es castigado por el incesto, no. El castigo se cumple en él, pero viene desde más atrás.

De estas seis generaciones de Buendía, no hay uno solo de ellos que sepa lo que es trabajar: José Arcadio Buendía vive

entregado a sus inútiles y grotescos inventos; el primogénito
—José Arcadio— se mantiene, en un principio, de rifar su
portentoso sexo y, más tarde, de expoliar a punta de rifle. El
coronel pasa una primera época alimentándose del honor que
producen las muertes de los macondinos que le siguieron en la
guerra, después es alimentado por su madre mientras finge que
trabaja —encerrado en el círculo vicioso de fundir pescaditos
de oro para volver a construirlos—. Aureliano José se alimenta de
la guerra hasta que es cazado por la espalda. Arcadio vive a
costa de robar al municipio. Aureliano Segundo debe las riquezas a su concubina. Su gemelo parece ser que saca tajada de la
bananera, lo que a fin de cuentas le cuesta una masacre a Macondo. El aprendiz de Papa malpasa gracias a su ambigüedad
sexual. Aureliano Babilonia vive de la caridad de Nigromanta
y sus amistades.

De todas estas variedades para lograr dinero «como sea», la
más sugestiva, atractiva y beneficiosa es la que utiliza Aureliano
Segundo. Los demás viven a costa de la esposa, la madre, el
país, el robo, las cuentas turbias, el homosexualismo, la mendi-
cidad; todas ellas emparentadas con la más antigua de las picarescas. La única que tiene originalidad y su poco de chispa es
la que utiliza Aureliano Segundo. No sólo se lo pasa «bomba»
con Petra —como con la más sugestiva de las *bunny girls*—,
sino que además le regala conejitos y más conejitos y, luego,
vacas y más vacas. Si eso no es un episodio donde hincar el
diente, ¡a ver cuál!

PETRA COTES, UN PARTO DE LA FEBRIL IMAGINACIÓN DE GABRIEL GARCÍA MÁRQUEZ

Petra Cotes es para Aureliano Segundo una *madre-protectora*
igual que Ursula lo fue para el coronel Aureliano Buendía
(siempre intentando protegerlo, librarlo de la muerte, captar los
presagios para advertirle de los peligros, dándole dinero para
sus guerras...). Petra Cotes no es ni la amante ni la concubina
de Aureliano Segundo. ¿Razones de esta aparente sinrazón?
Aquí van anotadas.

Aureliano Segundo ama a Fernanda y sólo a Fernanda. Por eso va a buscarla, en una peregrinación ilimitada, al otro lado del país. Por buscar a Fernanda se aventura solo más allá de lo que cualquiera de sus familiares haya podido ir por amor de una mujer. (Fernanda tendrá tres alumbramientos: el máximo en la familia de los Buendía —récord sólo igualado por Ursula—.)

En la relación de Aureliano Segundo con Petra Cotes la parte del león se la llevan las multiplicaciones zoológicas. Utilizan la cama como experimento para ver lo que pasa en las cuadras y establos. Cuando en medio de la lluvia Aureliano Segundo vaya a visitarla, lo único por lo que se interesará es por el estado de los animales, único medio de llevarle comida a Fernanda. La larga abstinencia que la lluvia le ha impuesto sobre los amores y caricias de Petra Cotes, Aureliano Segundo no la acusa. Al terminar la lluvia, Aureliano Segundo frecuentará a Petra Cotes para hacer algo de dinero con las rifas para que Fernanda tenga algo de dinero: «a veces los sorprendían los primeros gallos haciendo y deshaciendo montoncitos de monedas... para contentar a Fernanda... porque su bienestar les importaba más que el de ellos mismos» (p. 287). El último esfuerzo de Petra Cotes será reunir dinero para mandar a Bélgica a la hija de Fernanda y Aureliano Segundo.

Como a nadie le agrada que le acusen de manipulador de hechos, voy a llamar en mi ayuda las propias palabras del autor, para reducir a Petra Cotes a su auténtico papel de metáfora personificada. En la página 166 leemos:

> Sordo al clamor de Ursula y a las burlas de su hermano, *Aureliano Segundo sólo pensaba* entonces en encontrar un oficio que le permitiera *sostener una casa* PARA FERNANDA, *y morirse con ella, sobre ella y debajo de ella, en una noche de desfuero febril.*

Ahí está negro sobre blanco: «Aureliano Segundo sólo pensaba... en... para... sobre... debajo de FERNANDA». Ni por los forros aparece la despampanante Petra Cotes con su contagioso poder genético, «sólo... Fernanda». ¿Qué hace ahí Fernanda, cuando de quien se está hablando es de Cotes, la concubina compartida por los gemelos? ¿Qué pinta la morigerada Fernanda con su calendario emborronado de morado y su camisón con ojal a la altura del vientre, frente a estos desafueros amorosos? ¿Un error de linotipia? Imposible. Desde 1967 hasta 1983 —última edición que poseo— y a través de idiomas y editoriales, el gazapo permanece imperturbable. No hay, pues, tal error. Fernanda ha permanecido inamovible en el décimo capítulo porque ese es su lugar.

Fernanda está ahí, porque Petra Cotes no existe. La mujer soñada por Aureliano Segundo es la hermosa Fernanda. Que luego resulte la mujer mezquina del calendario con llavecitas de oro sometida al director espiritual, eso es otra cosa. Pero queda muy claro que Petra Cotes, como amante, no tiene ningún papel que jugar en la vida de Aureliano Segundo. Su presencia en la obra es para justificar la riqueza inexplicable de Aureliano Segundo.

AURELIANO SEGUNDO ES UN CUATRERO

A Aureliano Segundo la riqueza no le viene de las dotes taumatúrgicas de Petra, sino por otras vías más sinuosas cuyo origen se nos explica en la página 167.

> Ursula se preguntaba en qué enredos se había metido, si no estaría *robando, si no había terminado por volverse cuatrero.*

Lógicamente, el lector no hace caso alguno de ese «cuatrero», entre otras cosas, porque piensa que Ursula no está al corrientes de los amores de Aureliano Segundo con la Cotes, y supone que, no sabiendo de dónde le viene a su hijo tanta y tan repentina abundancia, acaba por pensar que el ganado no lo ha reunido por buenas artes. Alcanzada esta conclusión, el lector se siente halagado de que Gabriel García Márquez lo haga su cómplice en los amores de Aureliano Segundo e, incluso, se siente satisfecho de poder darle el esquinazo a Ursula. Porque ¿a quién se le ocurre que el simpático Aureliano Segundo, tan vital, tan simpático, primario, parrandero y típico en su papel de príncipe —de pueblo— que se enamora de una dulce prin-

cesa educada —casi— por manos de 'hadas, pueda ser tan villa-
no que le esté robando el ganado a alguien? Pero lo cierto es
que Aureliano Segundo es un cuatrero. La confirmación la hallamos en la página 185 cuando leemos: «Ursula... se permitió
decir alguna vez que el pequeño tataranieto tenía asegurado su
porvenir pontifical, porque era 'nieto de santo e *hijo* de reina
y *cuatrero*'.» Dejando a un lado el jugoso sarcasmo, hay que
fijarse en este «hijo de cuatrero», ya que evidentemente el abuelo Fernando está siendo canonizado en vida por su hija Fernanda, la reina de Macondo y Magadascar, y por lo tanto se cumple
que el aprendiz de Papa *es nieto de santo* e *hijo de reina*.

Si Aureliano Segundo fuera un cuatrero ¿a quién le robaría
el ganado? Es evidente que hay que señalar en dirección a una
mujer, porque Aureliano —el zángano— tiene forzosamente que
vivir de lo que le robe a una mujer —único personaje que produce algo útil en toda la familia—. Tiene que ser una mujer
la despojada porque Petra Cotes aparece en la novela bajo la
apariencia metafórica de una mujer, y porque su nombre remite
a la Naturaleza —«Petra»=piedra y «Cotes»=*côtes*— a la que
nombra en sus dos elementos tierra y agua. (En realidad Petra
Cotes —recordando los mitos de América Latina— está representando la Diana americana, la Artemisa de los bosques tropi-
capes que, según la leyenda, bendijo la única pareja de caballos
que los conquistadores, providencialmente, perdieron en una de
sus incursiones por América Septentrional).

La mujer que tiene todos los números para que le toque ser
la expoliada es Remedios, la bella, porque es la *heredera* de la
colmena, es reina —es decir: es *la reina de la colmena*—, la dueña de todo —después de Ursula, claro—. Remedios, la bella,
tiene tan asumido este oficio de reina de la colmena que terminará sus días en Macondo sucumbiendo, precisamente, «a su
irrevocable *destino de abeja reina*» (p. 205).

PETRA COTES ES UNA HIPÉRBOLE

En apoyo de que Petra Cotes es una hipérbole tenemos dos
argumentos: el primero es que Petra no muere. Es decir, por lo

menos no se entera el lector de su muerte. (La otra persona que tampoco muere es la escurridiza madre de los gemelos. Pero ella «se va» en una escena plagada de realismo, después de la vida más pedestre que imaginarse pueda. En cambio, Petra Cotes se esfuma como por arte de magia —más o menos de la misma forma que aparece—.) El segundo argumento que señala a una Petra Cotes hiperbólica se infiere de la misma volubilidad mágica de que está poseída: Petra Cotes pierde *injustificadamente* sus poderes prolíficos. Digo «injustificadamente» porque la lluvia, una vez termina de caer, se tiene que convertir, según todos los rituales mágicos, en un obligado símbolo de abundancia. La pérdida de los poderes de Petra sobre los ganados de Aureliano Segundo sólo podría ser lógica si ésta se hubiera desintegrado en la atmósfera húmeda o hubiesen cambiado la calidad e inclinación de sus sentimientos hacia Aureliano. Pero manteniéndose todas las constantes que produjeron las maravillosas multiplicaciones, la lluvia no es un símbolo ni apropiado ni capaz de reducir la magia de Petra Cotes a los límites de un decadentismo indigno del menos avispado de los pícaros clásicos.

La calidad metafórica de Petra Cotes, su papel de quitaipón —como si de un biombo chino se tratase—, se rastrea perfectamente en dos escenas de las páginas 167 y 217. En la primera leemos que «*de la noche a la mañana*, Aureliano Segundo *se hizo* dueño de tierras y ganados». Si la multiplicación hubiese llegado de la mano de Petra, ese «de la noche a la mañana» es improcedente, porque encierra la calidad de algo inopinado, y obtenido en muy corto espacio de tiempo; además, Petra solamente proporciona el ganado, no «las tierras». También hay que considerar el sentido del verbo «se hizo», que indica no la pasividad de recibir las dádivas otorgadas por el poder de Petra, sino un definido matiz de voluntariedad que indica que «Aureliano *se hizo* —a sí mismo—, por voluntad propia, dueño de tierras y ganados de la noche a la mañana, de un solo plumazo». Por su parte, la escena de la página 217 aclara que las tierras donde se multiplican los ganados —las adquiridas *de la noche a la mañana*— están ubicadas en los terrenos de los Buendía. Dice así: «Fue tal la estrechez impuesta en la casa [por

Fernanda], que Aureliano Segundo se sintió definitivamente más cómodo donde Petra Cotes..., con el pretexto de que los animales estaban perdiendo fecundidad, *trasladó los establos y las caballerizas...* trasladó la pequeña oficina.» Ahora bien, si los establos están en la casa de Fernanda y es en ellos donde se producen las multiplicaciones que hacen rico a Aureliano, ¿cómo pudo ser que Aureliano llevase «a Petra Cotes a *sus criaderos,* [y la pasease] a caballo por *sus tierras,* para que todo animal marcado con su hierro sucumbiera a la peste irremediable de la proliferación?» (p. 166). ¿Cómo es posible pensar que Fernanda autorizase —o cuando menos dejara pasar desapercibida esta ofensa—? Imposible. (Sólo hay que recordar el efecto que produjo en Fernanda el hecho de que Aureliano Segundo prestara su manto a Cotes, el recibimiento que Fernanda le otorgó a Petra el día que ésta se presentó con las botas de Aureliano creyendo que éste iba a morir, y la sarta de improperios que Fernanda pronuncia en la época más agobiante de las lluvias, para que el lector caiga en la cuenta de que no se puede aceptar como posible la presencia de Cotes en los corrales *«de Fernanda».* Y como sin presencia no hay multiplicación, debe concluirse que Ursula estaba en pleno uso de sus facultades al llamar a su hijo «cuatrero».)

FUNCIÓN NARRATIVA Y ARGUMENTAL DE PETRA COTES

No por ello el papel de Petra Cotes en el relato es inútil. Todo lo contrario. Su funcionalidad es doble. En primer lugar, justifica el movimiento de lanzadera de Aureliano Segundo, el cual retiene la imaginación del lector y le impide dedicar su atención a algún otro personaje. Qué duda cabe que el interés del lector queda preso por querer averiguar qué pasa, al fin, con Aureliano Segundo, que se ha empeñado en cambiar a la esposa por la concubina sin que la primera se moleste apenas. También consigue que la figura de José Arcadio quede reducida a la de un pariente inocuo y sin más relevancia que la de haber escapado de una matanza y vivir atemorizado lo que le resta de vida. La lluvia, con una Petra Cotes «del otro lado», también queda difuminada y como domesticada en un paréntesis, hasta que aparece de nuevo ella rifando animales y haciendo que el lector no pare mientes en la destructora lluvia convocada por el Señor Brown —igual que si se tratara de un número de prestidigitación de circo— que acaba con la fortuna de los Buendía. La segunda gran utilidad de Petra Cotes es encubrir la realidad de lo que es Remedios, la bella, y lo que representa en la familia de los Buendía.

También confirma la idea de matriarcado. Ya que, ¿puede imaginarse una forma mejor para honrar a un régimen matriarcal que la de crear una metáfora y darle carta de ciudadanía como si se tratase de una Gea de estar por casa? Petra Cotes nunca podría ser una mujer de carne y hueso porque Ursula nunca ha permitido que ninguna hembra, capaz de trabajar en provecho de los Buendía, haya permanecido más o menos relacionada con la familia —es decir, con los miembros que viven en la colmena— en una aceptación de facto. Siempre las ha echado de la colmena.

Voy a poner de manifiesto el extremo de que nunca hay más de una hembra en la casa dando un repaso a las vidas de las mujeres más señaladas. Rebeca, por su boda con el primogénito, debería ser la destinada a heredar el gobierno del enjambre y la dirección de la dinastía. Ella será mi primer objetivo. Al estudiar su vida y su figura voy a tener presente lo que Luis Hars comenta sobre la obra de Gabriel García Márquez: «Para él [G. G. M.] los hechos y los datos son provisionales, válidos no como afirmaciones, sino como tentativas... *Si al final, sumando todo, los resultados no son siempre netos, es tal vez porque deberíamos restar, y no sumar, para hacer el balance*» [16]. Esta álgebra libérrima y literaria voy a aplicarla metódicamente al estudio de Rebeca, de Remedios y de Fernanda.

REBECA DE BUENDÍA

Rebeca se casa con José Arcadio un domingo a las cinco de la mañana en la iglesia del padre Nicanor. Pero «cuando regre-

[16] Hars, Luis, *op. cit.*, p. 418. Los subrayados son míos.

saron de la iglesia [Ursula] prohibió a los recién casados que volvieran a pisar la casa. Para ella eran como si hubieran muerto» (p. 86). Esta actitud de Ursula no variará un ápice durante todo el tiempo en que su perdón hubiera podido modificar los acontecimientos: «Ursula no perdonó nunca». El motivo que Ursula dio para este imposible perdón, fue el de considerar tal matrimonio «como una inconcebible *falta de respeto*». ¿Puede considerarse *falta de respeto* el que José Arcadio se casara con una joven tan bien educada como pudo haberlo sido Rebeca en casa de Ursula?

Tampoco puede ser causa del enojo de Ursula la supuesta amoralidad incestuosa de que José Arcadio se casara con su hermana, ya que José Arcadio y Rebeca nunca vivieron como supuestos hermanos. Rebeca llegó a Macondo después de haberse ausentado José Arcadio, la boda parece realizarse pocos días después del regreso de José Arcadio, y José Arcadio pasaba las noches en el establecimiento de Catarino rifándose entre las mujeres.

Si el enfado de Ursula hubiera estado motivado por la opinión del pueblo, esa cuestión quedaba solventada con la declaración que el padre Nicanor hizo en la misa de esponsales.

El empecinamiento de Ursula no puede estar fundamentado en un posible mal gobierno futuro de Rebeca al frente de la casa de los Buendía, ya que Rebeca tiene virtudes muy apreciables para una casa como la de Ursula, las cuales demostrará hasta la saciedad en su hacendosa vida de esposa trabajadora.

Además de ser cuidadosa ama de su casa, Rebeca influye beneficiosamente sobre José Arcadio, «que de holgazán y mujeriego se convirtió en un enorme animal de trabajo» (p. 102).

Desde poco después de la boda, Rebeca consigue que en José Arcadio aparezca lo mejor de las virtudes de su madre, Ursula: «*José Arcadio recuperó el sentido de la realidad y empezó a trabajar las tierras de nadie* que colindaban con el patio de su casa.» Así, pues, la actitud de la matriarca no tiene razón de ser, puesto que Rebeca había sido educada convenientemente por la propia Ursula, y su aprovechamiento y cualidades para hacerse digna de pertenecer a la casa de los Buendía están sobradamente demostradas por la forma en que lleva su hogar matrimonial. Está claramente injustificado el empecinamiento de Ursula en seguir negándoles el perdón por esa «inconcebible falta de respeto».

Cuando la vejez aclare las ideas de la irreductible Ursula, ésta lamentará la conducta de incomprensión mantenida con Rebeca:

> *habiendo comprendido que solamente ella, Rebeca, la que nunca se alimentó de su leche sino de la tierra de la tierra y la cal de las paredes, la que no llevó en las venas la sangre de sus venas sino la sangre desconocida de los desconocidos... era la única que tuvo la valentía sin frenos que Ursula había deseado para su estirpe. —Rebeca —decía, tanteando las paredes—, ¡qué injustos hemos sido contigo!*

> (p. 215)

Rebeca, la desconocida

Si Ursula recuerda con frases lapidarias que Rebeca no es de su familia —«sangre desconocida de los desconocidos»—, ¿cómo pudo negarles el perdón y la amistad, cómo pudo empecinarse en su enemistad con Rebeca y José Arcadio por el temor de un nieto con cola de cerdo? Puesto que Rebeca es «la que no llevó en las venas la sangre de sus venas», caso de existir parentesco entre José Arcadio y Rebeca, éste tendría que ser muy lejano —ya que los apellidos de Rebeca son Montiel y Ulloa—, lo cual es garantía de que el parentesco no puede atraer la maldición reservada al incesto. Recuérdese que cuando llega la plaga del insomnio cada uno puede observar las imágenes soñadas por el otro: «Ursula comprendió que el hombre y la mujer [soñados por Rebeca] eran los padres de Rebeca, pero aunque hizo un grande esfuerzo por reconocerlos, *confirmó su certidumbre de que nunca los había visto*» (p. 45). Además, ni José Arcadio Buendía ni Ursula recordaban haber tenido parientes con esos nombres en la remota población de Manaure» (p. 42).

De modo que la posibilidad del nieto con cola de cerdo ha quedado reducida al extremo, y más, cuando Rebeca pone de manifiesto su infecundidad. Infecundidad, por otro lado verificable desde el principio puesto por Rebeca, si algún defecto tiene no es el de mojigatería nocturna, y no actúa con su marido de la misma forma que Ursula lo hizo con el suyo o que Fernanda practicará con Aureliano Segundo. Todo lo contrario. Su actividad es tal que se diría quiere fecundar herederos bastantes como para superpoblar más allá de la Patagonia. El matrimonio pasó «una luna de miel escandalosa... hasta ocho veces en una noche, y hasta tres veces en la siesta» (p. 86).

Rebeca, la insaciable

Realmente es un récord inusitado éste de Rebeca, ya que una de las meretrices mejor dotadas y de más solera en la literatura española, la Lozana Andaluza, en su mejor día *sólo* alcanza a realizar seis coitos entre la noche y el mediodía siguiente [17]. El de Rebeca es, ciertamente, un «vientre desaforado» (p. 215). Claro que esa voracidad de su vientre no parece lógica en una niña criada bajo la custodia de la austera mano de Ursula, sino corresponder por derecho propio a una prostituta.

Claro está que *Ursula no es la mamá verdadera* de Rebeca. Es solamente la mamá adoptiva. Tal vez ni siquiera eso. Cuando en la página 44 leemos que Rebeca acabó al fin por incorporarse a la vida familiar, los parentescos de adopción que se nombran son los siguientes: «llamaba *hermanitos* a Amaranta y a Arcadio, *tío* a Aureliano, y *abuelito* a José Arcadio Buendía». Según este cuadro de parentesco, si José Arcadio Buendía es el «abuelito», a Ursula le corresponde ser la «abuelita».

Ahora bien, ¿qué sabemos de la «mamá» de Rebeca? Poca cosa. Nos es presentada durante la plaga del insomnio (p. 45):

> Sentada en su mecedor en un rincón de la cocina, Rebeca soñó que *un hombre* muy parecido a ella, vestido de lino blanco y con el cuello de la camisa cerrado por el botón de oro, *le llevaba un ramo de rosas.* Lo acompañaba *una mujer de manos delicadas* que *separó una rosa y se*

---

[17] Delicado, Francisco: *La Lozana andaluza,* cfr. mamotreto XIV.

la puso a la niña en el pelo. Ursula comprendió que el hombre y la mujer eran los padres de Rebeca.

Unas páginas más tarde, durante el período en que Rebeca está bajo la amenaza de Amaranta referente a impedir su boda con Pietro Crespi, leemos (p. 71):

> Se acordó de *un caballero calvo,* vestido de lino y con el cuello de la camisa cerrado por un botón de oro, que nada tenía que ver con el rey de copas.
>
> Se acordó de *una mujer muy joven y muy bella, de manos tibias y perfumadas,* que nada tenían en común con las manos reumáticas de la sota de oros, y que *le ponía flores en el cabello para sacarla a pasear en la tarde por un pueblo de calles verdes.*

Así que la madre de Rebeca es «*muy joven y muy bella*», de manos tibias y perfumadas. Su padre es un caballero *calvo.* He ahí dos datos que no siempre se ven reunidos en un matrimonio: la excesiva juventud y belleza en la mujer y la avanzada edad del hombre.

El punto de unión entre Rebeca y su padre es un ramo de rosas que éste lleva a su hija. Esta debe ser la ocasión más importante de la vida de Rebeca y su padre, puesto que es la única que se ha fijado en su memoria. Acompañando a su padre, llega su madre. Esto tiene que significar que Rebeca y sus padres no viven en la misma casa.

LOS PADRES DE REBECA NUNCA ESTUVIERON CASADOS

¿Por qué razones una hija no vive con sus padres? Puede estar enferma. Si Rebeca está enferma en una clínica —pongo por caso—, es lógico que le lleve flores su padre ya que es el regalo típico para un enfermo. Pero si Rebeca está enferma, no hay lógica en el acto de su madre de prenderle una flor en el pelo, puesto que eso es señal de «sacarla a pasear en la tarde por un pueblo de calles verdes» (p. 71). Si mantenemos la ficción de que Rebeca está enferma —lo suficiente para haber sido ingresada en un establecimiento sanitario—, cae de su peso que el paseo no puede tener efecto por ser totalmente contraindicado. Por lo tanto, la ausencia de Rebeca del domicilio de sus padres no puede ser debida a una enfermedad.

Si Rebeca no está enferma, el único motivo para no vivir con sus padres es que esté interna en un colegio —como Fernanda, como Meme, como Amaranta Ursula—, y en ese caso el ramo de rosas carece de toda lógica para una interna de once años siempre hambrienta de dulces. La onceañera Rebeca tendría que recordar con fastidio la visita de unos padres que vienen desprovistos de dulces y pasteles, tan escasos en los menús colegiales. Puesto que no existe lógica en el razonamiento de la permanencia de Rebeca en un colegio, debemos desechar la idea.

También podría suceder que Rebeca viviera con una nodriza o con una tía, y entonces el ramo de rosas no desentonaría. Pero en ese caso hay que preguntarse ¿Por qué Rebeca no vive con sus padres? ¿Por qué la imagen más nítida y más vívida de Rebeca es *la visita* de sus padres y no cualquier otra escena más familiar?

Sólo hay una respuesta: no hay vida familiar entre Rebeca y sus padres. En otras palabras: Rebeca y sus padres no forman familia. O más sencillamente: los padres de Rebeca, Nicanor Ulloa y Rebeca Montiel, *no están casados*. Por eso leemos en la página 43: «sus padres o *quienquiera* que la hubiese criado». Sus padres no están casados porque la madre de Rebeca es una prostituta —eufemísticamente *una matrona de mecedor*—, de ahí que Rebeca no viva con su madre porque le estorba para practicar su oficio, y de ahí —también— que entre las escasísimas pertenencias de Rebeca esté precisamente un mecedor.

Una vez analizado el pasado de Rebeca, cobra sentido la cita que leemos en la página 44 referente al apellido de Rebeca: «De modo que terminó por merecer tanto como los otros el nombre de Rebeca Buendía, *el único que tuvo siempre y que llevó con dignidad hasta la muerte.*»

«El único que tuvo *siempre*.» Porque era ilegítima, y ese único apellido es el que adquiere por el matrimonio con José Arcadio.

Esta es, pues, *la falta de respeto* que comete José Arcadio y de la que no será perdonado nunca: haberse casado con la hija ilegítima de una prostituta.

Cabe dentro de la más estricta lógica que Rebeca sea, a su vez, una prostituta. No sólo por lo bien preparada que llega al ejercicio matrimonial, sino porque las preferencias de José Arcadio se inclinan hacia las profesionales del amor. La primera aventura la tiene con Pilar Ternera, una jovencita que emigra de Macondo porque ya es conocida de todos como mujer de vida fácil, y que allí no tendrá posibilidad de casarse. (Pilar Ternera será la prostituta oficial de Macondo especialmente preferida por los miembros de la familia Buendía y será la dueña del burdel más importante de Macondo.) La segunda aventura de José Arcadio está relatada en la página 35. En una de las llegadas de los gitanos, José Arcadio repara en una gitana «casi niña... la mujer más bella que José Arcadio había visto en su vida». Con esta mujer, José Arcadio se siente «levantado en vilo hacia un estado de *inspiración seráfica*».

La mujer que consigue transformar así a José Arcadio es una ranita lánguida con «decisión y calor» que trata de alentar a José Arcadio. De modo que hay más interés en ella que en él. También hay más desahogo, ya que no le importa ser poseída en una carpa que más bien parece un molino-taberna donde a nadie se le prohíbe la entrada. La descripción de la niña y el escenario son insinuaciones del auténtico carácter de la gitanilla que está definido en una frase:

> José Arcadio se sintió entonces levantado en vilo hacia un estado de inspiración seráfica, donde su corazón se desbarató en un manantial de obscenidades tiernas que le entraban a la muchacha por los oídos y *le salían por la boca traducidas a su idioma.*

De modo que a la gitanilla le entran las palabras de José Arcadio y le salen —en dirección a los oídos de José Arcadio— *traducidas en su idioma.* ¿Quiero eso significar que la gitanilla habla un idioma diferente del de José Arcadio? No. Habla su mismo idioma porque ella lo «alienta». Si el ánimo fuera producto de los gestos de la gitanilla, García Márquez nos lo hubiera hecho saber. Habla el idioma de José Arcadio porque todos los gitanos lo hablan. Prueba de ello es la breve conversación que la gitana, de carnes espléndidas que entra en la tienda a cumplir el mismo oficio que la «ranita lánguida», sostiene con ellos y de la que se entera al lector.

Ese «traducidas a su *idioma*» significa que las obscenidades *tiernas* de José Arcadio son traducidas por la gitanilla a obscenidades profesionales. Por lo tanto, la segunda aventura de José Arcadio tiene lugar también con una prostituta.

LAS OCUPACIONES DE JOSÉ ARCADIO

Si recordamos el regreso de José Arcadio a Macondo y cómo pasa las noches en la tienda de Catarino rifándose entre las mujeres, y fijamos atención a una frase lapidaria: «de eso *vivía*», quedará claro que José Arcadio vivía de prostituirse entre las propias prostitutas. Es decir, que sus varias docenas de vueltas alrededor del mundo no son sino una metáfora y un eufemismo para designar al gigoló. Si la forma de vida de José Arcadio es tratar con prostitutas, lo lógico es que se case con una de ellas.

Claro que considerar a Rebeca con estas características queda totalmente desenfocado del relato a menos que retardemos la llegada de ésta a Macondo en un número considerable de años, exactamente el día en que José Arcadio vuelve de sus famosas vueltas alrededor de la tierra.

Si Rebeca es educada por Ursula, *ni hay falta de respeto,* ni hay lógica en lo del *mecedor.* Pero si Rebeca hubiera conocido a José Arcadio fuera de Macondo en una casa de pensión montada por su madre —ya retirada del oficio [18]—, o en una de las visitas de José Arcadio al burdel de su madre, entonces todo resulta de una claridad meridiana.

---

[18] El tema no solamente es clásico, sino que sigue ofreciéndose como fundamental en varios ejes argumentales. Tal vez una de sus últimas y más ceñidas apariciones en la literatura española tenga lugar en *Tiempo de silencio.*

Entonces sí que es una «inconcebible falta de respeto» y realmente imperdonable que el primogénito se case con una prostituta. También cobra sentido la frase de «pobre mamá» dirigida a la auténtica madre de Rebeca que está vigilando en su mecedor para «colocar» definitivamente a su hija con José Arcadio —el pueblerino cargado de oro—.

REBECA LLEGA A MACONDO AL MISMO TIEMPO QUE JOSÉ ARCADIO

Considerar como válida la posibilidad que acabamos de apuntar significa impugnar la aparatosa llegada de Rebeca con el sonoro saco de los huesos de sus padres, la obnubiladora plaga del insomnio, la original forma de alimentación que observa Rebeca y, sobre todo, los estruendosos amores que sostiene con Pietro Crespi.

En realidad las tres primeras anécdotas —el insomnio multitudinario, los huesos parlantes y las vitaminas telúricas— son tres hiperbolizaciones lo bastante exageradas para que dudemos de su carga de auténtico realismo. Si a ello unimos el nombre del novio desdeñado, Pietro Crespi —Pedro Crespo para los devotos de Américo Castro, quien dice de él que es «el más puro *símbolo* del honor español»—, que muere dentro de la más pura tradición calderoniana de vía estrecha, qué duda cabe que se puede comenzar a sospechar que Rebeca no haya estado en Macondo antes de la llegada de José Arcadio para la boda.

Creo más lógico y probable que ambos lleguen juntos a Macondo desde un lugar en el cual Rebeca aprendió a decir «las obscenidades más gruesas que se podían concebir en su idioma» (p. 43). (Nótese, de paso, la similitud que existe entre esta frase y la de la gitanilla en cuya compañía huye José Arcadio: «obscenidades... que le salían por la boca traducidas en su idioma». En ambas ocasiones hay obscenidades y se nombra el «idioma».)

La plaga del insomnio es fácilmente reconocible como símbolo de una hiperactividad de la recién fundada ciudad, y lo mismo sucede con el comer tierra que refleja el ambicioso telu-

rismo de Rebeca. Por tanto, no hay dificultad alguna en man-
tenerlas aunque se esté a favor de una llegada más tardía de
Rebeca. Exactamente en fechas próximas a la boda y en compañía de José Arcadio.

Los huesos de los padres de Rebeca tienen unas características tales que los sitúan en una posición netamente metafórica que
apoya la peculiaridad de hija natural de Rebeca y también la
de su profesión. Cuando los huesos de sus padres se entierran,
se los coloca bajo una tierra «sin lápida». Es decir, sin identificar, a pesar de que se sabe que sus nombres son Nicanor
Ulloa y Rebeca Montiel. Unamos este entierro, reservado a gentes de costumbres y moralidad dudosa, al hecho de que el soni-
do de los huesos de la progenitora de Rebeca —en el caso de
nacimiento ilegítimo uno es *hijo de su madre* solamente—,
hace un curioso ruido: «cloqueante cacareo de gallina clueca».
Además de la perfecta onomatopeya, queda la imagen de que
la madre de Rebeca se compara a una «gallina». Y sabido es
el calificativo gallináceo que recibe una mujer de muchos hombres —cuando menos en amplias zonas mediterráneas de la
península—.

Respecto a Crespi, habría que decir que sus amores son lo
menos hiperbólico de la estancia de Rebeca en Macondo. De ser
auténticos y no metafóricos, Rebeca tendría que haber vivido
en Macondo antes de casarse. Pero Pietro Crespi, además de
absorber un tipo literario por antonomasia, es el ser o la figura
más inestable de toda la obra, y que al hilo del análisis se eva-
porará por medio de una abracadabra elementalísimo.

Manteniendo en tela de juicio la existencia de Crespi, y otor-
gando a los huesos, el insomnio y la original forma de alimentación de Rebeca su claro valor de símbolos, vemos que el paso
de Rebeca por Macondo no deja huella alguna. Ni siquiera se
ocupa de José Arcadio Buendía en momentos tan críticos como
los de la página 72. Si Rebeca —en ausencia de Ursula que
estaba de viaje con Amaranta por causa del enamoramiento de
ésta con el italiano de la pianola— es la que queda «a cargo
del orden doméstico» (p. 70), ¿por qué no se cuidó de que José
Arcadio Buendía durmiera, comiera y se ventilara un poco? «No
volvió a comer. No volvió a dormir» (p. 72). El hecho de que

José Arcadio Buendía alcance el delirio perpetuo *es una prueba irrefutable de que Rebeca no está viviendo en casa de los Buendía.*

Sólo queda por justificar el rencor que deja su existencia en Amaranta, y que ésta se esfuerza en alimentar con la más pequeña de las oportunidades. Pero es el caso de que Amaranta es el personaje más ambiguo de toda la obra, es de una constitución argumental totalmente deleznable y por lo tanto no pueden aceptarse todas sus acciones y reacciones tal como nos las presenta la letra de la obra. Hay que pasarlas por un fino tamiz.

JOSÉ ARCADIO, UN APLICADO GIGOLÓ

La verdadera historia de Rebeca y José Arcadio podría explicarse con palabras tan sencillas como éstas:

El heredero, José Arcadio, es un auténtico «hijo de papá» a quien mandan a estudiar a la capital, y sólo consigue una cultura superficial —los tatuajes— que desaparecen cuando se lavan. En realidad, durante su ausencia de Macondo, se ha dedicado a no desperdiciar una sola de las aventuras que le proporciona el dinero de su mamá.

Los «sesenta y cinco» viajes alrededor del mundo (p. 84) coinciden con las *sesenta y cinco* cuotas que cobra la abuela de la Eréndira el día que pasa en Macondo: «Antes de Aureliano, esa noche, *sesenta y tres* hombres habían pasado por el cuarto» (p. 51). Los *sesenta y tres* que preceden a Aureliano *y los dos* tiempos que se le conceden a él, *suman sesenta y cinco.* No es posible pensar que a Gabriel García Márquez —un estilista perito en alambicamientos— se le haya escapado esta casualidad numérica sin reparar que el lector iba a asociarlas.

Abundando en esta idea están las dos primeras frases que pronuncia Ursula cuando José Arcadio regresa: «'Y tanta casa aquí, hijo mío', sollozaba. '*¡Y tanta comida tirada a los puercos!*'» (p. 84). Ambas frases son calco de lo que se oye cuando el bíblico hijo pródigo regresa a su casa.

De modo que José Arcadio se ha dedicado a ser un pródigo estudiante que ha cambiado los libros por los *trabajos* del amor.

Sobre su destino de estudiante pueblerino enviado a la ciudad podemos ayudarnos con las siguientes citas. Cuando José Arcadio desaparece, Ursula lo anuncia con una palabra clave: *gitano:* «'Se metió de *gitano*', le gritó ella a su marido, quien no había dado la más mínima señal de alarma ante la desaparición» (p. 36).

Recordemos que cuando José Arcadio Buendía sufre la mayor crisis intelectual, la que da por resultado averiguar que la tierra es redonda —las demás actividades de José Arcadio son, más que intelectuales, manuales, artesanales—, Ursula lo recrimina con las siguientes palabras: «'Si has de volverte loco, vuélvete tú solo', gritó. 'Pero no trates de inculcar a los niños tus ideas de *gitano*'» (p. 12).

De modo que si *gitano* es en este caso sinónimo de estudio, cuando leemos que José Arcadio «¡Se metió de gitano!», García Márquez espera que veamos: «¡Se fue a estudiar!»

El poder de los Buendía sufre un rudo golpe el día en que el primogénito vuelve al pueblo decidido a casarse con la cazadora de dotes que, oliendo el posible negocio y no importándole enterrarse en el pueblo a cambio de la riqueza, posición y poder, está decidida a casarse con el retoño de los Buendía. El plan de Rebeca no sólo es posible, sino real, literario y frecuente donde haya pueblerinos con dinero.

REBECA, LA HACENDOSA

Pero Rebeca no contaba con la intransigencia de Ursula, que no soporta a ninguna nuera que le pueda hacer sombra. Ursula hace responsable a Rebeca de haber torcido los estudios de José Arcadio, que era lo único que les faltaba a los Buendía para tener el poder asegurado: ya tenían las mejores tierras porque José Arcadio Buendía fue quien organizó el pueblo (p. 40); también poseen la exclusiva de la industria artesanal con Ursula, sus animalitos de caramelo y sus hornadas de pasteles; el poder militar, con la alianza matrimonial de Aureliano con la hija del corregidor Moscote. Sólo les faltaba el apoyo político del hijo abogado. Y como Rebeca ha impedido que se cubriera esta defensa, José Arcadio es desheredado, hasta el extremo que tiene que irse a vivir al lado del cementerio (p. 86).

Rebeca no se inmuta. Espera paciente el perdón y, cuando ve que no llega, la negativa sólo sirve para reafirmarla más en sus iniciales propósitos de modo que dejando de lado sus ruidosos amores con los que había atraído a José Arcadio, comienza a trabajar y obliga a su marido a aprovechar su corpulencia en el trabajo: «José Arcadio *recuperó* el sentido de la realidad y empezó a trabajar...» (p. 86).

De esta forma José Arcadio vuelve a vivir aquellos días de la página once donde ayudaba a su madre a crear el patrimonio familiar. Allí cultivó «el plátano y la malanga, la yuca y el ñame, la ahuyama y la berenjena». Ahora los procedimientos son más expeditivos y fructíferos, no en vano ha corrido mundo:

> *empezó arando su patio y había seguido derecho por las tierras contiguas, derribando cercas y arrasando ranchos con sus bueyes, hasta apoderarse por la fuerza de los mejores predios del contorno. A los campesinos que no había despojado, porque no le interesaban sus tierras, les impuso una contribución que cobraba cada sábado con los perros de presa y la escopeta de dos cañones.*

(p. 103)

El matriarcado de Rebeca

De modo que Rebeca ha empezado a imponer «su» matriarcado a «su» manera —no muy distinta de la empleada por su suegra—.

Luego se valdrá de la influencia de Arcadio —el hijo bastardo de su marido— para legalizar las usurpaciones de tierras que, bajo sus apremios, ha realizado José Arcadio.

Antes he afirmado que José Arcadio se fue a la capital a estudiar abogacía. Se me puede preguntar de dónde saco semejante afirmación. Respondo: ¿Quiénes son los que a la larga impiden que el coronel Aureliano gane la guerra, la más sangrienta y cruel, la guerra contra los liberales? ¿Quiénes le harán firmar una paz deshonrosa? ¿Quiénes lo persiguen sin darle un momento de reposo? ¿Quiénes privan a todos los liberales retirados de sus pensiones y casi provocan una última guerra y, por lo menos, la eliminación de todos los Aurelianos? ¿Quiénes embrollan en una maraña inextricable la cuestión sindical de la compañía bananera? LOS ABOGADOS. ¿Qué carreras siguen indefectiblemente los hijos de familias de raigambre rural? Ingeniería agrónoma, veterinaria o abogacía. Son las únicas que tienen una aplicación práctica, bien para explotar riquezas, bien para defenderlas.

Como Ursula ya tiene en marcha el fabuloso negocio de los animalitos y José Arcadio Buendía se hizo con las mejores tierras, lo único que falta es un letrado en la familia. Como la citada carrera sólo consiste en saber un montón de leyes de memoria, José Arcadio vuelve lleno de historias escritas, de leyes escritas: los tatuajes.

(Esta costumbre de mandar al primogénito a estudiar fuera para aumentar el poder de la familia no se reanudará hasta José Arcadio el aprendiz de Papa, y con idéntico resultado que su bisabuelo. Ambos mueren violentamente después de no haber hecho nada de provecho en su oficio y profesión.)

La afirmación que he hecho sobre los estudios de José Arcadio tiene su comprobación. Cuando su hijo —Arcadio— al mando del Macondo liberal le visite, José Arcadio creerá que es para reclamarle —en nombre de la autoridad— la devolución de las tierras habidas ilegalmente, y entonces, rápidamente, se adelanta a las posibles acusaciones de su hijo defendiéndose con los argumentos propios de un picapleitos: «Fundaba su *derecho* en que las tierras usurpadas habían sido distribuidas por José Arcadio Buendía en los tiempos de la fundación, y *creía posible demostrar* que su padre estaba loco desde entonces, puesto que dispuso de un patrimonio que en realidad pertenecía a la familia. Era un *alegato* innecesario, porque Arcadio no había ido a hacer *justicia*» (p. 103). (El «alegato» de José Arcadio no sólo aporta mucha luz sobre la auténtica y real locura del patriarca, sino sobre las prácticas lucro-administrativas de los Buendía respecto a las riquezas que existen en Macondo.)

Puestos de acuerdo padre e hijo, se monta una gestoría jurídico-familiar-administrativa con visos de legalidad (p. 103):

Ofreció... crear una oficina de registro de la propiedad para que
José Arcadio *legalizara* los títulos de la tierra usurpada, con la condición de que *delegara* en el gobierno local el derecho de cobrar las con-
tribuciones.

REBECA, ASESINA POR AMOR

Con este nuevo acontecimiento, Rebeca ya ha conseguido casi
todo lo que quería. No todo, pero se va acercando. Cuando se
sienta lo bastante rica con las tierras, su legalización y la casa
nueva que Arcadio se construyó y ellos heredaron, Rebeca matará a José Arcadio porque éste ya ha dado de sí todo lo que
él podía y ella deseaba.

Lo mata por dos razones: lo odia a él personalmente porque
no supo hacerse perdonar por su madre, y también odia a Ursula a quien considera su rival. No obstante, la verdadera pasión
que la empuja a matar a su marido es el amor: Rebeca ama al
coronel Aureliano Buendía.

Vayamos por partes. Primero el asesinato: cuando José Arcadio llega a Macondo después de dar vueltas al mar como si
éste fuera un tiovivo, su recorrido es el que aparece subrayado
en la siguiente cita. (Permítaseme abusar de la longitud de la
misma en gracia a su eficacia) (p. 83):

> Llegaba un hombre descomunal. Sus espaldas cuadradas apenas si
> cabían por *las* PUERTAS... *Atravesó* LA SALA DE VISITAS *y* LA SALA DE
> ESTAR, ... y apareció como un trueno en EL CORREDOR DE LAS BEGONIAS,
> donde AMARANTA y sus amigas estaban paralizadas... *Fue directamente
> a la* COCINA y allí se paró... «Buenas», dijo. URSULA se quedó una frac-
> ción de segundo con la boca abierta... URSULA tuvo que darle dos pesos
> para pagar el alquiler del caballo... Cuando despertó y después de to-
> marse dieciséis HUEVOS crudos...

Aunque José Arcadio saluda a Amaranta y a sus amigas, a
Rebeca y a Aureliano, sólo Ursula lo reconoce y acude en su
ayuda.

Cuando se «suicida», el camino que sigue la sangre es éste
(p. 118):

Un hilo de sangre salió por debajo de la puerta, atravesó la sala, salió a la calle, siguió un curso directo por los andenes disparejos..., escalinatas..., pretiles..., la Calle de los Turcos..., una esquina... y otra, volteó en ángulo recto frente a la casa de los Buendía, pasó por debajo de la PUERTA cerrada, atravesó *la* SALA DE VISITAS pegado a las paredes para no manchar los tapices, siguió por LA OTRA SALA, eludió en una curva amplia la mesa del comedor, avanzó por EL CORREDOR DE LAS BEGONIAS y pasó sin ser visto por debajo de la silla de AMARANTA que daba una lección de aritmética a Aureliano José, y se metió por el granero y apareció en LA COCINA donde URSULA se disponía a partir treinta y seis HUEVOS para el pan.

—¡Ave María Purísima! —gritó URSULA.

Siguió el hilo de sangre en sentido contrario.

Los hitos del trayecto son los mismos, y en el mismo orden. La única que en ambos casos lo reconoce es su madre. El alimento que se nombra es el mismo: «huevos». La igualdad es demasiado flagrante para que en este segundo caso no encierre la idea de *pedir* venganza, igual que en la primera *pide* «dos pesos».

Cuando Ursula llegue a casa de su hijo y entre en el dormitorio, al lector casi le ahoga el ambiente enrarecido que asalta a Ursula ante el cuerpo muerto de su hijo (p. 118):

...casi se ahogó con el olor de pólvora quemada, y encontró a José Arcadio tirado boca abajo en el suelo sobre las polainas que se acababa de quitar, y vio el cabo original del hilo de sangre que ya había dejado de fluir de su oído derecho. *No encontraron ninguna herida* en su cuerpo *ni pudieron localizar el arma. Tampoco fue posible quitar el penetrante olor a pólvora del cadáver.*

La afirmación de que no hay ninguna herida en el cuerpo de José Arcadio podría invalidar la existencia de un asesinato, en el caso de que supiéramos quién es el narrador y que sus afirmaciones fueran ciertas en lugar de consistir en un amasijo de poesía, estilística y fantasía. (Pero esta escena es excesivamente semejante a aquella otra en que se afirma que Remedios, la bella, sube a los cielos —fantasía que reduciré a sus límites reales en las próximas páginas—.)

Me afirmo en la idea de asesinato porque hay un muerto, sangre, olor a pólvora, arma homicida y móvil.

Examinemos las circunstancias que rodean la muerte de José Arcadio: La morbosa sangre que se adelgaza suavemente para poder alcanzar la cocina de Ursula, su sabiduría para reconocer el camino, su juicio para no manchar los tapices, y la pólvora con propiedades ultranaturales, son una clara denuncia pública de la muerte violenta de José Arcadio por mano extraña. También están la polainas. ¿Quién puede imaginarse un suicida tan amante de la comodidad, que se despoje de ellas porque le molestan o aprietan y luego se desecerraje —ya descansando— el tiro fatal? Y si no le hacían daño ¿a qué quitárselas? Morir «con las botas —y las polainas— puestas» es una muerte mucho más ad hoc para quien hizo su fortuna —precisamente— a golpe de polaina, que morir dándoles incómodo cobijo bajo su estómago. Ni que decir tiene que las polainas de José Arcadio y la camisa con las mangas cosidas de Agamenón tienen mucho en común.

EL MÓVIL DEL ASESINATO

Sobre las causas de la muerte de José Arcadio leemos que «nadie pudo concebir un motivo para que Rebeca asesinara al hombre que la había hecho feliz» y que la posibilidad de que se tratara de un suicidio «era una versión difícil de creer».

En primer lugar la afirmación de que José Arcadio fuera «el hombre que la había hecho *feliz*» es algo muy, pero que muy aventurado.

¿Quién conoce el corazón del hombre? ¿Y el de una mujer que se alimenta de tierra? En segundo lugar está lo del «motivo». Rebeca sí tiene un motivo, un móvil poderoso para matar a su marido: el amor.

Rebeca ama, pero ama al coronel Aureliano Buendía. Es decir *ama su poder*. Sí, porque Rebeca sólo se casó con José Arcadio por el poder, y todo lo que ha conseguido, al sacrificarse en ese matrimonio, son unas tierras, dinero y una casa —la de Arcadio—. Pero no ha entrado a formar parte de la familia que detenta el poder en Macondo y jamás podrá ser la sucesora de Ursula al frente de la rica familia. Rebeca ha tenido que empezar su propio matriarcado por abajo, y en esa clase de poder ha llegado ya al máximo. Ahora quiere algo más: lo que tiene el coronel.

Para dar razón de mi afirmación voy a repasar los dos fusilamientos: el de Arcadio —el hijastro— y el del cuñado Aureliano. El de Arcadio acaece en primer lugar (p. 107):

> *Arcadio vio a Rebeca* con el pelo mojado y un vestido de flores rosadas, abriendo la casa de par en par. *Hizo un esfuerzo para que lo reconociera.* En efecto, *Rebeca miró casualmente* hacia el muro y se quedó paralizada de estupor, y *apenas pudo* reaccionar para *hacer a* Arcadio *una señal de adiós con la mano.*

Después vendrá el intento de ajusticiar al coronel (p. 114):

> *Rebeca Buendía se levantaba a las tres de la madrugada desde que supo que Aureliano sería fusilado.* Se quedaba en el dormitorio a oscuras, *vigilando* por la ventana entreabierta el muro del cementerio... *Esperó toda la semana* con la misma obstinación recóndita con que en otra época esperaba las cartas de Pietro Crespi. «No lo fusilarán aquí», le decía José Arcadio. «Lo fusilarán a media noche en el cuartel para que nadie sepa quién formó el pelotón, y lo enterrarán allá mismo». *Rebeca siguió esperando.* «Son tan brutos que lo fusilarán aquí», decía. *Tan segura estaba que había previsto* la forma en que abriría la puerta para decirle adiós con la mano... Indiferente a la lógica de su marido, *Rebeca continuaba en la ventana.*
> —Ya verás que son así de brutos —decía.
> El martes a las cinco de la mañana José Arcadio había tomado café y soltado a los perros, cuando *Rebeca cerró la ventana y se agarró a la cabecera de la cama para no caer.* «Ahí lo traen», suspiró. «Qué hermoso está.»

Comparemos ambos fusilamientos. Cuando matan a Arcadio —a quien Rebeca debe agradecimiento por los muchos beneficios económicos recibidos— ella ni siquiera piensa en su hijastro. Esa mañana se ha levantado como todas y ha dedicado a su aseo personal más tiempo que en otros días puesto que se ha detenido en lavarse el cabello. No puede excusarse la indiferencia de Rebeca diciendo que ignoraba lo que iba a suceder, porque el fusilamiento de Arcadio es el epílogo público de la más sangrienta batalla a domicilio que han presenciado los macondinos.

En la ejecución de Arcadio es éste quien «vio a Rebeca» quien se esforzó para que ella «lo reconociera». Y Rebeca se conforma con «hacerle una señal de adiós con la mano».

El tiempo verbal empleado es puntual: «vio, hizo, miró, pudo». En la escena de Aureliano el tiempo verbal aparece frecuentemente en continuativo. Rebeca, con Aureliano, se levanta «a las tres de la madrugada desde que supo que sería fusilado». Es decir, desde que se dictó la sentencia fuera de Macondo. Desde entonces se queda «vigilando» para espiar el momento en que llegue a Macondo. La imagen de Rebeca asomada a la ventana esperando a otro hombre, mientras su marido duerme en la cama común a pierna suelta, tiene un valor absoluto que lo convierte en «tableau». Esta descripción —por sí misma— basta para alertar al lector de la inclinación fatal que Rebeca siente por su cuñado.

Cuando Aureliano llega a Macondo, Rebeca espera durante «toda la semana», y sigue «esperando» día a día aunque su marido intente disuadirla. Ella está segura de conseguir lo que quiere: salvar al coronel. Por eso continúa en la ventana. (No se puede ignorar que Rebeca consigue librar al coronel de la muerte cierta, cosa que Ursula, con toda su influencia y con el cariño hacia su hijo no logra alcanzar. Así de fuerte es la inclinación, así de elemental y esencial es la atracción que Rebeca siente por el coronel.) Cuando llevan a Aureliano al cementerio para fusilarlo, es Rebeca la primera que lo ve —al contrario que con Arcadio. El coronel está tan ensimismado que confundirá el grito de su hermano con la orden de fuego al pelotón —al contrario que con Arcadio que busca llamar la atención de Rebeca en un nostálgico e ineficaz deseo de huir de la muerte—. Al coronel le tiene sin cuidado la presencia de Rebeca y cuando abre los ojos —«abrió los ojos»— no es desde luego, para buscar con ellos a su cuñada.

Hemos observado los actos. Pasemos revista a los sentimientos. Cuando Rebeca vio al coronel, «suspiró y dijo: Qué hermoso está». ¿Dónde está la *hermosura?* Lleva pantalones que habían sido de José Arcadio cuando era joven, así que le hacen bolsas por todos lados. Está con los brazos en jarras, a causa de los golondrinos. ¿Es ésta la imagen de Adonis? Más tiene de espantapájaros que de canon de belleza. Pero es que la *belleza,* la *hermosura* del coronel es la belleza que otorga el poder que él detenta.

REBECA Y SU PRIMO HERMANO EL OBISPO

El móvil, pues, está ahí perfilado inequívocamente. Y habiendo móvil, hay crimen posible y realizable. La pregunta que se impone ante los sentimientos que adjudico a Rebeca es: Si Rebeca ama al coronel y por causa de este amor mata al marido, ¿por qué no le dice nunca al coronel Aureliano que lo ama? ¡Claro que se lo dice! ¡Y muchas veces! Se lo dice, se lo explica, cada vez que escribe a ese no identificado y fantasmal obispo (pp. 119 y 189).

> En un tiempo se supo que *escribía cartas al Obispo,* a quien consideraba como su primo hermano, pero nunca se dijo que hubiera recibido respuesta. El pueblo la olvidó.

> Alguien le dijo que era una casa de nadie, donde en otro tiempo vivió una viuda solitaria que se alimentaba de tierra y cal de las paredes, y que en sus últimos años *sólo se la vio dos veces en la calle* con un sombrero de minúsculas flores artificiales y unos zapatos color de plata antigua, cuando atravesó la plaza hasta la oficina de correos para *mandarle cartas al Obispo.*

Cada carta al Obispo es una nueva declaración de amor a Aureliano, porque el «Obispo» es Aureliano.

No ignorando la verdadera identidad —de mujer de vida airada— de Rebeca, carece de toda lógica que se cartee con un Obispo por más primo hermano que sea. Obispo, que por su parte, jamás responde a cartas que deben ser importantes ya que es el único motivo por el que Rebeca abandona su casa (no se fía de ningún intermediario, en el trámite de expedir las misteriosas cartas). Todas las cartas responden a una determinada época ocasional de la vida de Rebeca, porque lleva el mismo vestido, sombrero y zapatos durante el período que dura el envío de las cartas. Si la correspondencia fuera con un auténtico familiar, ésta se hubiera dilatado a lo largo de varios años.

Si Rebeca fuera realmente «prima hermana» de un Obispo, ¿por qué sus padres la entregaron a la custodia de los Buendía, que vivían en una precaria población acabada de fundar? Mejor hubiera sido encomendarla a su «primo hermano» el Obispo, que la hubiera acomodado en cualquier familia de alto copete de las muchas que debería haber entre sus amistades. También hubiera podido permanecer como pupila de su «primo», rindiendo tributo a un tópico literario. Si Rebeca es «prima hermana» de un Obispo ¿por qué no fue él quien la casó en lugar de dejar ese honor para el cotidiano y heterodoxo padre Nicanor Reyna? Qué duda cabe que ese parentesco —de existir realmente— hubiera suavizado mucho la decisión de Úrsula de echar de casa a sus hijos, como si de una nueva expulsión del Paraíso se tratase.

Este Obispo aparece en *Cien años de soledad* como *primo hermano* de Rebeca y en cambio el coronel figura en la página 44 como «tío». Es cierto. Pero en el cuento «Un día después del sábado» leemos que «el coronel Aureliano Buendía [era] *primo hermano* de la viuda a quien ella consideraba un *descastado*»[19]. De modo que Aureliano es tío/primo «descastado» si se tienen en cuenta todas las variantes argumentales que se poseen sobre el coronel.

El que Rebeca llame «tío» a Aureliano (p. 44) puede quedar totalmente sin efecto por dos razones. Primera: Si Rebeca no llega a Macondo hasta el regreso de José Arcadio, el tiempo en que hubiera estado llamando «tío» a Aureliano es un período no contabilizable porque responde al capricho fabulador del narrador que se entretiene en inflar el tiempo que Rebeca permanece en Macondo con objeto de ocultar su auténtica filiación profesional. Segundo: Si Rebeca es «prima de Úrsula en segundo

---

[19] En *Los funerales de la mamá grande,* décimotercera edición, Buenos Aires, Editorial Sudamericana, 1973, p. 95.

grado» (p. 42), pasa a ser «prima» de los hijos de Ursula, según se acostumbra en diversas regiones españolas y americanas. De modo que Aureliano sigue siendo «primo» antes que «tío» [20].

Paso a revisar el calificativo «descastado». Cuando el coronel revisa los títulos de propiedad (p. 138) para devolverlos a sus verdaderos propietarios —es decir «los otros Buendía»— visitará a Rebeca: «*En un último gesto de cortesía,* desatendió sus asuntos por una hora y *visitó a Rebeca* para ponerla al corriente de su determinación.» Como colofón de esta visita en la que el coronel le habla de moderar el luto, de ventilar la casa, de su esposo José Arcadio y de los asuntos financieros, Rebeca responde: «—Se hará lo que tú dispongas, Aureliano —suspiró—. Siempre creí y ahora lo confirmo que eres un *descastado*». ¿Qué puede significar ese «*último* gesto de *cortesía*» y ese «*descastado*»? Que el coronel por toda respuesta a las cartas de Rebeca no sabe tener más que ese «último gesto de cortesía» y zanja las pretensiones de Rebeca con la sequedad del subastador que cierra la sesión sin adjudicar el lote por falta de oferta válida. (¿Tal vez puede rastrearse un «respeto edípico», un «temor edípico» al no querer enfrentarse con Ursula por causa de casarse con Rebeca? Tal vez. Por qué no.) Aureliano es «descastado» por dos razones. No cumple la ley de Levirato (Dt., 25, 5-10) —que es una legalización, suavizada, del incesto—. Además finge ignorar todo lo que Rebeca hizo por salvarle la vida y tenerle preparada otra colmena bien provista fuera del ámbito del dominio de Ursula. ¿Qué querrá decir «siempre creí»? El continuo silencio del coronel respecto a sus cartas de amor. Porque el precoz viudo no se dignó contestar ni tomar en consideración a la mujer que amasó una fortuna, le salvó la vida y se convirtió en asesina por él.

---

[20] Para los lectores de *El otoño del patriarca,* la identificación de los generales con la categoría de obispos es automática y se cumple en todos los casos. Es decir, que el binomio general-obispo es una identidad metafórica que se mantiene constante en la nomenclatura semántica del autor colombiano. Si Aureliano no es más que *coronel* —con lo que no habría posibilidad de asociarlo a la identidad reversible de obispo/general—, la razón está en que rechaza el generalato. Pero sus actuaciones responden al grado de general y comandante en jefe.

Aureliano sólo permite que Rebeca conserve la casa que recibió de Arcadio. Si el coronel hubiera actuado con justicia también habría desposeído a Rebeca de la casa ya que Arcadio la construyó con dinero proveniente de «fondos públicos» (página 103). Pero si el coronel hubiese echado a Rebeca de la casa podría haberse expuesto a que ésta se fuera de la lengua. Deja que la conserve porque sabe que Rebeca pensará que aún queda alguna esperanza y seguirá callando.

LOS REMORDIMIENTOS DE REBECA

De hecho Rebeca soñará en el coronel más allá de toda esperanza y cuando Aureliano Triste —uno de los varios hijos del coronel— entre en casa de Rebeca, su mente conturbada verá al hijo de quien amó bajo el amenazante aspecto del marido que tuvo (p. 190):

> Ella permaneció inmóvil en el centro de la sala... *examinando palmo a palmo al gigante* de espaldas cuadradas *con un tatuaje de ceniza en la frente,* y a través de la neblina del polvo *lo vio en la neblina de otro tiempo, con una escopeta de dos cañones terciada a la espalda y un sartal de conejos en la mano.*

Y el remordimiento, porque lo hecho no le sirvió para nada, aflorará a la superficie:

> —Por el amor de Dios —exclamó en voz baja—, *no es justo que ahora me vengan con este recuerdo.*

Rebeca se siente culpable, rechazada y acusada por el crimen cometido.

El último dato de que fue Rebeca quien cometió el crimen se halla en esta misma escena. Cuando Aureliano Triste entra, ve que Rebeca lo está apuntando con una pistola: «*La mujer levantó entonces la pistola, apuntando con pulso firme la cruz de ceniza,* y montó el gatillo con una determinación inapelable.»

Si de acuerdo con las más elementales normas psicológicas, los asesinos siempre se ven obligados a visitar el lugar del crimen, aquí Rebeca ha montado guardia desde el día del entierro por si José Arcadio viene a reclamar venganza. Su obsesión toma cuerpo en el momento de recibir la visita del sobrino, a quien confunde la causa y el efecto de su acción humanitaria. La actitud de Rebeca es una autoacusación de total culpabilidad.

Esa *pistola* empuñada con firmeza y decisión por una mujer agrietada por la soledad y en la que se han apagado las estrellas de la esperanza, es el arma —«militar» ¿quién debió proporcionársela?— con que mató a José Arcadio y que nunca pudo ser encontrada. Sustraída ¿a quién? A Arcadio o al propio coronel. (La configuración de tragedia clásica que ronda este episodio es evidente: el asesino, el cobarde, el motivo y el arma caben en la palma de la mano.) Esta es Rebeca. Esta es la mujer que Ursula rechazó. Y paradójicamente es la única que hubiera tenido arrestos para continuar el matriarcado. Cuando Ursula lo reconozca será demasiado tarde.

Rebeca es la más fuerte de todas las mujeres —después de Ursula— equiparable a la matriarca en decisión.

Es más fuerte que Remedios Moscote, que muere de parto. Más que Santa Sofía, que se deja convertir en criada. Más que Remedios, la bella, que se va al cielo en lugar de enfrentarse con los miembros de su familia. Más que Fernanda, la cual se ve acuciada durante gran parte de su vida por la necesidad urgente de una misteriosa intervención quirúrgico-ginecológica, y que más tarde queda incapacitada para tener otros hijos a causa de la torpe tela de araña que la propia Fernanda ha tejido con su senilidad precoz.

El no aceptar a Rebeca como hija es el primer y más grave error de los muchos que cometerá Ursula. Se morirá con este remordimiento, porque la tenaz Rebeca no abandonará Macondo hasta ver pasar el cadáver de su enemiga por el umbral de su casa, cumpliendo así la sentencia que promete la muerte del enemigo a cambio de la paciencia. Ursula muere un jueves santo. Rebeca lo hará al final de ese mismo año, con el corazón aplacado por un revanchismo inútil.

Rebeca era la única mujer cuya ambición de poder, energía física, tenacidad interminable, variedad de recursos para conseguir sus propósitos, decisión implacable de ponerlos por obra y carga telúrica, hubiera podido continuar el matriarcado comenzado por Ursula.

Así viene a resultar que en la misma causa con que Ursula quiso conservar su matriarcado —el rechazo de Rebeca— está la causa primera de su destrucción.

DOS REINAS FRENTE A FRENTE

Según acabamos de ver, Rebeca no consigue ser aceptada en la colmena a pesar de su espíritu de trabajo, tenacidad y riesgo. Y sin embargo otra mujer, Fernanda, lo logra sin apenas esfuerzo.

Fernanda es el otro gravísimo error de Ursula, aunque de signo contrario. Fernanda es la única mujer que Ursula nunca debió dejar entrar en su casa y sin embargo es recibida con bombo y platillos.

Su presencia destruye sistemáticamente todo cuanto se había conseguido. Ursula la ha dejado entrar deslumbrada por el lustre de su alcurnia —igual que todo nuevo rico busca un título que dé pátina a sus recientes riquezas—, pero el matriarcado de Fernanda lleva en su esencia elementos completamente distintos a los de Ursula: es más duro, más cruel, y sin la fuerza centrípeta del de Ursula.

Al incorporarse Fernanda a la familia de los Buendía, se encuentra con una rival en esa casa: Remedios, su cuñada. Ambas habían sido *compañeras* en el trono de carnaval. La belleza de Remedios —«Remedios, heredera de la *belleza pura* de su madre, empezaba a ser conocida como Remedios, *la bella*» (p. 131)— es lo que la promueve como reina de carnaval. Junto a esa reina propia llega otra extranjera, Fernanda: «Aureliano Segundo... *sentó salomónicamente a Remedios, la bella, y a la reina intrusa en el mismo pedestal*» (p. 175).

Pero lo que Fernanda teme de Remedios no es la belleza, sino el poder. Fernanda teme que Remedios herede el matriarcado. La posibilidad que Remedios, la bella, tiene de suceder en el poder a Ursula está simbolizada en que José Arcadio Buendía, su bisabuelo, es *rey:* «Visitación le preguntó por qué había vuelto, y él le contestó en su lengua solemne: —*He venido al sepelio del rey.*» (p. 125).

El temor de Fernanda está fundado, además, en que no sólo Ursula aceptó y consintió la coronación de Remedios, sino que también la Iglesia la consolidó con su autoridad —el padre Antonio Isabel fue a casa de los Buendía para convencer a Ursula «de que el carnaval no era una fiesta pagana, como ella decía, sino una tradición católica» (p. 172)—. De modo que en la proclamación de Remedios, la bella, coinciden: la aceptación expresa de la matriarca Ursula, la tácita autorización del coronel —que, cuando menos, no se opone a ello aunque tendría derecho a hacerlo por querer mezclar su homenaje con el carnaval— y la voluntad directísima del hombre de más pro de Macondo, Aureliano Segundo.

La realeza de Remedios, la bella, heredada de su bisabuelo y promocionada por los poderes fácticos —la familia, la iglesia y el poder— tiene una poderosa contrincante en Fernanda. Esta también es bisnieta de una reina —«*Es tu bisabuela la reina*» (p. 179)—, cuenta con el apoyo paterno, con el de los militares (p. 180) y con la aquiescencia del pueblo (p. 175).

Así que se impone un enfrentamiento de poder a poder entre dos reinas que lo son por herencia, por aclamación popular y por ciertos intereses creados no excesivamente claros —de momento—.

Se diría que Fernanda, una vez aposentada en la colmena, recaba la ayuda de Ursula —otro error de la matriarca, el prestarle oídos, y de no menor gravedad que los anteriores— para ir *eliminando* sistemáticamente todos los pretendientes de la «reina» Remedios, la bella, que no son pocos.

El primer pretendiente de Remedios, la bella

El primer pretendiente aparece harto inusitadamente, y termina su vida con idéntica fórmula ilógica:

El joven comandante de la guardia... *estuvo a su servicio* [en el hogar de los Buendía] *por muchos años.* El día de Año Nuevo, enloquecido por los desaires de Remedios, la bella, el joven comandante de la guardia *amaneció muerto de amor* junto a su ventana.

(p. 158)

Esta muerte de amor, después de haber intentado conseguir la mano de su amada poniendo por obra el mismo procedimiento de Jacob con Raquel y Lía, parece ser un slogan publicitario de alta eficacia, porque hasta los últimos rincones de la ciénaga se siente la atracción de la belleza de Remedios, la bella:

Los hombres menos piadosos... asistían a la iglesia con el único propósito de ver aunque fuera un instante el rostro de Remedios, la bella, ... *la mayoría de ellos no pudo recuperar jamás la placidez del sueño.*

(p. 170)

El príncipe de lejanas tierras

Entre todos los hombres que sueñan con Remedios, la bella, destaca uno: es hermoso, gallardo y reposado. Su personalidad impresiona al pueblo:

se le vio en la iglesia, con su vestido de pana verde y un chaleco bordado... Era hermoso, tan gallardo y reposado, de presencia tan bien llevada, que... muchas mujeres murmuraron... que era él quien verdaderamente merecía la mantilla. *Aparecía al amanecer del domingo como un príncipe de cuento, en un caballo con estribos de plata y gualdrapas de terciopelo.*

(p. 171)

La constancia del caballero es inaudita: domingo a domingo persiste en su adoración constante de Remedios, la bella:

El sexto domingo, el caballero apareció con una rosa amarilla en la mano... y al final se interpuso al paso de Remedios, la bella, y le ofreció la rosa solitaria.

Desde este domingo fatal el caballero queda preso en las redes de Remedios, la bella, día y noche sin que pueda alejarla de su memoria. «El caballero instalaba desde entonces la banda de música junto a la ventana de Remedios, la bella, y a veces hasta el amanecer.»

Remedios asiste implacable a las demostraciones del caballero de la rosa amarilla. Los desaires de Remedios, la bella, le afectan de tal modo que su temperamento se modifica, y sus costumbres se cambian:

> De apuesto e impecable se hizo vil y harapiento... Se volvió hombre de pleitos, pendenciero de cantina, y amaneció revolcado en sus propias excrecencias en la tienda de Catarino.
>
> (p. 171)

A esta altura de los hechos, el «caso» de Remedios, la bella, ya se comenta como si de una plaga pública se tratase:

> Hombres expertos en transtornos de amor... eran... los únicos que entendían que el joven comandante de la guardia se hubiera muerto de amor, y que un caballero venido de otras tierras se hubiera echado a la desesperación.
>
> (p. 200)

Los dos primeros pretendientes de Remedios, la bella, pagan su osadía tal como se acostumbra en los cuentos de hadas: el uno se muere de amor y el otro se deja devorar por un monstruo de hierro.

El tercer pretendiente de Remedios, la bella

El siguiente pretendiente —el tercero— aparece impensadamente y en el lugar más insospechado de la casa —aunque con fuerte simbolismo sexual—: «Un día, cuando empezaba a bañarse, *un forastero levantó una teja del techo* y se quedó sin aliento ante el tremendo espectáculo...» (p. 201).

El forastero queda encandilado ante el atractivo de Remedios, la bella, y no mide el riesgo que conlleva su acción: «Entonces *quitó dos tejas más para descolgarse en el interior del baño.* —Está muy alto —lo previno ella, asustada—. ¡Se va a matar! »

La advertencia de Remedios, la bella, respecto del peligro a que se expone el caballero, no llega a tiempo y lamentablemente, el forastero, pasa a formar parte de la historia:

> *el hombre apenas alcanzó a lanzar un grito de terror, y se rompió el cráneo y murió sin agonía en el piso de cemento.* Los forasteros que oyeron el estropicio en el comedor, y se apresuraron a llevarse el cadáver...
>
> (p. 202)

(La escena de la muerte del tercer pretendiente tiene un cierto regusto clásico. No podemos dejar de pensar en otro enamorado que también se parte el cráneo al saltar un muro no demasiado alto, Calisto. Siguiendo en los clásicos, todo ese grupo de forasteros pretendientes de Remedios, la bella, nos lleva de la mano a otra dama pretendida, Penélope. La analogía no es completa —sería un delito de lesa literatura para el escritor colombiano de fecunda imaginación— y la dama de Macondo no encuentra quien tienda su arco.)

El último pretendiente de Remedios, la bella

El último pretendiente entra en escena y pone en juego un procedimiento más expeditivo que los empleados por sus antecesores: asalta a Remedios, la bella, en las tierras de la compañía bananera:

> Remedios, la bella, y sus espantadas amigas, lograron refugiarse en una casa próxima cuando estaban a punto de ser *asaltadas por un tropel de machos feroces*... Remedios, la bella, *no le contó a nadie* que uno de los hombres, aprovechando el tumulto, le alcanzó *a agredir el vientre* con una mano que más bien parecía una garra de águila aferrándose al borde de un precipicio.
>
> (p. 203)

Este silencio no sirve de mucho para librar al pretendiente de su destino. Y aunque Remedios, la bella, nunca ha puesto nada de su parte —ni en las anteriores ocasiones ni en ésta— para que los pretendientes paguen el riesgo que comporta el haberse enamorado de ella, lo cierto es que hay alguna fuerza extraña que no deja sin castigo cualquier acercamiento a la hembra de los Buendía.

En este caso —obviadas las iniciativas destructoras que han actuado en los enamorados— será la casualidad la que tome cartas en el asunto y la emprenda con el pretendiente de turno:

> *Esa noche, el hombre se jactó de su audacia* y presumió de su suerte... minutos antes de que la patada de un caballo le destrozara el pecho, y una muchedumbre de forasteros lo viera agonizando en la mitad de la calle, ahogándose en vómitos de sangre.

Total, que *casualmente* van desapareciendo todos los pretendientes de Remedios, la bella, que dejan el paso libre a otra reina, Fernanda, a la que las horas se le hacen años mientras espera que su rival se eclipse de la escena.

Los Aurelianos han eliminado a los pretendientes

Lo explicado hasta aquí puede tener una lectura muy diversa —al margen de argumentos literarios y hados malignos que se dediquen a intervenir negativamente en el destino de los mortales—; todo puede ser mucho más cotidiano, casero y cruel. El análisis realista de los sucesos puede discurrir por los siguientes derroteros: el comandante amanece muerto, pero no de amor sino *por* amor. *Por* haberse atrevido a enamorarse de Remedios. El enamoramiento, propiciado por Ursula al permitirle quedarse a vivir en la casa, aunque el gobierno haya suspendido el servicio que se prestaba al coronel Aureliano, sufre un inexplicable revés —al que la voluntad de Ursula no debe ser extraña— ya que el tal comandante amanece muerto *junto a la ventana* de Remedios, la bella. Es decir, amanece muerto en la parte *exterior* de la casa. De modo que alguien le ha *echado de casa,* y eso sólo le corresponde a Ursula, la dueña de la mansión. El cómo sucede, no lo sabemos, pero no es lógico que amanezca muerto «fuera» de la casa quien hace años forma parte de la «familia añadida» de los Buendía.

El segundo pretendiente, inofensivo por causa de su belleza —«era él quien verdaderamente merecía la mantilla»— y asiduo cliente de Catarino, llega a ser tan fastidioso con su insistencia, que hubiera sido preciso buscar una solución drástica para quitárselo de encima si el providencial ferrocarril no llega a tomar cartas en el asunto (p. 171):

> ... y años después fue despedazado por un tren nocturno cuando se quedó *dormido* sobre los rieles.

Evidentemente, es una *cama* especialmente insólita, y demasiado sospechosos esos raíles, y más si se piensa el tren es debido a un nieto bastardo de Ursula.

El tercero cae despeñado. (También pueden «caerlo».) Es facilísimo provocar un despeñamiento. Hablo de *provocar* porque debe tenerse en cuenta que es ilógico en extremo que en la época de mayor abundancia económica —Aureliano Segundo *empapeló* la casa por dentro y por fuera con billetes—, el baño esté en un estado tan lamentable como se nos repite insistentemente: «tejas *rotas*»... «esas tejas están *podridas*»... «se *rompieron* las tejas»... «que el techo estuviera en *ese estado*»... «hojas *podridas*»... «las tejas *podridas* se despedazaron en un estrépito de desastre» (pp. 201 y 202).

Si el susodicho baño estaba en condiciones tan precarias y la buena de Remedios, la bella, se aventura todos los días en esa dependencia arriesgando seriamente su vida bajo un techo que amenaza desplomarse sobre su cabeza ¿qué podemos pensar de Ursula, la responsable del buen orden y estado de la casa? ¿Acaso busca cómo deshacerse de su bisnieta?

El cuarto pretendiente muere con el pecho destrozado. Observemos este cuarto «accidente» con toda detención. Remedios es rescatada del cuarto pretendiente por otros nietos de Ursula —los Aurelianos— (p. 203):

·Poco después fueron rescatadas por *los cuatro Aurelianos, cuyas cruces de ceniza* infundían un respeto sagrado, *como si fuera una marca de casta,* un sello de invulnerabilidad.

Y esa misma noche, una eficaz patada de un caballo presta cumplido servicio a los Buendía matando al atrevido que intentó tocar a Remedios, la bella.

Nadie se atreve a auxiliar al herido, y la intangible doncella queda sobradamente vengada. Si bien se mira, no deja de tener su «miga» que en una época en que el tren llega diariamente a Macondo y llena de invitados la casa de los Buendía, que en un espacio tan industrializado como el ocupado por la bananera y sus trenes, que pasean los plátanos de aquí para allá, y en una sociedad tan mecanizada que tiene sitiadas las calles de Macondo con sus automóviles deportivos, sea un anacrónico caballo al que se halle en el lugar oportuno y acierte a destrozar el vientre de quien se atrevió a alargar su mano hacia Remedios, la bella. El más genial de los cómicos se guardaría bien de querer concitar dos realidades tan irreconciliables porque la casualidad requiere un buen tanto por ciento de causalidad.

Ni que decir tiene que la causa de su muerte es otra muy distinta: los «invulnerables» Aurelianos son los que se encargan de «liquidar» al cuarto pretendiente. Con toda probabilidad son también ellos quienes despeñan al tercero de los implorantes de la belleza de Remedios, ya que es imposible que al «despeñarse» un hombre desde el techo de un baño, se rompa el cráneo de una forma tan fulminante que muera «sin agonía», y con un golpe tan sonoro que atraviese el patio, entre en la casa y llegue, el rumor de estropicio, hasta el comedor lleno de forasteros.

Del mismo modo, el segundo de los pretendientes debe ser una víctima de los Aurelianos ya que —como he dicho— el tren es traído a Macondo bajo la responsabilidad de un Buendía: Aureliano Triste.

Lógicamente, los Aurelianos no pueden ser ajenos a la muerte del comandante. Una riña nocturna debió ser suficiente para acabar con él. Luego debió ser llevado bajo la ventana de Remedios, la bella, y a la puerta de Úrsula por aquello de que el campesino siempre va a ahorcarse ante la puerta de su señor.

Así pues, Remedios, la heredera de los *bellos* billetes no se casará jamás. Remedios es «bella» en ese sentido, en el de heredera del matriarcado y de sus ventajas económicas. Si fuera *bella* por hermosa, debería ir con mayúscula ese «bella», igual que los gemelos llevan con mayúscula su segundez.

En contra de Remedios está Fernanda —la nueva reina llegada al enjambre— y aún la propia Ursula, que sigue ostentando el matriarcado y que, por lo tanto es quien autoriza las actividades de los Aurelianos. Es Ursula quien le prohíbe que aparezca en el comedor, y quien la relega en la cocina; porque Remedios, la bella, debe ser ocultada a los forasteros —de los que siempre está llena la casa— para que ninguno de ellos pueda sentirse lo bastante seducido por los maravillosos y «bellos» billetes, e intente salvar a Remedios, la bella, de las garras de ambas mujeres.

En realidad es Ursula quien impide —o mejor «autoriza»— estos manejos con Remedios, la bella, ya que anteriormente no se opuso a mantener al comandante en casa, y tampoco se negó a que el caballero le entregara la rosa amarilla. No obstante, la instigadora es, sin duda alguna, la mezquina y avariciosa Fernanda.

La buena Remedios, que lo que busca es un simple amor y sólo encuentra interés, acepta sin rechistar todas las arbitrariedades de las mujeres de su familia al comprobar que el dinero sólo sirve para crearle odio entre los suyos y egoísmo para con los extraños. Por eso no le importará subir al cielo, truncando su vida en la tierra. Al contrario, estará contenta.

FERNANDA ALEJA DE LA CASA A CUANTOS PUEDAN HACERLE SOMBRA

Fernanda ya se ha deshecho de su mayor rival: la cuñada reina. Conserva a la pseudo-suegra-bisabuela al frente de los Buendía porque es el pedestal del matriarcado, y su cómplice. (Por esta razón Santa Sofía de la Piedad tendrá buen cuidado en esconder su auténtico puesto en la casa para evitar posibles accidentes a su persona.)

A su debido tiempo, Fernanda se irá desembarazando sucesivamente de todos quienes un día podrán estorbarla.

Primero mandará a su primogénito a Roma a estudiar para Papa. De esta forma, nunca le traerá una nuera que pueda desbancarla.

Luego se enfrenta con la siguiente mujer de la familia: su hija Meme que, rápidamente, ha sucumbido al amor (p. 242).

El pretendiente de Meme es un vulgar macondino desprovisto de todo aquello que agrada a las matriarcas de los Buendía:

> Se llamaba Mauricio Babilonia. Había nacido en Macondo, y era aprendiz de mecánico en los talleres de la compañía bananera. Meme lo había conocido por casualidad, una tarde...
>
> (p. 243)

No obstante, Meme, tan distinta a su madre, enloquece de amor ante el mecánico (pp. 246-247):

> Se volvió loca por él. Perdió el sueño y el apetito, y se hundió tan profundamente en la soledad, que hasta su padre se convirtió en un estorbo... Se entregó a Mauricio Babilonia sin resistencia, sin pudor, sin formalismos... Se amaron dos veces por semana durante más de tres meses...

Mientras tanto, Fernanda, se ha vuelto toda ojos y actúa contra su hija sin que la simpatía que Aureliano Segundo siente hacia Meme pueda preservarla del aborrecible destino que la aguarda —«Aureliano Segundo... acreditaba sin malicia las coartadas de la hija, sólo por verla librada de la rigidez de su madre»— y prepara, con una estrategia minuciosa, la eliminación de Meme (p. 248):

> Al día siguiente invitó a almorzar al nuevo alcalde... y le pidió que estableciera una guardia nocturna en el traspatio... Esa noche, la guardia derribó a Mauricio Babilonia cuando levantaba las tejas para entrar en el baño donde Meme lo esperaba... Un proyectil incrustado en la columna vertebral lo redujo a cama por el resto de su vida. Murió de viejo en la soledad... públicamente repudiado como ladrón de gallinas.

Eliminado Babilonia, Fernanda se deshace de su hija. Y nunca más se preocupará de ella, la cual esperará en un hospital de Cracovia una muerte más benigna que la reservada a su sobrino-nieto.

Ni que decir tiene que Fernanda utiliza medios expeditivos comunes a todas las madres sin entrañas. Nada tiene que aprender Fernanda de esa otra madre española: Bernarda Alba. Ambas se deshacen del hombre con un arma de fuego —usada más o menos indirectamente— y luego —a su modo— proclaman la virginidad de sus hijas. La una hace que ingrese en un convento, la otra oculta su embarazo. No obstante, la crueldad y desamor de Fernanda aventaja a Bernarda en varios enteros, ya que Fernanda ni siquiera se atreve a obrar por sí misma, sino que descarga en otro la responsabilidad de la acción y destruye a Babilonia definitivamente.

De los tres hijos de Fernanda, sólo queda la menor: Amaranta Úrsula. Para tener el campo completamente despejado, Fernanda la manda a Bélgica.

Cuando traigan a Aureliano Babilonia, el nieto, como no se atreverá a matarlo, lo encerrará y le negará el apellido. Con esta acción no hace más que preparar el incesto que, al engendrar el hijo con colita de cerdo, acabará con la estirpe.

Y como si Fernanda previera claramente el futuro, cierra LA CASA, y reina en ella hasta el fin de sus días. La muerte la encuentra vestida de la más rigurosa etiqueta palaciega. ¿Qué más se puede pedir a una reina?

FERNANDA, LA REINA DE «MADAGASCAR»

Así termina la vida *pública* de Fernanda. De su vida privada, *oculta,* sabemos muy poco —algo más que de Rebeca— pero de su vida oficial —de su vida de «entrenamiento» para desempeñar el cargo de reina de Madagascar— sabemos menos aún, y lo que conocemos nos llega explicado con abundantes metáforas y considerables lagunas explicativas.

A Fernanda la vemos llegar a Macondo investida de su regia dignidad. Pero de no haber sido por «la temeridad atroz con que José Arcadio Buendía atravesó la sierra..., el orgullo ciego con que el coronel Aureliano Buendía promovió sus guerras..., la temeridad... con que Ursula aseguró la perseverancia de la estirpe» —todo ello heredado, reunido y aumentado en Aureliano Segundo— Fernanda no hubiera podido volver a Macondo para tomar el relevo del matriarcado.

Gracias a la búsqueda sin desaliento a que se entregó Aureliano Segundo como perseverante enamorado —búsqueda más fatigosa que aquella a que se dedicó el Príncipe de Cenicienta—, Fernanda regresa a Macondo.

La llegada de Aureliano Segundo a casa de Fernanda es obra de la tozudez de los Buendía; tozudez que —al cabo— resultará «un golpe de suerte inconcebible, porque en el aturdimiento de la indignación, en la furia de la vergüenza, ella le había mentido para que nunca conociera su verdadera identidad» (p. 180).

¿Por qué le miente Fernanda? ¿Tiene que ocultar, acaso, su identidad de reina de Madagascar? ¿Tiene que ocultar que es bisnieta de una reina? ¿Es esto un oprobio para la presuntuosa Fernanda? ¿A qué «indignación» y «vergüenza» se está refiriendo el narrador como causa de que Fernanda tergiverse sus datos biográficos?

Cierto es que cuando Fernanda llega a Macondo, se encuentra con «otra reina». Pero esto solamente justificaría la «indignación» de Fernanda, nunca esa inexplicable «vergüenza». A fin de cuentas, aunque llega con el carnaval comenzado, la elevan a la misma dignidad de la reina nativa, a pesar de que, lógicamente, los súbditos macondinos tenían más ley a su reina natural que a cualquier extranjera.

Si además se tiene en cuenta que a Fernanda le tenían prometido el reino de Madagascar, y que el de Macondo le llega por añadidura, la «indignación» no tiene razón de ser puesto que el co-reinado es una especie de «pluriempleo» dotado de considerables alicientes.

Así pues, resulta de todo punto ilógico el estado de ánimo de Fernanda. Ni la «indignación» ni la «vergüenza», móviles del ocultamiento —por medio de la mentira— de su «verdadera identidad» tienen razón de ser. Hay que volver a preguntarse: ¿Qué tendrá Fernanda tan vergonzoso y reprochable que debe ser ocultado so pena de sufrir deshonor? ¿Acaso las características de su «esmerada educación»?

Así es. *Fernanda no ha sido educada como una reina.*

LA EDUCACIÓN DE FERNANDA

Voy a analizar la parte de la vida de Fernanda referida a su educación real. Aparentemente, el ambiente colegial parece presentarla bajo el aspecto de una aprendiza de reina (p. 178):

> «*Ella es distinta*», explicaban las monjas. «*Va a ser reina*»... era la doncella más hermosa, distinguida y discreta que habían visto jamás... habiendo aprendido a versificar en latín, a tocar el clavicordio, a conversar de cetrería con los caballeros y de apologética con los arzobispos, a dilucidar asuntos de estado con los gobernantes extranjeros y asuntos de Dios con el Papa...

Pero la realidad es sobradamente diferente de lo que esta cita puede dar a entender, puesto que Fernanda no asimila una sola de las enseñanzas que se enumeran. Apoyo mi afirmación en que Aureliano Segundo la encuentra, después de un largo peregrinar, gracias a dos características fundamentales: su dicción del páramo y su oficio manual de tejedora de palmas fúnebres (p. 180):

> Las únicas pistas *reales* de que disponía Aureliano Segundo cuando salió a buscarla eran *su inconfundible dicción del páramo y su oficio de tejedora de palmas fúnebres.*

De modo que la versificación en latín, las prácticas de conversar de cetrería con los caballeros, de discurrir de apologética con los arzobispos, de dilucidar de asuntos de estado con gobernantes extranjeros —que suponen, a su vez, el dominio de *lenguas extranjeras*—, y de tratar asuntos de Dios con el Papa —otro *idioma*—, no logran borrar su *inconfundible dicción del páramo.*

Si Fernanda sale de este aristocrático colegio donde la han educado para reina hacia los veinte años, y entonces —y sólo entonces— comienza a tejer palmas fúnebres —ya que entre las disciplinas del colegio no se nombra esta ocupación—, ¿cómo se las arregla para que durante su estancia en Macondo, Aureliano Segundo reconozca en ella *una tejedora de palmas de «oficio»*, si el «oficio» para el que las monjas la han educado es el de reina?

¿Cómo puede ser que durante el breve tiempo que debió mediar entre la salida del colegio y la ida a Macondo, Fernanda pueda deformar sus manos hasta el extremo que ese detalle venga a ocupar el del diminuto pie de Cenicienta?

Si realmente había aprendido a «dilucidar asuntos de estado con *gobernantes extranjeros*» ¿cómo se deja coronar reina del carnaval de Macondo, cuando la prometida corona era para Madagascar? ¿Tan poca geografía había asimilado que no echa de menos el transporte transoceánico hasta Africa?

El colegio de Fernanda es una institución de caridad

Echemos un vistazo al colegio, que es una institución harto curiosa: Allí se educa una futura reina, Fernanda, pero también se acoge a una joven con evidente «descarrío moral o social» como es Meme Buendía (p. 251).

Además debo hacer notar que a Meme Buendía no se la educa en el mismo colegio en el que su madre recibió su formación de reina. A Meme se la mantiene *encerrada en el colegio de su madre* para que su conducta no avergüence a la melindrosa Fernanda —a fin de cuentas casada con un bastardo nieto de prostituta—. ¿Por qué Fernanda no llevó a su hija a educarse en su *mismo colegio?* ¿Acaso la extraña ambivalencia del colegio —acoge a «reinas» y a adolescentes pseudo prostituidas— entre correccional e internado aristocrático no tiene de dual más que la distorsión que el narrador finge concederle?

De hecho, si raro es el colegio de Fernanda, no lo es menos su propia casa, que más que un hogar familiar parece un convento vetusto. Contemplémoslo:

En la casa señorial *embaldosada de losas sepulcrales* jamás se conoció el sol. El aire había muerto en *los cipreses del patio,* en las pálidas colgaduras de los dormitorios, en las arcadas rezumantes del jardín de los nardos.

(p. 179)

En este tétrico lugar, donde el aire libre está sustituido por las losas sepulcrales, los fúnebres cipreses y las flores de muerto, Fernanda vive como una sombra: «En el cuarto de su madre enferma, verde y amarilla bajo la *polvorienta luz* de los vitrales, escuchaba las escalas metódicas, tenaces, descorazonadas...» (p. 179). (A no saber a ciencia cierta que se trata de la «casa señorial» de los del Carpio, se diría que Fernanda tiene por madre a una imagen de la capilla del convento.) El decorado de vitrales polvorientos, escalas tenaces, jardín de nardos, cipreses en el patio y losas sepulcrales es lo más alejado a una «casa señorial»; lo es tanto que iría de perlas a cualquier convento de monjas de las zonas foráneas y señoriales de las ciudades de abolengo.

En esa extraña casa los fantasmas familiares se encuentran muy a gusto: «Siendo muy niña, una noche de luna Fernanda vio una hermosa mujer vestida de blanco que *atravesó el jardín hacia el oratorio*... 'Es tu bisabuela, la reina' le dijo su madre en las treguas de tos. 'Se murió de un mal aire que le dio al cortar una vara de nardos.'»

No es extraño pues que Fernanda entre oratorios, vitrales, cipreses, sepulcros, nardos y bisabuelas que superan la prueba de reconocer el guisante debajo de veinte colchones o de atrapar una pulmonía por el esfuerzo de cortar una vara de nardos, crea en su propia realeza, en las inexistentes riquezas de la familia, en su improbable destino de reina y en su calidad única, a pesar de que practica actos completamente opuestos a dichas creencias: «...sólo *ocupaban la larga mesa* con manteles de lino y servicios de plata, para tomar una taza de *chocolate con agua y pan* dulce».

Y cuando Fernanda vuelve a su casa después de haber completado su educación en el colegio de las monjas encuentra la casa saqueada (p. 180):

Quedaban apenas los muebles indispensables, los candelabros y el servicio de plata, porque los útiles domésticos *habían sido vendidos, uno a uno,* para sufragar los gastos de su educación.

De ahí que todo su ajuar de reina —incluido el manto, corona, y cetro— quepa holgadamente en seis baúles, donde se acomodan también los restos del esplendor familiar (p. 181):

...apenas si hubo tiempo para que las monjas cosieran el ajuar, y metieran en *seis baúles* los candelabros, el servicio de plata y la bacinilla de oro, y los incontables e inservibles destrozos de una catástrofe familiar que había tardado dos siglos en consumarse.

Lo que queda del desastre familiar irá llegando en lotes a Macondo con ocasión de las fiestas navideñas. Esos regalos tienen un aspecto tan curioso que hacen exclamar al marido de Fernanda (p. 185):

'Ya nos ha mandado todo el *cementerio familiar',* comentó Aureliano Segundo en cierta ocasión. 'Sólo nos faltan los sauces y las losas sepulcrales.'

Así, pues, aunque en casa de Fernanda persisten los elementos arquitectónicos de su niñez, la descripción que Aureliano Segundo da de la casa cuando llega a ella buscando a Fernanda se diría totalmente distinta. ¿Cuál es la razón? [21].

[21] De todas estas descripciones: la magnífica casa señorial rodeada de un patio de cipreses, flanqueada por un jardín de nardos y arcadas, adornada con vitrales y poseedora de un oratorio propio; una casa cuya mesa se prepara con manteles de lino y servicio de plata, Aureliano —cuando llega buscando a Fernanda— sólo encuentra ruinas mezquinas e irreconocibles (p. 181):

«Aunque nunca los había visto, ni nadie se los había descrito, reconoció de inmediato los *muros carcomidos* por la sal de los huesos, los *decrépitos* balcones de maderas destripadas por los hongos, y clavado en *el portón* y casi borrado por la lluvia *el cartoncillo* más triste del mundo: *Se venden palmas fúnebres.*»

Entre esta descripción y la de la señorial casa con jardín, oratorio, vitrales y demás zarandajas apenas puede encontrarse un hilo de continuidad. Más bien parece estar apuntando hacia un cambio de domicilio.

Las comillas tienen la solución y la clave por donde comenzar a investigar en el misterioso pasado de la no menos recóndita Fernanda.

Veamos. Si Aureliano Segundo dice que hay probabilidades de que en el próximo envío les remitan los «sauces» y las «losas sepulcrales» —las que embaldosan la casa señorial— quiere decir que Fernanda seguía viviendo en la «casa señorial» cuando Aureliano Segundo fue a buscarla. Pero no está habitada solamente por el padre de Fernanda porque Aureliano Segundo dice: «ya nos HAN mandado todo el cementerio familiar». ¿Ese «HAN» ¿a quién o quiénes se refiere? Puesto que don Fernando es un ser, una sola persona, un solo remitente, la frase debería ser: Ya nos HA mandado. Pero nunca «HAN», porque a este «HAN» corresponden varios remitentes.

Cuando Aureliano Segundo dice «cementerio *familiar*» se está refiriendo a los santos de cuerpo entero, y aquí hay que preguntarse: ¿Quiénes son aquellas personas que tienen por *familia a los santos?* La respuesta es diáfana: las monjas —«esposas de Jesucristo» son nueras de Dios, parientes del Espíritu Santo y familiares más o menos allegados de todos los habitantes del empíreo judaico—, las monjas, que precisamente, educaron a la «reina» Fernanda.

De modo que quienes HAN *mandado* los regalos son las monjas del colegio de Fernanda. Y también son ellas las que mandarán —en un posible futuro, según Aureliano Segundo— los sauces y las losas sepulcrales. Como quiera que la casa señorial de Fernanda estaba embaldosada de losas sepulcrales, viene a resultar, sin lugar a otra opción, que la casa donde Fernanda ha vivido siempre y que considera como su hogar, es el convento de las monjas.

Ahora sí que queda lógica la aparatosa descripción de esa inexplicable «casa señorial». Se está describiendo un convento de monjas con: *el patio de los cipreses, el jardín de arcadas con*

Cabría pensar que el tiempo y las estrecheces económicas hubiesen ido devorando el palacio solariego hasta quedar éste reducido a un verdadero esqueleto. Pero si hasta unos vitrales pueden venderse, no pasa lo mismo con los cipreses, ni el oratorio, ni los fastuosos jardines con arcadas, y —menos aún— con las lápidas sepulcrales.

nardos —flor específicamente de iglesia y muertos—, que sirven para adornar el *oratorio* —el cual está embaldosado de *losas sepulcrales,* de las monjas muertas, tal como sucede en la mayoría de los monasterios— y claro está que *los vitrales* y las escalas ejecutadas fuera del convento —«en el mundo»— quedan perfectamente enmarcadas en la descripción que acabo de identificar.

De modo que la fastuosa historia de la casa señorial, patrimonio de los del Carpio, se viene abajo. Fernanda se ha pasado toda su vida en el convento, a excepción del corto tiempo que medió entre su salida del colegio —hacia los veinte años— y el día que Aureliano Segundo salió en su busca y la llevó consigo a Macondo.

En realidad este hecho el lector debía haberlo «leído» ya en la página 179 con la descripción tan sugerente que Gabriel García Márquez emplea para situar a la madre de Fernanda.

> En el cuarto de su madre enferma, verde y amarilla bajo la polvorienta luz de los vitrales, escuchaba las escalas metódicas, tenaces y descorazonadoras, y pensaba que esa música estaba en el mundo, mientras *ella se consumía tejiendo coronas de palmas fúnebres.*

Ahí está ya prefigurado el convento: en la «polvorienta luz de los vitrales» —luz inequívoca de iglesia—, y en: «pensaba que esa música estaba en el *mundo*». Porque Fernanda no está en el «mundo». Está en el convento trabajando como una criada en lugar de recibir clases de realeza. Por eso leemos luego:

> *Fernanda no tuvo hasta la pubertad otra noticia del mundo que los melancólicos ejercicios de piano* ejecutados en alguna casa vecina por alguien que durante años y años *se permitió el albedrío de no hacer la siesta.*

«El albedrío de no hacer la siesta» es inexplicable para cualquiera que *viva en el mundo,* pero es una libertad muy considerable para la jovencita que tiene que vivir en una institución donde todo va a toque de campana, y donde toda libertad está muerta como el aire en los cipreses del patio. El ignorar en qué casa vecina se ejecutan las escalas y quién es su protagonista, es una clara prueba de que Fernanda no vive en un domicilio familiar donde todo se habla, se comenta y se critica.

Fernanda sale de casa por primera vez «a los doce años» (p. 179), posiblemente se esté refiriendo al acto de acompañar el cadáver de su madre al cementerio. Después de ese único viaje, Fernanda vuelve al convento a *seguir ganándose el pan y consumiéndose* en la misma forma en que lo había realizado hasta la fecha: «tejiendo palmas fúnebres», menester que deja marcadas sus manos para toda la vida, y por lo que Aureliano Segundo puede encontrarla. Véase que cae fuera de toda lógica que una madre tenga a su hija pequeña tejiendo palmas fúnebres *hasta consumirse,* y luego gastar y malvender la fortuna familiar para mandarla a un buen colegio donde le enseñan a discutir asuntos de Dios con el Papa. Lo lógico hubiera sido empezar a gastar el dinero y los bienes en la enfermedad de la madre para no privar a la niña de una infancia feliz.

Así, pues, no hay versificación en latín, ni clavicordio —de haberlo ¿por qué no lo toca nunca Fernanda en Macondo y espera a que Meme aprenda?—, ni cetrería, ni asuntos de estado, ni menos aún asuntos de Dios.

Su *educación especial* reside en que las monjas no la dejan mezclarse con las otras pupilas porque ella «es distinta», es la hija de una madre soltera, es *ilegítima*.

La prueba de ello está en la página 249. Cuando traen al hijo de Meme Buendía, su nieto, Fernanda piensa:

> Fernanda no contaba con aquella trastada de su *incorregible destino.* El niño *fue como el regreso de una vergüenza que ella creía haber desterrado para siempre* de la casa.

«Incorregible destino». Incorregible es alguien que reincide en la misma falta. Luego el destino de Fernanda es «incorregible» porque la enfrenta con la misma situación: la ilegitimidad, «una vergüenza que ella creía haber desterrado para siempre de la casa» con sus relatos de colegio maravilloso, donde no le permitían mezclarse con las demás «durante el recreo» y donde estaba «apartada, en una silla de respaldar muy alto» (p. 179).

Colegio que a fin de cuentas no debe ser otra cosa que la Casa de Caridad. Este es un dato que el lector recibe de boca del expansivo Aureliano Segundo que exclama: *Me casé con una hermanita de la caridad* (p. 182).

EL PADRINO DE FERNANDA

El paso del convento de monjas a la casucha en que la encuentra Aureliano Segundo se realiza cuando Fernanda, al cumplir su mayoría de edad, debe abandonar el convento-refugio-semi-reformatorio, y es mandada a casa de don Fernando, que la trata igual que si fuera una criada (p. 180):

> Su padre, don Fernando, vestido de negro, con un cuello laminado y una leontina de oro atravesada en el pecho, *le daba los lunes una moneda de plata para los gastos domésticos, y se llevaba las coronas fúnebres terminadas la semana anterior.*

Las primeras palabras que el lector oye de boca de tal señor son tan tajantes como distantes (p. 180):

> Dos horas después, su padre fue a buscarla al costurero. *«Prepare sus cosas»*, le dijo. *«Tiene que hacer un largo viaje.»*

¿Qué clase de *padre* es éste que entrega a su hija como cabeza de turco de un *«affaire* de limpieza» del gobierno conservador? Si el carnaval no es otra cosa que una enorme trampa para cazar liberales, Fernanda no es sino la perversa carnaza del cebo gubernamental. En realidad don Fernando puede ser disculpado ya que no tiene por qué actuar como padre, puesto que solamente *es padrino.* Fernanda y el señor con quien convive sólo están unidos por los lazos de padrino y ahijada.

El dato está disimulado en la larga filípica —de un día entero— en que Fernanda se queja de que no haya comida en casa a causa de la lluvia pertinaz (p. 275):

> ...era su cónyuge de sacramento, su autor, su legítimo perjudicador, que se echó encima por voluntad libre y soberana la grave responsabi-

lidad de sacarla del solar paterno, donde nunca se privó ni se dolió de
nada, donde tejía palmas fúnebres por gusto de entretenimiento, puesto
que su PADRINO había mandado una carta con su firma y el sello de
su anillo impreso en el lacre, sólo para decir que LAS MANOS DE SU
AHIJADA no estaban hechas para menesteres de este mundo, como no
fuera tocar el clavicordio...

Y así, como «padrino» y no como padre, don Fernando trata a Fernanda. Por eso no duda en concedérsela a los conservadores a cambio de alguna compensación, ya que probablemente, el tal don Fernando, con su «cuello laminado» y su ta-
cañería a cuestas, tiene una pinta definitiva de ser el sacristán
y/o el portero del convento de monjas.

Esta dependencia de don Fernando con respecto al convento
justifica la proximidad de su vivienda del edificio conventual,
y también su subordinación económica como empleado. Por ello,
cuando Fernanda se va, puede abandonar «la casa al cuidado
de la Madre Superiora» (p. 181). Este hecho sería totalmente
impensable si las monjas pertenecieran a una institución peda-
gógica y Fernanda fuera la hija de un matrimonio normal y corriente. (Cualquier otra circunstancia que la señalada hace que
la anécdota carezca de lógica.) Por esta misma razón, las monjas
son las que preparan el ajuar, y don Fernando puede mandar,
Navidad tras Navidad, los santos que se van retirando de la
iglesia conventual, y Meme puede ser llevada al *colegio* de su
madre porque allí se recogen chiquillas descarriadas —por propia voluntad o por circunstancias heredadas—.

FERNANDA, HIJA NATURAL

Queda claro que Fernanda vivió de *sueños* hasta el día en que
los militares vienen a proponerle a don Fernando el negocio del
préstamo de la ahijada, probablemente a cambio de unas pocas
monedas de oro, ya que el hombre vive, al menos en parte, de
lo que gana Fernanda tejiendo palmas fúnebres.

Que el asunto del carnaval no está muy claro lo marca el
hecho de que busquen como *reina* a una hija ilegítima. Y es

en esa ocasión en la que Fernanda se entera del origen de su nacimiento. Así se lee en la página 180:

> Fue así como la llevaron a Macondo. *En un solo día, con un zarpazo brutal, la vida le hechó encima todo el peso de una realidad que durante años le habían escamoteado sus padres.* De regreso a casa se encerró en el cuarto a llorar, *indiferente a las súplicas y explicaciones de don Fernando,* tratando de borrar *la quemadura de aquella burla inaudita.*

El *zarpazo brutal, la realidad oculta durante años, la quemadura de la burla inaudita, y las disculpas de don Fernando,* no pueden estarse refiriendo a que ya hubiese otra reina en Macondo —Remedios, la bella— porque a Fernanda la tratan a cuerpo de reina, y nunca mejor dicho.

El zarpazo, la realidad y la burla es que, probablemente, en el viaje hacia Macondo, los militares —con la franqueza falta de remilgos que les es habitual— enteran a Fernanda de su ilegitimidad, tal vez con otros fines que no aparecen en el relato. La ignorancia de su ilegitimidad es el «zarpazo» y la «realidad» de que se lamenta Fernanda y que no perdona a su padrino. También es ésa la «verdadera identidad» que «en el aturdimiento de la indignación» y «en la furia de la vergüenza» Fernanda ocultó a los Buendía. Fernanda no oculta a los Buendía la identidad del lugar donde vive, porque los dos datos que posee Aureliano Segundo: la dicción del páramo y su oficio de tejedora de palmas fúnebres —que le ha deformado las manos— no son suficientes para encontrarla y menos aún para reconocer una casa derruida y sumida en una irrelevancia extrema.

Fernanda, pues, oculta su verdadera identidad de hija ilegítima y, no contenta con ello, fantasea a más y mejor sobre su vida. Con toda probabilidad y como coartada, se inventa una madre inexistente a la que sitúa en el ambiente de una iglesia polvorienta; adorna su pobre mesa con elementos correspondientes al altar del oratorio; tergiversa el motivo de su separación de las otras niñas que hay en el colegio; llena sus días, consumidos en tejer palmas fúnebres, con los estudios más peregrinos que nadie pueda imaginarse y, para completar el cuadro, se inventa una bisabuela reina. Con ello no le falta más que ser mandada a vivir con un «padrino», con lo que el cuadro de princesa de cuento de hadas está verdaderamente completo. Luego irá a la fiesta de carnaval y el príncipe Aureliano saldrá a buscarla en su caballo para desposarla en Macondo en una parranda de veinte días. Véase que el entregar la novia a Aureliano Segundo para que ambos realicen *solos* el camino de vuelta —«por desfiladeros de niebla, por tiempos reservados al olvido, por laberintos de desilusión... un páramo amarillo... [a lo largo de] *semanas*» (p. 181)—, es contrario a la práctica común de cualquier familia medianamente honorable —y más aún si se tiene en cuenta que está emparentada con la duquesa de Alba que, desnuda o vestida, mucho ha hecho escribir sobre lo que pudo pasar con el eximio sordo por causa de nieblas, desfiladeros, olvidos y laberintos—. De hecho, Fernanda es entregada a Aureliano Segundo con menos garantías que las requeridas por un paquete irrelevante confiado al recadero acostumbrado. (Si se hubiese tratado de la venta de una esclava, los acontecimientos no hubieran discurrido por distintos derroteros [22].)

FERNANDA Y EL NARRADOR SIMPATIZAN EN EXTREMO

Hasta ese momento —el de su boda con Aureliano Segundo— Fernanda merece todas nuestras simpatías porque es una

---

[22] Antes de la boda, Fernanda es legitimada (p. 181):

«Don Fernando declinó la invitación de acompañarlos. Prometió ir más tarde, cuando acabara de liquidar sus compromisos, y desde el momento en que le echó la bendición a su hija volvió a encerrarse en su despacho, a escribir las esquelas con viñetas luctuosas y el escudo de armas de la familia que habían de ser el primer contacto humano que Fernanda y su padre tuvieran en toda la vida. *Para ella, esa fue la fecha real de su nacimiento.*»

«Para ella esa fue LA FECHA DE SU NACIMIENTO», es decir, que en ese día tuvo lugar su *reconocimiento* —auténtico o no— como hija de don Fernando. Y puesto que eso significa *nacer* socialmente, Fernanda la tiene como fecha «real de su nacimiento».

especie de juguete de los demás: de sus padres, de las monjas, de su padrino don Fernando. Pero de aquí en adelante, ella es la única responsable de sus delirios de grandeza, tanto los imaginarios como los que se ponen en práctica en Macondo.

Esta simpatía que Fernanda provoca en el lector viene condicionada, en gran parte, por el tono del narrador que nos la presenta bajo capa de ser una inocente chiquilla manipulada con harta desaprensión por su padre. A ello ayuda el que la narración de sus antecedentes está mucho más distorsionada que la de Rebeca. Así al paso que aureola a la «reina» de un candor feérico y autovictimario, favorece el que la propia Fernanda mantenga el equívoco con sus alambicados relatos y prácticas aristocráticas, justificadas por su «herencia *real*».

Comprendemos que Aureliano la encubra en todo momento ante Ursula porque existe el precedente de su abuelo José Arcadio que fue rechazado por contraer matrimonio con Rebeca, pero se diría que *el narrador está de parte de Fernanda*. ¿Cómo puede ser esto así, si Fernanda es la más mezquina de cuantas mujeres pueda uno conocer? Se deshace de su cuñada Remedios; de los tres hijos que engendra, encierra de por vida a la primogénita —cuyo único delito fue seguir la tradición de ilegitimidad de ambos abuelos—, y so capa de una mejor educación, echa de casa a los dos menores; niega nombre y filiación al único nieto de la estirpe —lo que acarreará el fin de ésta— ¿qué más puede destruir una mujer?

Y a esta mujer ¿la encubre Gabriel García Márquez? Increíble. Bueno está que lo hiciera con la valiente Rebeca o con la atrevida Meme, y hasta con la vital y locuela Amaranta Ursula. ¿Pero con la necia Fernanda más maligna que un escorpión? Preciso es que pensemos que algo extraño ocurre con el narrador antes que imaginar la posibilidad de que el autor colombiano esté siendo cómplice de la mujer más mezquina y vengativa que pueda existir.

Volvamos a Fernanda, que aún quedan algunas cosas que predicar de su paso por la casa de los Buendía.

A Fernanda se le abre una nueva etapa en la vida el día que Aureliano Segundo se presenta en su casa. La chiquilla, que recordaba con delicia los desayunos del hospicio: «una taza de chocolate con agua y un pan dulce» [23] podrá desplegar su fantasía tanto tiempo oprimida en hechos y objetos tangibles: una casa de nueve dormitorios, manteles de Holanda, vajillas, sillerías... Todo, y más, de lo que pudo haber soñado.

Pero, siendo tan similar a Rebeca en sus antecedentes y ambiciones, y a pesar de contar con el beneplácito de la suegra —que con toda seguridad ignoró los detalles más significativos, y debió suponer como verdad bastantes puntos de la fantástica versión: «ahijada del Duque de Alba... fijodalga... que tenía derecho a firmar con once apellidos peninsulares...» (p. 274)— Fernanda es la más perniciosa plaga que deben soportar los Buendía, a juzgar por los hechos. El primero de ellos es la desaparición de Remedios, la bella.

Paso a estudiar este episodio.

DOS VERSIONES SOBRE LA ASCENSIÓN DE REMEDIOS, LA BELLA

Si de lo analizado anteriormente se desprende la afirmación de que Petra Cotes es un símbolo hiperbólico ¿quién le proporciona el ganado a Aureliano Segundo? [24]. Porque lo que sí queda

---

[23] No hay que confundir ese *chocolate* con el que hace levitar al padre de Nicanor Reyna. En todo el mundo se conocen dos clases distintas de «chocolate»: el uno afecta al hígado, y el otro —mucho más moderno en su consumo masivo— va encaminado a modificar la sensibilidad y a hacer ganar su sueldo a todas las brigadas antidroga del mundo. Y es justamente en Colombia donde este segundo producto forma parte —por así decir— del «folklore comercial ilegal».

[24] Si Petra Cotes fuera una persona de carne y hueso y no una metáfora personificadora, Fernanda no tendría que haber buscado a Aureliano Segundo «por todo el pueblo» cuando matan a los Aurelianos. Hubiera bastado que mandara un aviso a casa de Petra Cotes —caso de que no hubier querido pisar la casa de la concubina— para saber el paradero del marido. En lugar de eso Fernanda «recorrió *el pueblo* como una loca» y, mientras, el marido sigue sin salir durante cuatro días. No se nos puede decir que Fernanda lo busca por todo el pueblo porque ignora la existencia de la concubina y los vínculos íntimos y frecuentes que la unen a su marido, porque a «los dos meses» del matrimonio Fernanda abandonó Macondo sin despedirse y llevándose todos sus baúles, por causa de que Aureliano Segundo se estaba corriendo una juerga con Petra Cotes vestida de reina de Madagascar (p. 177).

claro y evidente es que ese bisnieto de Ursula de lo único que entiende es de parrandas y comilonas. ¿Qué alma cándida puede estar proporcionando el ganado al pantagruélico y cuatrero hijo de Santa Sofía de la Piedad? (Ursula ha dejado suficientemente claro que el ganado que posee Aureliano es robado para que se pueda poner en tela de juicio semejante posibilidad.)

Si el alma más inocente y pura que hay en todo el libro es Remedios, la bella —que de tan inocente sube al cielo en cuerpo y alma— hay que preguntarse: ¿será ella la robada? ¿Qué ganado, por otra parte? ¿Tendrá algo que ver el robo de su ganado con la ascensión al cielo? Su ascensión, de ser cierta, convertiría automáticamente a Aureliano en uno de los herederos naturales de todos cuantos bienes posee Remedios, la bella.

Es preciso examinar más de cerca esta fuerte hipérbole ascensional. Sobre ella sabemos poco. Unicamente lo que García Márquez contó a Fernández-Braso[25]. «Había una chica que correspondía *exactamente* a la descripción que hago de Remedios, en *Cien años de soledad*. Efectivamente se fugó de su casa con un hombre y la familia no quiso afrontar la vergüenza y dijo, con la misma cara de palo, que la habían visto doblando unas sábanas en el jardín y que después había subido al cielo... En el momento de escribir, *prefiero la versión de la familia,* la versión con que la familia protege su vergüenza, la prefiero *a la real...*»

Si Remedios la bella corresponde «*exactamente*» a la chica real, no parece que ésta tenga demasiadas probabilidades de ser una retrasada mental —como en muchos pasajes se deja transparentar—, ya que el modelo real no tenía un pelo de tonta, pues supo elegir lo que le convenía y llevarlo a cabo, y el hombre con quien huyó debió quedar satisfecho de ella puesto que no «la devolvió».

Así pues, el episodio de Remedios, la bella, y su ascensión al cielo en cuerpo y alma, tiene apoyo real. En la anécdota auténtica hay dos versiones de lo sucedido: la versión de *la familia* y *la real*. Que es lo mismo que decir: la versión *de la familia* y la *del pueblo*. A García Márquez le llegan ambas: la de la

---

[25] Fernández-Braso, *op. cit.,* p. 110. Los subrayados son míos.

chica que se fuga con su hombre y la versión de la levitación intempestiva que la familia quiere hacer tragar al pueblo (aunque nadie se molesta en aceptar la ascensión como algo más que una boutade casera).

Veamos cuántas versiones hay en *Cien años de soledad* sobre la ascensión de Remedios, la bella. También hay dos versiones. ¿Cuáles son estas dos versiones? La familia de los Buendía, con Fernanda a la cabeza —igual que en el caso de la anécdota real—, dice que Remedios, la bella, subió al cielo con la ayuda de unas sábanas de bramante. ¿Dónde está la versión del pueblo en *Cien años de soledad*? El «pueblo» no habla, al menos no nos consta. Tal vez no quiere ponerse a mal con los Buendía, tal vez los temen o los respetan demasiado. Pero los forasteros sí hablan. Los forasteros dicen claramente que lo de la levitación es una pura y simple patraña:

> *Los forasteros, por supuesto, pensaron que Remedios, la bella, había sucumbido por fin a su irrevocable destino de abeja reina, y que su familia trataba de salvar la honra con la patraña de la levitación.*

(p. 205)

REMEDIOS, LA BELLA, NO SUBE AL CIELO.
SE QUEDA EN LA TIERRA

Ahí tenemos, negro sobre blanco, lo que realmente ha sucedido: «Que Remedios, la bella, había sucumbido por fin a su irrevocable *destino de abeja reina*». Hay que acudir a la zoología: el destino de la reina *antigua* de la colmena es enfrentarse con la nueva reina que acaba de nacer. Si la reina antigua gana, sigue gobernando hasta que aparezca otra candidata y el juego se inicie de nuevo. Si la reina antigua es vencida tiene dos soluciones: escapar maltrecha con parte de sus leales y fundar otra colmena, o morir peleando.

Con esta nueva información, hay que revisar unas cuantas escenas de la vida de Fernanda, incluido el carnaval. Remedios, la bella, es reina por partida doble: su bisabuelo es rey —«He venido al sepelio del rey» (p. 125) —dirá Cataure cuando venga para la muerte de José Arcadio Buendía. Remedios es coronada reina con los votos de Ursula, Aureliano Segundo y la Iglesia.

Por su parte, Fernanda cuenta con antepasados reales (página 179):

> «*Es tu bisabuela la reina*», le dijo su madre en las treguas de tos... Un día *serás reina*.

Según Fernanda, las monjas le siguieron prometiendo un trono: «Ella es distinta», ella «va a ser reina». Así que ambas cuentan con idénticos bagajes para su proclamación: El antepasado —bisabuelo/bisabuela— de rango real, y la postulación por parte de la familia y la iglesia —Ursula y el padre Antonio Isabel en el caso de Remedios, la bella, y la madre y las monjas respecto a Fernanda.

De modo que el día de carnaval llega y la reina legítima, la macondina, la que tuvo una proclamación con toda legalidad, la que ha vivido *toda su vida* en la CASA-COLMENA y ascendió al trono mediante plebiscito popular, se ve enfrentada a la «otra reina» —proclamada a puerta cerrada y por procedimientos fraudulentos— a quien se sienta «salomónicamente» en el «mismo pedestal».

Aureliano Segundo es quien idea el arreglo. También es él quien salva a la reina extranjera de la mortal confusión mientras que Remedios, la reina antigua, tiene que esperar a ser auxiliada por su otro hermano, José Arcadio Segundo. De modo que lo que sucede en el carnaval es que el promotor de la coronación se ha decantado por la reina nueva, la reina extranjera, la acabada de llegar. Fernanda, además, es reina impostora puesto que se la anuncia como «la más hermosa entre las cinco mil mujeres más hermosas del país» (p. 175), y el lector sabe que no hubo tal «selección». (De nuevo tenemos dos versiones de un hecho —lo fantástico: elegida como la más hermosa entre cinco mil bellas, y lo real: prestada por dinero para un sucio manejo político—, de ambas, lo REAL es lo más lógico, lo más simple y lo menos aparatoso.) Cuando Fernanda vuelva a Macondo como princesa consorte, un enfrentamiento y una solución definitiva es preciso que se produzca.

La lucha de las *dos reinas* por la posesión del enjambre y el poder —y por supuesto de la suculenta miel del panal— está claramente significada por Gabriel García Márquez en toda su ritualidad sacralizada bajo el símbolo de la ascensión (p. 205):

> Ursula casi ciega fue la única que tuvo serenidad para identificar la naturaleza de aquel *viento irreparable,* y dejó las sábanas a merced de la luz, viendo a Remedios, la bella, que le decía adiós con la mano, entre el deslumbrante *aleteo de las sábanas* que subían con ella, que abandonaban con ella el aire de los escarabajos y de las dalias, y pasaban con ella a través del aire donde terminaban las cuatro de la tarde, y se perdieron con ella para siempre en los altos aires donde *no podían alcanzarla ni los más altos pájaros de la memoria.*

Ahí lo tenemos: la antigua reina ha sido destronada definitiva e irrevocablemente —«viento *irreparable*»— y *vuela* —las sábanas son las alas— hacia otros rumbos.

Como Remedios ha sido derrotada, se va sola. Nadie la acompaña ni siquiera con el pensamiento porque «ni los pájaros más altos de la memoria» la alcanzarán. Ya nadie se acordará jamás de ella. El vencido no entra en la historia.

Sobre la marcha de Remedios en forma de abeja reina, debemos recordar que García Márquez comenta a Fernández Braso: «Yo estoy convencido de que un lector de *Cien años de soledad* no creería en la subida al cielo de Remedios, la bella, si no fuera por las sábanas blancas» [26]. Evidente. Porque la ascensión de Remedios no es una marcha hacia el empíreo. De eso, nada. La anécdota de la levitación es la marcha de la abeja reina y ello implica que Remedios, la bella, *se va a otro lugar,* y para ir a «ese» lugar la presencia de las sábanas es imprescindible, porque ellas dan la clave de su destino. Además hay que cuidar la analogía: la «otra» Ascensión —según la completa nómina de sacros pintores que le prestaron atención— *siempre* se ve refrendada con una gran sábana blanca.

La ascensión de Remedios, la bella, es la marcha de la abeja reina que abandona la colmena sirviéndose de sus alas, mientras

---

[26] Fernández-Braso, *op. cit.,* p. 63.

deja a la reina «nueva» dueña y señora del enjambre, donde el zángano —Aureliano Segundo— puede practicar cómodamente el único objetivo y oficio que conoce: parrandear.

El término metafórico «la suerte de la abeja reina» en su lectura de término real

Ahora bien, ¿cómo sucede exactamente eso de sufrir *la suerte de la abeja reina?* Fernanda, apoyada por las paradójicas opiniones de las mujeres de la familia —su descomplicación en el vestir, su peinado simplicísimo, su apartamiento de toda ociosa instrucción, su comer con las manos, etc.—; Fernanda, la «fina» de la familia que tiene que depositar su mierda en una bacinilla de oro, hace correr la voz, y comenta sin cesar «las locuras» de su cuñada. Esto, más los pretendientes fallidos, basta para que Fernanda pase, de hablar de las locuras de su cuñada, a referirse a ella como «la loca» de Remedios (sin un «bella» que palíe la nueva situación).

El juicio emitido por Fernanda no puede caer en saco roto porque el pueblo recuerda las auténticas locuras del patriarca José Arcadio Buendía —del mismo modo que el lector no ha olvidado las recriminaciones de Úrsula—: «los hijos heredan las locuras de sus padres» (p. 41); «esta casa de locos» (p. 131); «Así son todos... 'locos de nacimiento'» (p. 160).

Fernanda, pues, no tiene que lucubrar demasiado para organizar su plan de ataque y demolición: al antecedente del bisabuelo loco une el extraño proceder de Remedios, la bella, —*extraño* para los holgazanes de la colmena—, y consigue que la recluyan en un manicomio. (Justo castigo a quien teniendo tanto dinero para emperifollarse y casarse con quien le venga en gana, se siente más atraída por andar trajinando con el estiércol de los establos y trabajando como una burra en la piscifactoría.)

La culpabilidad de Fernanda en la desaparición de Remedios, la bella, está indicada en la página 204. «Remedios la bella, se quedó vagando por el desierto de la soledad, sin cruces a cuestas, madurándose en sus sueños... sus baños... sus comidas... HASTA UNA TARDE DE MARZO EN QUE FERNANDA...» interrumpe la plácida vida de Remedios.

Asistamos al momento cumbre (p. 205):

> Remedios, la bella, estaba transparentada por una *palidez intensa*.
> —¿Te *sientes mal?* —le preguntó.
> Remedios, la bella, que tenía agarrada la sábana por el otro extremo, hizo una sonrisa de lástima.
> —Al contrario —dijo—, nunca me he sentido mejor.

Ahí está la excusa para recluirla: la enfermedad. La «palidez intensa» es realmente un signo de enfermedad, y las palabras «¿te sientes mal?» ayudan a crear el clima de falta de salud y al mismo tiempo indican la clase de mal que aquejará a Remedios, la bella: la locura, representada por esa «*palidez* intensa» que tiene mucho de común con el color blanco con que se alude, desde los tiempos bíblicos, a la locura. La blancura de la cara de Remedios, la bella, viene aumentada por la de las sábanas que estaba doblando. Pero —ojo— no son unas sábanas de batista de Holanda —lo más lógico dada la situación económica de la familia y las compras fastuosas de Fernanda—, sino que son sábanas de «bramante» que —siendo un tejido demasiado basto para la «fina» Fernanda— sirven de maravilla para representar al «*bramante*», cordel de cáñamo que se usa para *atar*. Así que Remedios, la bella, abandona su casa como si fuera una loca peligrosa: atada con las *sábanas de bramante,* que la avariciosa Fernanda reclamará insistentemente al manicomio. De haber subido al cielo, la reclamación es ilógica en una persona tan dada a ritos y tan versada en asuntos de Dios como es Fernanda. (En la reclamación de las sábanas hay una prueba más de que Remedios, la bella, no sube al cielo.) Después, Fernanda aún se sentirá «mordida por la envidia», tal es su cicatería, cuando el pueblo lamente la ausencia de quien tuvo que levitarse obligadamente.

Fernanda es culpable, pero —ojo— con el consentimiento de Ursula. No hay que olvidar que en un principio Ursula se preocupa de Remedios, la bella. De hecho le proporciona el primer pretendiente al aceptar al comandante como un habitante más y tampoco se opone a que Remedios, la bella, vaya a misa y conozca al caballero de la rosa amarilla. Tampoco se opone al carnaval, una ocasión propicia para encontrar marido, tal y como queda ejemplificado con Fernanda.

Pero la llegada de Fernanda todo lo trastueca: Remedios, la bella, es declarada boba y Fernanda lamenta que Remedios goce de *«una vida tan larga»* (p. 204). Llegado el momento, Úrsula no sabrá oponerse a que Remedios —bella de tanto oírselo decir a Gabriel García Márquez— sea sacrificada en una forma que recuerda en algún modo el fin de Ifigenia, a la que una falta de su padre la convierte en una pionera de la aviación, al ser trasladada a Crimea en una «levitación» similar —en motivación— a la de Remedios, la bella. (El diferente enjuiciamiento que existe entre el pueblo y los Buendía sobre la muerte de Remedios, la bella —los «forasteros» hablan sobre la verdad de lo sucedido, y el pueblo, aunque lo sabe, se calla— indica que entre el pueblo y los Buendía no hay demasiada amistad y comunión de ideas, porque el pueblo «calla» aunque no participa de la mesa de los Buendía, en tanto que los «forasteros», siempre gozando de la provista despensa de los Buendía, se atreven a hablar de la pelea de las reinas del enjambre. No se debe olvidar esta *separación* entre el pueblo y los Buendía para comprender el hecho final que cierra esta historia.)

Arrinconada Úrsula, sacrificada Remedios, la bella, y alejados los hijos, Fernanda —bisnieta de reina ¿de carnaval también?— reinará como reina y señora en una casa cuyos cimientos comienzan a ser atacados por las hormigas, que terminarán devorando al hijo de Aureliano Babilonia. (Es precisamente de labios de éste de quien el lector recibe el aviso esclarecedor: *«Todo se sabe»* (p. 316), «Todo se sabe» (p. 322). Sí. Ya *sabemos* quién es Rebeca y a quien ama, quién asesina a José Arcadio y por qué.)

Sabemos quién es Fernanda y cómo fue su infancia; cómo es de hermosa Remedios, la bella; de dónde saca el dinero Aureliano Segundo para sus parrandas; quién es Petra Cotes y que el aprendiz de Papa es hijo de cuatrero. Y también sabemos cuál es la suerte de la abeja reina que destrona a Remedios, la bella.

Más muestras de simpatía entre el narrador y Fernanda

Sí: *todo se sabe*. Basta leer con atención y desconfiar de un narrador lo suficientemente vil como para apoyar a Fernanda. Incluso podemos llegar a averiguar *quién es el narrador,* porque qué duda cabe que, si Gabriel García Márquez está en su sano juicio, no puede sentir simpatía por una mujer como Fernanda. Y lo cierto es que Fernanda está tratada con toda cortesía y moderación por el narrador. Incluso con cuidado afecto.

Véase que el —llamémosle— *encubrimiento* de Rebeca es más superficial, incluso burdo. En Rebeca lo que hay es SILENCIO. Apenas se habla de sus padres, de sus amores hacia el coronel, del asesinato de su marido. Y ese silencio es pesado, opresivo y lleno de presagios. Rebeca no es un personaje claro y diáfano, sino que está envuelta en una atmósfera donde la semilla de la sospecha jamás está ausente. Su entrada en escena con el saco de huesos de sus padres ya está advirtiendo al lector más torpe que esta hipérbole fantástica y esperpéntica está encubriendo otra lectura real y turbia.

En Fernanda es totalmente distinto. En lo que se narra sobre Fernanda hay MENTIRA y fantasía desbocada. Fernanda ha tejido palmas fúnebres desde que era pequeña y no ha recibido jamás una educación principesca. No está emparentada con la casa de Alba, ni puede firmar con casi una docena de apellidos peninsulares, sino que es hija ilegítima —tal vez incluso desconoce el nombre de su padre—. Jamás ha vivido en una casa señorial, sino que ha permanecido enterrada viva en un convento hasta que Aureliano Segundo ha ido a rescatarla.

De modo que *el narrador miente con todo descaro en favor de Fernanda.* No solamente eso, sino que *impide que Aureliano Segundo cuente la verdad.* Porque Aureliano Segundo tiene que saber forzosamente dónde ha vivido Fernanda y su ilegitimidad, ya que es su esposa. Pero nunca habla de ello, ni siquiera después de la muerte de Ursula. Ni siquiera en la época de las lluvias cuando Fernanda se pone tan correosa.

Así que la parcialidad del narrador hacia Fernanda es sospechosa en más de un sentido y con consecuencias de diversa índole. Además el narrador:

— actúa de forma distinta con Rebeca y con Fernanda, siendo ambas las dos únicas esposas legítimas de los Buendía, por lo que una igualdad equiparadora estaría más que justificada;
— se decanta a favor de la aborrecible Fernanda en lugar de tomar partido por la valiente Rebeca.

No estará de más empezar a apuntar que la FANTASÍA —y no la imaginación, puesto que ésta se somete a un orden inexorable— está sostenida exclusivamente por una cuidada estilística, que es perfecta, suma, endiviable, insuperable, y que sólo exige del lector una esmerada lectura.

Esta estilística, para analizarse, no requiere sino ir «reescribiendo» ciertos pasajes que aparecen henchidos de *fantasía*. Hablo de re-escribir en el sentido de *copiar* minuciosamente el texto pesando en un granatario de espuma y sueño cuanto de fantástico esté producido por conculcación de las normas gramaticales, lógicas e históricas que el propio García Márquez ha establecido para su mundo macondino.

EL PECULIAR TEMPERAMENTO DE REMEDIOS, LA BELLA

Releyendo a grandes rasgos las anécdotas que constituyen la vida de Remedios, la bella, se pueden sacar varias conclusiones.

Para ello, en primer lugar, voy a analizar detalladamente los primeros datos que aparecen cargados de una fructífera ambivalencia:

> *Remedios, la bella,* fue la única que permaneció *inmune a la peste del banano... cada vez más impermeable a los formalismos, más indiferente a la malicia y la suspicacia, feliz en su mundo propio de realidades simples. No entendía por qué las mujeres se complicaban la vida con corpiños y pollerines... se cosió un balandrán de cañamazo... y resolvía*

sin más trámites el problema del vestir... La molestaron tanto para que se cortara el cabello... y para que se hiciera moños con peinetas y trenzas con lazos colorados, *que... se rapó la cabeza... se chupaba los dedos después de comer con las manos...* le daba lo mismo comer en cualquier parte, y no a horas fijas... A veces se levantaba a almorzar a las tres de la madrugada... y pasaba varios meses con los horarios trastocados...

(p. 199 y ss.)

Todas esas arbitrariedades de Remedios bien pueden pertenecer a una mujer que lleve la dirección de una hacienda, y aceptarían una lectura, de talante tal, que no estaría demasiado alejada de la siguiente: Remedios, la bella.

— estará *inmune a la bananera* porque ella tiene su negocio personal y su mercado propio y no tiene por qué modificar su vida;

— es lógico que quiera *prescindir de corpiños y pollerines* que sólo estorban sus movimientos por cuadras y corrales;

— y terminará por *cortarse el cabello* para que dejen de molestarla con modas superfluas que no van con una mujer de negocios rurales;

— su buen apetito y el poco tiempo de que dispone harán que deje de lado las sofisticadas normas de urbanidad atrabiliaria importadas por Fernanda *y coma con las manos,* y luego *se chupe,* agradecida, *los dedos;*

— en épocas de traslado del ganado puede tener precisión de *levantarse a las tres de la madrugada* y cuando pasen los días del esfuerzo desmesurado es lógico que duerma todo el día para reponer el sueño perdido;

— las épocas de sequía, el marcar el ganado nuevo y demás ocupaciones, pueden propiciar que pase varios meses con los horarios trastocados.

Véase cómo las descripciones que aparecen a partir de la página 199, provistas de unas explicaciones que justifiquen el proceder de Remedios, la bella, son las que corresponderían a una gobernanta de un hotel de no más de 250 personas o de una

mujer que actuara de capataz de un rancho de mediana envergadura. De ahí que haya dicho que son datos ambivalentes.
Tanto pueden dar razón de una posible cretinez, como responder a las decisiones de una mujer que desarrolla un ingente
trabajo y para quien todo lo que no sea útil no ocupa más que
un lugar muy secundario en su ánimo, y para la cual todo
aquello que no sea trabajo productivo es puro formalismo de-
sechable. De quedar algún resquicio de duda sobre la sensatez
de Remedios, la bella, basta escuchar lo que ésta opina sobre
los hombres y el amor. Mientras Ursula aconseja a Remedios, la
bella, sobre las exigencias masculinas con enigmáticas afirmaciones (p. 203), ésta lo que busca es encontrar en el matrimonio
*«un sentimiento tan simple y primitivo como el amor, pero eso
fue lo único que no se le ocurrió a nadie»* (p. 203).

Remedios, la bella, fea pero riquísima

Si el amor no se le ocurrió a nadie es que la buscan por
otro interés: el dinero. De ahí «su irreparable destino de hembra perturbadora». «La belleza pura» heredada de su madre, no
es más que el afán de trabajo: su madre trabajó como sirvienta
en el «cuartel» de su hombre, Arcadio, durante un cierto tiempo, y luego entregó su vida entera al inacabable trabajo de ese
otro «cuartel» mucho más pesado que fue la casa de los Buendía
—sobre todo en la época del tren y la bananera—.

Repasemos lo que podemos saber de Remedios. Oigamos sus
conversaciones con Amaranta y veremos que no cree en fantasías sino en realidades: «Cuando el joven comandante de la
guardia le declaró su amor, lo rechazó sencillamente porque le
asombró su frivolidad. *'Fíjate qué simple es'*, le dijo a Amaranta. 'Dice que se está muriendo por mí como si yo fuera un
cólico miserere'. Cuando en efecto lo encontraron muerto junto
a su ventana, Remedios, la bella, confirmó su impresión inicial.
—Ya ven —comentó—. *Era completamente simple*» (p. 192).

Y yo pregunto, ¿más que simple no era un mentecato, un
insustancial? ¿Acaso no hay procedimientos realmente efectivos
para *demostrar* a una dama su amor aunque sea a costa de ro-

bárselo? Basta hojear desde el *Quijote* a cualquiera de nuestros románticos más exaltados para hallarse en posesión de un variopinto abanico de soluciones a cual más oportuna. Cualquier acción positiva es más plausible que la deletérea inactividad.

La imperturbabilidad de Remedios, la bella, frente a los halagos de los hombres (p. 204), los cuidados que le prodiga su madre y el uso negativo que hace de lecturas, escrituras y ambientes (p. 172) podría conducir al lector a extraer la precipitada conclusión de que Remedios, la bella, está afectada de cretinez profunda. Bueno. En este caso el único atractivo de Remedios, la bella, tendría que ser precisamente eso, la belleza. Pero la belleza de Remedios es una belleza «heredada» de su madre (p. 131). La «belleza heredada» no puede ser belleza corporal porque Santa Sofía de la Piedad, la madre de Remedios, la bella, *no es bella:* «Extendió la mano [Arcadio] y encontró otra mano con dos sortijas en un mismo dedo... sintió la nervatura de sus venas... la palma húmeda... tenía los senos inflados y ciegos con pezones de hombre, y el sexo pétreo y redondo como una nuez...» (p. 101). Esta es la descripción de la madre de Remedios, la bella, y, como puede verse, en toda su figura no hay nada atractivo; al contrario, se percibe un dejo despectivo a sus pocas gracias. Tanto es así que «Arcadio *la había visto muchas veces,* atendiendo la tiendecita de víveres de sus padres, *y nunca se había fijado en ella,* porque tenía la rara virtud de no existir por completo *sino en el momento oportuno*» (p. 102). De modo que Santa Sofía de la Piedad no tiene otro atractivo que el don de la oportunidad, es decir: la cualidad de ser útil. Así, pues, Santa Sofía de la Piedad es una mujer *sin gracia alguna pero oportuna e incansable ante el trabajo* —tal como quedará ampliamente de manifiesto en sus datos biográficos—.

Por lo tanto, lo que Remedios, la bella, hereda de su madre no puede ser la inexistente belleza corporal, sino esa otra «belleza»: la de ser útil, oportuna, trabajadora, silenciosa. Si Remedios resultase ser cretina y feucha, ¿qué impelería a los hombres a considerarla hermosa? Sólo podría ser el dinero que poseyera Remedios. Supongamos por un momento que Remedios, la bella, fuera cretina además de feucha —según hemos visto poco puede heredar de la *hermosura* de su madre—: ¿de dónde va a venirle a esa moza el sobrenombre de «la bella»? Si su físico no es hermoso, ¿qué resulta bello, hermoso, en Remedios? *El dinero,* evidentemente. Una mujer —cualquier mujer— declaradamente tonta, pero forrada de riquezas, de posesiones, de ganados, es para cualquier hombre —para todos ellos— una hermosa mujer (y cuando más tonta más bella, por aquello de que «ojos que no ven y juicio que no tiene poco estorbo pueden ser»; que no agrada al hombre casar con mujer que tenga dinero e inteligencia, porque aunque el primero engolosine, la segunda es el cordón de la bolsa y puede hacer peligrar la salida del oro). Así, pues, Remedios puede ser un adefesio —corrigiendo y aumentando el «dechado» físico heredado de su madre— con un I. Q. de 60 —tal y como las descripciones parecen dar a entender—, pero necesariamente tiene que ser rica, muy rica.

Ahora bien, ¿cómo y de dónde le viene a Remedios, la bella, ese dinero? No podemos ni suponerlo. De su abuelo no puede ser porque nunca tuvo nada y cuando quiso multiplicar el oro tuvo que recurrir a la dote de Úrsula. Su padre Arcadio, lo poco que tuvo lo dejó en herencia a Rebeca y José Arcadio, los abuelos de Remedios. Úrsula, aunque trabajadora, es algo tacaña con los demás y le costó mucho gastarse el dinero con las guerras de su hijo Aureliano, el preferido.

Si no podemos dar razón de un dinero heredado, pero podemos justificar el carácter trabajador de Remedios, la bella, no hay más remedio que inclinarse por esta última posibilidad. (Además, ¿no es harto sospechoso ese «apellido» *la bella* con que Gabriel García Márquez la nombra indefectiblemente? Si Remedios fuera realmente hermosa, quedaría de manifiesto sin esa molesta coletilla con que se hace seguir su nombre, que no es más que una definición en desacuerdo con los sucesos. Y si Gabriel García Márquez hubiera querido significar su belleza, el nombre de pila que hubiera debido corresponderle en suerte hubiera sido muy otro. La etimología y la historia literaria están llenas de ellos. En cambio, la hermana de Aureliano ha sido obsequiada por el autor con un nombre que recuerda el dicho de «es tan fea como un *remedio*».)

LAS BOBERÍAS DE REMEDIOS EN CLAVE METAFÓRICA

Veamos, pues, qué clase de belleza tiene realmente Remedios, la bella. Me he decidido por analizar su actitud trabajadora —semejante a la de su madre Santa Sofía de la Piedad—, pero ¿qué trabajo será ese que desempeñe Remedios, la bella? Está hábilmente disimulado y, sobre todo, insinuado en la cita de la página 172: «había que vigilarla para que no pintara animalitos en las paredes con una varita embadurnada de su propia caca». Esta expresión que significaría —caso de ser verdad— la regresión a una perversión infantil, no es más que una metáfora para indicarnos que Remedios pasa parte de su vida en los establos, entre la «caca» de los animales: caballos, conejos, gallinas, vacas, cerdos... La varita embadurnada bien puede corresponder a la pala con que Remedios desaloja el estiércol de los establos de sus animales [27].

Pasemos a otra ocupación de Remedios: «... se encerraba hasta dos horas completamente desnuda en el baño, matando alacranes mientras se despejaba del denso y prolongado sueño... Para ella, sin embargo, aquel rito solitario carecía de toda sensualidad, y era simplemente una manera de perder el tiempo» (p. 201). ¿Qué hecho real oculta esta situación metafórica? Con toda probabilidad puede estarse refiriendo a que Remedios ha hecho construir una enorme alberca o estanque artificial —re-

---

[27] La anécdota, tan clásica como Heracles, brinda una metáfora de tersa lectura. Únicamente el adjetivo «propia» referido a *caca* requiere un mínimo de equidad, adjudicando la olorosa materia no a Remedios, sino a los animales de ella. Es decir, que Remedios, la bella, únicamente hace ese penoso trabajo porque se trata de sus «propios» establos.

A fin de cuentas, si el *príncipe* (p. 171) puede aparecer revuelto en sus excrecencias sin que nadie lo tache de anormal mental, ¿por qué la reina Remedios no puede tener tratos con su propia mierda sin que ello desdore su inteligencia? ¿Acaso el lector ha olvidado que la *reina* Fernanda pasó todas las noches —desde su más tierna infancia— con la amistosa compañía de su propia mierda depositada en la —que resultó no ser— bacinilla de oro? Si bien se mira, Remedios, la bella, emplea la mierda en algo mucho más artístico que rebozarse en ella o tenerla de compañera de cama y sueño.

cuérdese que José Arcadio Segundo trabajó en el cauce del río, y que después la compañía bananera «desvió el cauce del río», lo que facilita la construcción de un lago artificial en las extensas tierras de los Buendía—, en el cual se dedica al cultivo y explotación de una factoría piscícola. (De este modo, la industria artesanal comenzada por Ursula con los *animalitos de caramelo,* se continúa con Remedios, la bella, con los verdaderos animales, *el ganado;* y la industria manual del coronel Aureliano y sus *pescaditos metafóricos* tiene su prolongación en el vivero de la alberca donde los *sábalos* reclaman la atención de Remedios, la bella.) De no existir esta alberca artificial para la cría de pescado, ¿puede saberse de dónde se surtirá Amaranta Ursula de la materia prima para su *«industria de collares de vértebras de pescados»* (p. 343). Recuérdese que cuando ese episodio tenga lugar, Amaranta Ursula y su sobrino se habrán gastado hasta el último céntimo que tenían de Gastón. Es impensable que nadie les facilite la materia prima puesto que el pueblo se les muestra extraño hasta el extremo de que nadie compra nada a Amaranta Ursula a excepción de Mercedes —la silenciosa novia del autor—, que le adquiere una docena de collares confeccionados con vértebras de pescado.

Repasemos ahora lo que piensa Fernanda de su cuñada: *«Fernanda no hizo siquiera la tentativa de comprenderla...* cuando la vio comiendo con las manos, incapaz de dar una respuesta que no fuera un prodigio de simplicidad; *lo único que lamentó fue que los bobos de la familia tuvieran una vida tan larga»* (p. 204). Véase que Remedios, la bella, es acusada por Fernada de comer «con las manos» y que eso puede ser una simple frase con la que embaucar al lector, ya que, de hecho, toda persona normal come con las manos e incluso con los dedos, y solamente sustituye a éstos por cubiertos frente a determinados manjares, pero otros siguen siendo privativos de las manos o los dedos. (Por un momento puedo imaginarme un anuncio de circo pueblerino: «Pasen señoras y señores, y verán a una mujer que no come con las manos.» Yo, de inmediato, pensaría que lo hace con los pies y pagaría mi entrada para contemplar esa supuesta prueba de habilidad. Sería justo quedar chasqueada con una demostración de preciosismo cuberteril porque si uno no come con las manos ¿con qué puntillas va a comer?)

No debe echarse en saco roto el hecho de que el juicio peyorativo emitido por Fernanda es simultáneo al inicio de la vida en común. Ya desde ese primer encuentro, Fernanda lamenta la *vida larga de Remedios*. De ese sentimiento a procurar deshacerse de ella no media más que el procedimiento para conseguirlo.

Se me podría reprochar que hago tabla rasa de la opinión de Fernanda que la tilda de «boba», y que en el análisis estoy llevando el agua a mi molino. Podría ser cierto, pero aun así no soy la única en inclinarme ante la cordura de Remedios, la bella, despreciando el enjuiciamiento de Fernanda. Creo que será muy oportuno oír lo que opina el coronel Aureliano sobre su sobrina-nieta (estoy tomando en cuenta el criterio de un militar que ya está de vuelta de todas sus veleidades políticas y que camina con los pies en el suelo de su taller, en donde el círculo de pescaditos fundidos y vueltos a elaborar le da la exacta medida de lo real):

> El coronel Aureliano Buendía seguía creyendo y repitiendo que *Remedios, la bella, era en realidad el ser más lúcido que había conocido jamás*, y que lo demostraba en cada momento con *su asombrosa habilidad para burlarse de todos*.
>
> (p. 204)

Véase que el coronel hace responsable de la cordura de Remedios, la bella, a su capacidad y «asombrosa habilidad para burlarse de todos». Dado que Gabriel García Márquez demuestra su lucidez de escritor privilegiado dirigiendo sus continuas burlas y enredos contra el lector incauto, qué duda cabe que Remedios presenta un grado de lucidez idéntica al «nobeleado» escritor (quien una vez más ha conseguido dejar al lector con un palmo de narices, y lo volverá a lograr con la inaudita maldición de engendrar hijos con colita de cerdo que analizaré en el próximo capítulo).

Cualquier otra justificación que el coronel hubiera dado sobre la cordura de Remedios, la bella, podría haberse tachado de vana o hueca, pero que precisamente diga que es *lúcida* porque se «burla de todo» mientras se finge zonza es algo que debe convencer al lector menos experimentado del autor colombiano.

Si reconocemos la lucidez de Remedios, la bella, no estará de más que consideremos la posición del narrador —quienquiera que sea a cuyo cargo estén las descripciones de Remedios—, ya que mientras manipula cuidadosamente el relato sobre Fernanda, haciéndola aparecer por encima de su pobre realidad, aquí arrima el ascua a su sardina al presentarnos las acciones de Remedios envueltas en una ambigüedad total, mientras deja hablar ex-cátedra a Ursula y a Fernanda —que son la sartén y el cazo en lo que a sinceridad sobre «la bella» se refiere—, lo cual les sirve para exculparse de la cruel injusticia cometida contra la auténtica «reina» de la colmena de los Buendía.

Así, pues, la esquilmada es Remedios, la bella, que tal vez no poseyera mucha hermosura, pero que de tonta y anormal tampoco tenía un pelo, a excepción de unas «anormales» ganas de trabajar heredadas de su madre Santa Sofía de la Piedad.

A CADA PERSONAJE,
UN LUGAR EN EL ESCENARIO

GABRIEL GARCÍA MÁRQUEZ, PREMIO NOBEL AL ENREDO
Y AL ENGAÑO

SI EL PRIMER capítulo se inicia con un relato en el que no
se sabe qué es más maravilloso, si la alfombra voladora o la fantástica familia de los Buendía que descubre la redondez de la
Tierra y el brillante más grande del mundo, y el lector se enfrenta con la cruel realidad de un fusilamiento —en una triviali-
zación acendrada digna del mejor Borges—, el segundo capítulo
tiende una zancadilla que hace caer al lector en una trampa de
la que no se recobra sino cien páginas después de la estruendosa
muerte de Aureliano Babilonia. Observemos cuidadosamente su
montaje.

En la página 35 he expuesto el árbol genealógico de los
Buendía —que se corresponde con los varios que algunas ediciones conscientes han incluido para evitar la desorientación
del lector—; pues bien, ese cuadro, comparado con la narración
que abre el segundo capítulo y que se regodea en explicarnos la
tragedia de la «bisabuela de Úrsula» y los «trescientos años» que
median entre ésta y Úrsula —más varias lindeces del mismo
jaez—, es más falso que un personaje literario escocés, dadivoso
y abstemio.

Si se organizan cuidadosamente los datos contenidos en el
fragmento limitado entre «Cuando el pirata Francis Drake asal-
tó Riohacha» y «Eran primos entre sí», lo que aparece es el
siguiente resumen:

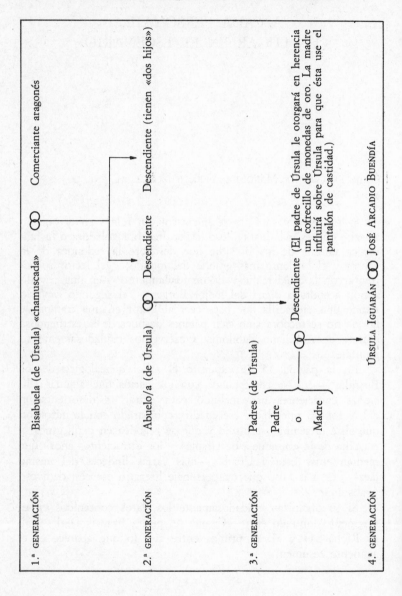

La maldición de engendrar un hijo-cerdito es una tomadura de pelo

Según la conclusión anterior hay que preguntarse: ¿cómo puede ser que siendo Ursula *la bisnieta* deba cargar con la herencia de la culpa cometida por la «tataranieta» del aragonés? (p. 24). Este supuesto es lo mismo que si yo afirmara que el varón engendrado por mí con un labio leporino proviene de la herencia alcohólica que mi propia hija ha iniciado por culpa del borrachín de su marido. Delirante, ¿no? Pero inteligentísimo este mendelianismo al revés, ¿no es cierto? Con él, Gabriel García Márquez ha entregado al lector un presupuesto que no se cumple y una afirmación falsa que dotan al relato, desde su inicio, de una nota mágico-fantástica pero con todas las apariencias de una realidad científicamente inexcusable. Gracias a esta zancadilla, el autor se divierte —qué duda cabe— y al mismo tiempo escribe dos libros: uno donde no hay maldición y el otro donde la magia plumífera del colombiano insigne campa por sus respetos.

Lo que el texto de la página 25 explicita claramente es que existe una maldición de engendrar iguanas, debida a la unión que se inició en *la quinta* generación del aragonés y que luego se fue reafirmando en «los cabos de dos razas *secularmente* entrecruzadas», y Ursula pertenece a *la cuarta* generación del comerciante aragonés. Por lo tanto, el delito de la tara sanguínea y la maldición de engendrar iguanas o semichanchitos no tiene más vigencia que la más refinada de las calendas griegas, ya que *el efecto está precediendo a la causa.*

Así, pues, no solamente *es inexistente la maldición* por la causa de los lazos consanguíneos, sino que aparece plenamente INJUSTIFICADO el uso del pantalón de castidad de Ursula, ya que no habrá incesto entre los Buendía hasta Amaranta Ursula y Aureliano Babilonia. (Astuto el autor colombiano, ¿no? Ha soltado la liebre de la «maldición» y el lector se recorre sin aliento los varios centenares de páginas buscando la dichosa criatura zoomorfa que sólo existe en la mente del narrador [28], no parando mientes en el jugoso papel que desempeña Ursula —detallado en páginas anteriores— ni en las esencias del pueblo como tal en el devenir de los acontecimientos de los Buendía.)

En el supuesto de que hubiera habido matrimonios consanguíneos castigados con engendrar iguanas, NUNCA puede ser una cola de cerdo «precedente» de una iguana porque ambos animales están demasiado distantes en la taxonomía zoológica. A pesar de ello no son pocos los críticos que toman como punto de arranque para su comentario el pronóstico de que «el matrimonio engendrará hijos con cola de cerdo». Esta «cola de cerdo» en el mejor de los casos no es sino una *contaminación* —al margen de la lógica y la semántica— alejada de la verdadera amenaza. Este juego de manos, que sustituye la iguana —demasiado próxima al ridiculizado «caimán que se va para Barranquilla»— por el casero cerdito, subordina la clave de la novela a espiar cada nuevo alumbramiento obviando que el matrimonio NO tiene parentesco consanguíneo.

EL PRIMO DE LA COLITA DE CERDO ERA EL CRESO DEL LUGAR

Lo que acabo de explicar no zanja definitivamente la cuestión de los parentescos entre Ursula y José Arcadio Buendía, ni tampoco las conclusiones que de ello se pueden extraer.

Ahora paso a revisar los párrafos de la página 25 —«Ya existía un precedente tremendo... con una hachuela de destazar»— y en la 289 —«Cuando entraba en el dormitorio... sino en un velorio»— en los que se hallan más datos sobre los antepasados de los protagonistas. Uniendo ambas informaciones se puede componer el siguiente resumen genealógico:

---

[28] La tradición tiene su solera. No hay más que acordarse del Cura y del Barbero y el lío que le organizan al cándido manchego con el encantador Mutañón-Frentón-Fritón. Para que la analogía no sea completa, en *Cien años de soledad* al lector no se le entera de que es una fantasía lo que alguien por delegación de García Márquez está narrando en 24 y 25.

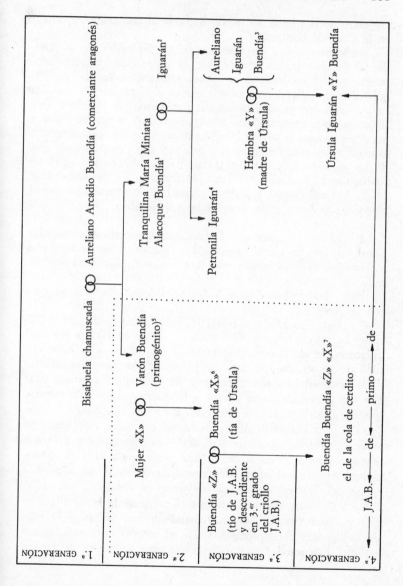

(El texto de la página 25 queda limitado al contenido encerrado en la línea de puntos.)

Según esta nueva distribución de los miembros de la familia parece que podría ser posible el parentesco consanguíneo, puesto que el comerciante aragonés también se llama Buendía, igual que el cultivador de tabaco que es el bisabuelo de José Arcadio. Pero, ojo, porque de existir parentesco consanguíneo éste tiene que estar asentado en *presupuestos totalmente distintos* a los explicados en la página 24. Para llegar a alguna conclusión voy a analizar las características con que nos son descritas cada una de las personas que forman la familia. La economía —que no barroquismo de Gabriel García Márquez— en la descripción es de un preciosismo inaudito. (Abordaré los personajes según el orden de numeración que les he adjudicado.)

1. El texto explica que la bisabuela chamuscada «tenía dos hijos» (p. 24). El plural engloba dos varones, o un varón y una mujer (dos mujeres requerirían unas «hijas»). Como el antepasado de Ursula es la abuela, el otro hijo tiene que ser varón. La niña, Tranquilina María Miniata Alacoque *Buendía* se casa con un Iguarán.

2. Este Iguarán —marido de Tranquilina, padre de Aureliano Iguarán y abuelo de Ursula— es un individuo sin más oficio que el de dar el braguetazo. Y es debido a la nula fortuna de su marido que la abuela Tranquilina lleva una penosa vida de casada. Es tan estrecha y limitada que tiene que usar el sillón de tullida de su madre —la chamuscada— y abanicarse con un abanico tan viejo que sólo conserva una pluma.

3. El matrimonio tiene dos hijos: El varón, Aureliano, no tiene más oficio que el de arribista —con pocas luces y menos maña— porque después de dedicar toda «una vida de privaciones» (p. 10) al oficio de curandero de vacas no alcanza a reunir más que un «cofrecito» de piezas de oro (p. 27).

4. La niña, Petronila, refleja la pobreza de la familia porque va bien vestida, solamente, cuando hay visitas y la casa de sus padres es tan pequeña que el amplio miriñaque es un estorbo. Estos son los paupérrimos padres y abuelos de Ursula

que descienden del rico comerciante aragonés. Veamos, en cambio, qué pasa con el primogénito del comerciante:

5. El rico heredero se casa y tiene una hija, que será tía de Ursula.

6. Esta tía, llegado el día, contrae matrimonio con un tío de José Arcadio. Este tío —Buendía «Z»— no puede ser otro que el hermano mayor de José Arcadio Buendía. Lo afirmo apoyándome en dos razones: su hijo tiene cuarenta y dos años (página 25) cuando Ursula y José Arcadio aún no se han casado. También tiene que ser el hermano mayor porque hereda la fortuna del cultivador de tabaco, mientras que José Arcadio Buendía —hijo del segundón del estanciero— recibe una herencia menor que la que aporta Ursula al matrimonio: los gallos de pelea. De esta forma, el matrimonio de los tíos une las dos fortunas y el hijo que engendrarán reúne las condiciones necesarias y suficientes para convertirse en el cacique del pueblo. Y ser un cacique carente del carisma del poder, estando rodeado de parientes pobres y enemigos acérrimos, es más peligroso que nacer con cola de cerdo.

De hecho «cola de cerdo» es una expresión en clave que para los Buendía tiene el valor de muerte. Por ejemplo, cuando Ursula amenaza con matar a su hijo el coronel si éste no salva a Gerineldo —«sé que fusilarás a Gerineldo... tan pronto como vea el cadáver... te he de sacar de donde te metas y *te mataré* con mis propias manos» (p. 148)— apoya su juramento con esta sanción: «es lo mismo que habría hecho si hubieras nacido con cola de puerco». Ursula en ese momento crucial —*in terror veritas*— olvida todas las perífrasis metafóricas que había empleado para arropar el *pecado original* de su estirpe e identifica «cola de cerdo» con un ajusticiamiento de *vendetta*. Ante la impotencia de su voluntad Ursula confirma que la «cola» es un estigma de muerte. Más aún es la *justificación* de la muerte que recibirá Aureliano.

(La cita de la página 289 aclara, sin lugar a dudas, que los protagonistas de *Cien años de soledad* son, casi, pobres de solemnidad —además de no ser apreciados por sus compueblerinos—, motivo más que suficiente para emigrar hacia Macondo.)

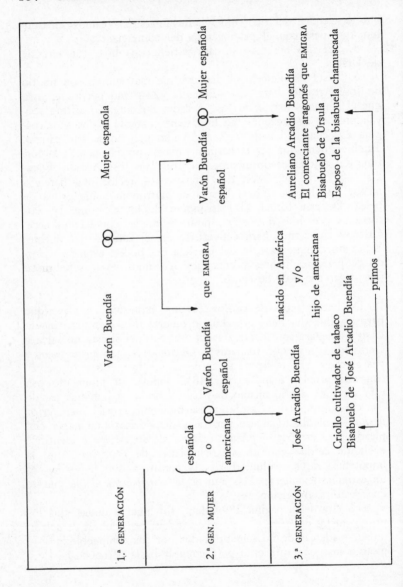

No hay parentesco entre los «Buendía» de la familia de Úrsula y los «Buendía» de la familia de José Arcadio

Falta ahora por dilucidar si los Buendía que descienden de la bisabuela chamuscada y el comerciante aragonés —Aureliano Arcadio *Buendía*— son parientes de los herederos del criollo cultivador de tabaco —don José Arcadio *Buendía*—, con lo que el «Buendía-Buendía-colita-de-cerdo» marcado con el número 7 llevaría en sí la tara consanguínea. (Repito: pero nunca por los motivos que se dan al inicio del segundo capítulo, sino por parentescos que tendrían que retrotraerse a sus antepasados peninsulares, porque aunque fuera cierto el parentesco de los tíos y no hubiera metáfora en la cola del hijo que ambos procrean, seguiría siendo una falacia la causa que motivaría el que Úrsula estuviera predestinada a tener hijos-chanchitos. El razonamiento que se da para la tara consanguínea en la página 24 tiene menos consistencia que la peluca de Repuncel.)

Caso de ser parientes, como uno de ellos es criollo y el otro aragonés, tendrían que provenir de un tronco común iniciado en la península y que respondería al cuadro de la página anterior.

Si este supuesto parentesco se cumpliera, sería cierto que el matrimonio del tío de José Arcadio y la tía de Úrsula llevaría una mezcla sanguínea de primos en tercer grado. Pero aún entonces —siguiendo la letra de la maldición— deberían procrear un hijo con cola de iguana y no con cola de cerdo. No cabe pasar por alto que la sustitución de un animal por otro es incoherente en grado sumo, ya que la metáfora que encierran ambos animales es diametralmente opuesta. El lagarto o iguana es un animal sagrado o mágico porque es un reptil. La totalidad de religiones así lo reconoce, y no hace falta ahondar demasiado en la cultura Chavín para encontrar pruebas fehacientes de ello [29]. En cambio, el cerdo es algo rastrero, sucio y vil, cuya

---

[29] En realidad el engendrar un hijo iguana es una metáfora indicadora que señala al personaje, sobre quien recae la asimilación animal, como un individuo que gozará de poderes deíficos —una especie de delfinato—, con

finalidad es servir de alimento al hombre, y es de los poquísimos animales de los que se aprovecha todo en la cocina.

Para que el criollo cultivador de tabaco y el comerciante aragonés sean primos hay que obviar grandes anomalías del relato. En primer lugar está el hecho de que una misma familia emigrada en sucesivas generaciones carezca por completo de esa cohesión de alto voltaje que la realidad confirma constantemente. El hecho de que un primo esté en Riohacha y el otro en una ranchería del interior es claro exponente de la ausencia de lazos familiares. Si Aureliano Arcadio fuera primo de José Arcadio, no tendría que recurrir al dolo y la falsedad para echar los cimientos de su fortuna personal. La afirmación de que Aureliano Arcadio allega sus riquezas por procedimientos ilegales está fundada en los recuerdos de Úrsula: «cuando entraba en el dormitorio, encontraba... a su bisabuelo Aureliano Arcadio Buendía con *su falso dormán de las guardias imperiales*» (página 289). Como quiera que no se puede ser guardia virreinal y comerciante al mismo tiempo, y que las leyes y costumbres impedían a los segundos vestir la librea virreinal, no hay sino concluir que el comercio del bisabuelo aragonés estuvo fundado en artes picarescas realizadas tras el biombo del falso dolmán preconizador de un inexistente cargo virreinal.

En segundo lugar está el apellido. No se llama ni Pérez, ni López, ni González, ni apellido alguno español de los que están repletas la Historia y las guías telefónicas. Siendo Buendía un apelativo español inexistente en esta lengua, es claro que estamos delante de un apodo proveniente de la locución «un buen día» (DRAE) o del saludo «buenos días» (DRAE). Este último en la mayor parte de los países americanos de habla hispánica se emplea en forma singular: «buen día». Siendo apodo es despectivo y, como tal, aplicable a todos aquellos que hagan méritos suficientes como para que se les otorgue, independientemente de los lazos familiares que les adornen. En nuestro caso, y tratándose de dos emigrantes que no tienen más fortuna que la palabra oportuna y el saludo siempre presto para captar la

---

lo que la maldición deja de ser tal para convertirse en promesa y bendición de luengos bienes futuros.

simpatía, «buendía» sería sinónimo de *advenedizo sin fortuna*. Ese y no otro es el parentesco que une a los antepasados de Ursula y José Arcadio. (Vendrían a ser la analogía americana del «menegilda» usado en las capitales españolas a principios de siglo.)

DRAKE NO PUEDE APARECER EN LA NOVELA MIENTRAS RIJAN LAS MATEMÁTICAS TRADICIONALES

Analizada la teorización de la bisabuela-tataranieta-incesto-maldición, pasemos al estudio de esos «trescientos años de casualidades» que se supone han transcurrido desde el tiempo de la bisabuela asustada por Drake hasta Ursula. Aunque todas las hembras de la familia Iguarán se asemejaran a las Anas y Saras bíblicas, *es imposible absorber esos trescientos años entre cuatro generaciones*.

Los «trescientos años» no son una cifra lanzada al azar, sino un dato con ciertas notas de certeza con el que se intenta conceder carta de legalidad al embuste de engendrar iguanas, ya que entre Drake y Ursula sí que median tres siglos. He aquí el cómputo: el Coronel aún no ha cumplido medio siglo (p. 211) cuando el ir al cine es un hecho cotidiano (página 225). Esta circunstancia la sitúo, año más año menos, hacia 1925, dado que Macondo es solamente un pueblo del Cono Sur Americano. Si hacia 1925 Aureliano es un adulto de cuarenta y muchos —«aún no cumplía cincuenta años»—, Ursula sería recién casada hacia mil ochocientos setenta y pocos, que es cuando maldice y nombra los trescientos años por causa de las locuras de su marido. Entre Drake (1573) y Ursula (1870 ±) hay tres siglos *grosso modo*.

Así, pues, ni siquiera hay relación entre la chamuscada bisabuela y el inglesote Drake, ya que si no hay trescientos años entre Ursula y su bisabuela, quien queda desconectada del hecho histórico con el que se le relaciona es la bisabuela, ya que en el relato tenemos demasiadas pruebas de que Ursula y su hijo el Coronel Aureliano viven cuando el cinematógrafo forma parte importante de la vida de Meme y su familia.

Ahora bien, si no hay Drake, yo debería explicar satisfactoriamente la aparición de las posaderas quemadas de la esposa del comerciante aragonés, ¿no es cierto? Pues nada más fácil:

LA PISTA DEL NALGAMEN SOCARRADO

Como primera providencia hay que examinar la incoherencia narrativa que mantiene la trama de la anécdota. Por un lado afirma que la bisabuela se asusta con el toque de rebato y el estampido de los cañones. Como consecuencia del aturdimiento, se chamusca el lugar donde la espalda pierde su púdico nombre (p. 24). Acto seguido, se informa al lector de las más que frecuentes pesadillas de la esposa del aragonés. Aunque, oh caprichos de la fantasía, la bisabuela no sueña con campanadas de rebato, cañones vomitando fuego o barcos con bandera pirata. No, nada de eso. Sus pesadillas —incomprensiblemente— abundan en hombres feroces acompañados de perros de asalto, y vergonzosos tormentos —en las nalgas— con hierros al rojo vivo. No hace falta ser Freud disfrazado de Sherlock Holmes para percatarse de que aquí estamos —como en el caso de Remedios, la bella— ante dos versiones distintas para un mismo acontecimiento. La explicación que tiene menos visos de verosimilitud es la de la participación de Drake, y por lo tanto hay que descartar los cañones estrepitosos, borrar las campanas estruendosas, eliminar el fogón chamuscador [30] y tratar de arre-

---

[30] ¿Ha reparado el lector lo difícil que es sentarse en un fogón? Si se trata de un fogón campesino, ubicado en el hogar, es realmente laborioso sentarse en él: hay que ponerse en cuclillas, dar la espalda al fuego y después, retrocediendo y agachando la cabeza, alcanzar a situar los glúteos sobre el fogón. (Chamuscarse parte de un vestido muy amplio con un *fuego de chimenea rústico* es algo menos aparatoso y hasta posible, si se trata de una dama embobada ante la versión original de su artista cinematográfico favorito.) Pero aquí se habla de un «fogón» —lo que implica una localización sumamente puntual y reducida—, por lo que el error de la bisabuela viene a significar haber confundido su trasero con una olla. Si el fogón estuviera situado a la altura de una mesa, ¿es posible imaginarse a la bisabuela haciendo esfuerzos para ganar de un salto de nalgas los ochenta largos centímetros a que debería estar colocado el fuego? Es una escena demasia-

glarse con los datos que quedan. Por un lado está un comerciante aragonés con largos y abundantes caudales conquistados bajo el engaño del disfraz de guardia virreinal, luego está la esposa que soporta el asalto de unos hombres acompañados de perros feroces que la someten a *vergonzosos* tormentos con hierros al rojo vivo. Pensemos un poco: si las personas estafadas por el marido hubieran querido tomarse venganza en la esposa o hacerle «cantar» el escondite del dinero, ¿no hubieran asaltado la casa por el lugar menos protegido —una ventana— y hubiesen tratado de asustar a la esposa del comerciante con tenazas al rojo vivo aplicadas en un lugar tal que ni ella ni su marido se atreverían a enseñárselo a ningún juez? El recurso es tan elemental, da tanta confianza al asaltante —sabe que ni el comerciante se atreverá a reconocer el ataque a su esposa, que sería tanto como hacer públicas sus estafas, ni la esposa se atreverá a presentar un *habeas corpus* tal que pueda cambiar el apellido de su familia (¿qué tal los «nalga-quemada» en lugar de «buendía»?) y servir de irrisión, después de haber dado pábulo a un sinfín de posibilidades entre ella y los fantasmales asaltantes que nunca aparecerían—, y es tan terca la bisabuela, que la conjunción del hierro candente con las nalgas indefensas se realiza sin remedio. Esta explicación es tan buena como cualquier otra que se le ocurra al lector —siempre que dé razón de todos los elementos que concurren en la escena después de haber desechado los que la lógica del relato rechaza—. En cualquier caso queda demostrado que Gabriel García Márquez no puede hacer resucitar al pirata inglés para justificar una bisabuela con perfume de bistec recién cocinado. Un error de este calibre no le sería perdonado ni por el más devoto de todos sus lectores.

ÚRSULA, NARRADORA DE LA PRIMERA PARTE DE «CIEN AÑOS DE SOLEDAD»

Si no es posible contabilizar como error inadvertido la presencia de Drake, éste debe aparecer con alguna finalidad. ¿Cuál?

---

do divertida para que, siendo viable, no la hayan explotado ninguno de los varios genios que ha tenido el celuloide.

Pues justificar un hecho vergonzoso y deplorable. (Así, lo que en Remedios, la bella, se tilda de levitación, aquí es asimilado a la histórica enemistad cerval entre España e Inglaterra.) Puesto que son los antepasados de Ursula quienes salen beneficiados con la «presencia» de Drake, qué duda cabe que la embrolladora que todo lo ha embrollado es Ursula, la matriarca, capaz de echar a su hijo de casa, de descuidar la salud precaria del marido, de chaquetear políticamente, de inventarse un pasado heroico y de todo lo que sea necesario para que la colmena siga disfrutando de vientos favorables.

Si Ursula puede inventar la fábula de la bisabuela socarrada, hay que concluir que ella es la narradora de la primera parte de la historia. De la misma forma que Fernanda nos habla de sus regios antepasados, de su elección como la mujer más hermosa entre cinco mil beldades y de tantas grandezas huecas, Ursula es quien se calla que su marido no es sino un chico de recados, que sólo supo fundar Macondo en la ruta de los gitanos. Es ella la que nos da gato por liebre en el asunto de la obtención de la piedra filosofal y la que eleva a jerarquía de heroína nacional a una pobre mujeruca que pagó en sus nalgas las estafas de su «espabiladillo» marido.

MELQUÍADES, UN FANTOCHE ESTILÍSTICO

Habiendo llegado a la conclusión de que Ursula es la narradora de la primera parte de *Cien años de soledad* —más o menos hasta que Fernanda toma el relevo al frente de la casa de los Buendía—, y le cabe a Fernanda la tarea de contar al lector la segunda parte de la historia —desde sus monárquicos antepasados en un país republicano y su hermosura contrastada con cinco mil ídem, pasando por la levitación de Remedios, la bella, y la metafórica Petra Cotes— hay que preguntarse qué Pascua en Cuaresma hace ese Melquíades con sus dichosos manuscritos de un lado para otro, puesto que las narradoras son las matriarcas. (Hecho lógico éste a todas luces, porque todo dictador, para serlo real y efectivamente, debe tener al cuarto poder bajo su dominio. Si el matriarcado que he detectado y expuesto no estuviera refrendado con la posesión del rôle del narrador, sólo sería un matriarcado aparente y sin efectividad auténtica. En cambio, si al dominio de la casa, del pueblo, de sus habitantes, de la familia, y al mangoneo de la política se le añade el de poder dar «su» versión de cuantos hechos sucedan, *eso sí es* tener el chupa-chups por el palito.)

Si de los dos oficios de Melquíades —hacer de «canguro» de José Arcadio Buendía y escribir los manuscritos proféticos— el que reviste más importancia es el segundo —tanto en cuanto al relato como en contenido argumental— y acaba de ser relevado del prepotente sillón del narrador por ambas matriarcas, habrá que empezar a pensar en otra jugarreta del escritor colombiano. Si Gabriel García Márquez ha hecho juegos malabares con los doblones de oro colonial, con el cinturón de castidad, con el origen de Rebeca y Fernanda, con las anécdotas de los antepasados de Úrsula, con la maldición por consanguinidad y con tantas otras que he pasado por alto, ¿por qué no pensar que estamos ante otro espantapájaros del Nobel colombiano? ¿No podría ser que Melquíades participara de la misma constitución estilística que Petra Cotes? (Con ello habría jugado una mala pasada a todos aquellos que facilonamente han querido comparar a Melquíades con Morelli —lo cual no deja de ser una pseudo acusación de plagio por falta de imaginación—.)

La evidencia del insustancial lugar que Melquíades ocupa en el relato está confirmada con un buen número de pruebas. Helas aquí [31]:

En primer lugar están las repetidas y aparatosas muertes del gitano. La *primera muerte* se nos anuncia en cuatro ocasiones: «Melquíades *murió*» (p. 22), «Melquíades *había sucumbido a las fiebres* en los médanos de Singapur, y *su cuerpo había sido arrojado en el lugar más profundo del mar de Java*» (p. 22), «el cuerpo de Melquíades *abandonado al apetito de los calamares*» (p. 23), «la tribu de Melquíades... *había sido borrada de la faz*

---

[31] Además de los razonamientos que expondré a continuación, volveré a tratar de la imposibilidad intrínseca de que Melquíades sea el narrador al estudiar la última escena de la novela en la que Aureliano Babilonia descifra —por primera y única vez— el contenido de los manuscritos.

de la tierra» (p. 40). El día de la *segunda* muerte de Melquíades se recuerda la enfermedad que lo mató en la primera muerte: «he *muerto de fiebre en* los médanos de *Singapur*» (p. 69). Cuando Melquíades resucita —por primera vez— se confirma la autenticidad de su muerte: «el gitano iba dispuesto a quedarse en el pueblo. Había *estado en la muerte* en efecto, pero había regresado porque no pudo soportar la soledad» (p. 49) [32]. Finalmente, cuando Melquíades aparece por última vez en la obra, recuerda dónde y cómo murió la *primera* vez: «la última vez que Aureliano lo sintió era apenas una presencia invisible que murmuraba: 'He *muerto de fiebre en los médanos de Singapur*.'»

Recapitulando tenemos: una muerte que se anuncia cuatro veces por personas ajenas al muerto. El propio cadáver renueva el aviso de su muerte en tres ocasiones: en la primera resurrección, en la segunda muerte y en el mutis final.

Añádase a esto que, cuando en la página 40 se advierte que la tribu de Melquíades «había sido borrada de la faz de la tierra», la causa del castigo es semejante a la que le valió a Sísifo ser condenado a perpetuidad: el exceso de astucia o sabiduría (p. 40):

> La tribu de Melquíades... había sido borrada de la faz de la tierra *por haber sobrepasado los límites del conocimiento humano.*

Más tarde se nos aclaran totalmente las condiciones en que Melquíades resucita (p. 49):

> Repudiado por su tribu, *desprovisto de toda facultad sobrenatural* como castigo por su fidelidad a la vida, decidió refugiarse en aquel rincón del mundo todavía no descubierto por la muerte, dedicado a la explotación de un laboratorio de daguerrotipia.

---

[32] Sobre la resurrección y el motivo del regreso, *la soledad* —«había regresado porque no pudo soportar la *soledad*»—, no estaría de más pensar que si Melquíades estaba, o estuvo en vida, condenado a la soledad, *no puede resucitar* porque las «estirpes *condenadas a... soledad no tienen una segunda oportunidad* sobre la tierra» (p. 351). En el caso de que Melquíades pueda regresar de la *soledad,* cae de su propia base el castigo que sufren los Buendía y no hay novela.

Si Melquíades está *desprovisto de toda facultad sobrenatural,* a cambio y en castigo de su fidelidad a la vida, es imposible que pueda curar la plaga del insomnio a los macondinos por el procedimiento sobrenatural de la «sustancia apacible» —elemento fantástico de los libros de caballerías y de alguna que otra novela partoril—. En realidad, Melquíades no tiene ningún insomnio que curar, ya que la plaga se supone traída por la pequeña Rebeca de once años, y Rebeca llega a Macondo mucho más tarde: justo para contraer nupcias con el primogénito de Ursula y José Arcadio. (Por lo que la plaga del insomnio es una metáfora que explicita la febril actividad a que se entrega el pueblo en su época fundacional, la más próspera y fecunda.)

Si Melquíades llega a Macondo *desprovisto de toda facultad sobrenatural,* tampoco puede escribir las profecías, privilegio totalmente sobrenatural.

De toda esta suma de elementos hay que concluir que no puede haber resurrección de Melquíades, porque su misión como tal resucitado es curar una plaga inexistente mediante procedimientos que no están a su alcance por voluntad de los dioses. La segunda parte de esa cura del olvido es la inscripción en los pergaminos del «recuerdo» del futuro, y ambas acciones le están prohibidas a Melquíades porque se aferró a la vida natural despreciando la sobrenatural.

Si el motivo —*la causa*— *de la resurrección:* la cura de la plaga del insomnio *no existe,* y la predicción del futuro *no sirve para nada* porque Babilonia la descifra simultáneamente a su cumplimiento, y además —aunque existiera el motivo— Melquíades no tiene facultades para nada sobrenatural, la resurrección, en buena lógica argumental, no puede tener lugar. Por tanto MELQUÍADES NO RESUCITA.

¿Qué pinta entonces el sofisticado gitano? ¿Es un rôle de recurso literario semejante al Morelli de Rayuela?

No llega ni a eso. Es una metáfora personificada de la misma categoría que Petra Cotes.

PRUDENCIO AGUILAR ES UNA FABULACIÓN DEL NARRADOR-URSULA [33]

Si Melquíades no *resucita,* no puede morir por *segunda vez.* Si Melquíades no muere por *segunda vez,* Prudencio Aguilar tampoco puede resucitar por segunda vez. Porque si Aguilar encuentra el camino de Macondo, es porque se sirve de las señas que le proporciona Melquíades *después de la segunda muerte.*

Si Prudencio Aguilar no resucita por segunda vez ¿por qué va a resucitar la primera? Al contrario: es lógico que no resucite por primera vez porque su similitud con Melquíades le hace correr la misma suerte.

De hecho, la analogía entre ambos personajes no es paralela, sino que ambos forman un solo ser desdoblado en dos facetas. Ambos forman una sola hipérbole o símbolo ininterrumpido: Prudencio es el lazo de unión con la prehistoria de Macondo; Melquíades salva la historia de Macondo y pronostica el futuro. Por esa razón NUNCA se encuentran juntos Melquíades y Aguilar.

Aguilar, pues, queda reducido al simbólico y doble oficio de punto de arranque de una lectura épico-histórica y apoyo del ritual matrimonial y matriarcal.

El oficio primordial de Aguilar es dar un motivo a los Buendía para huir del pueblo donde viven y lanzarse en busca de «la tierra que nadie les había prometido». Aguilar simboliza la culpa original que, necesariamente, debe hacer su aparición en el libro, porque una de las formas de lectura de *Cien años de soledad* es considerar compendiada en él la historia de la Humanidad desde el bíblico pecado que hizo perder el paraíso y la búsqueda de la tierra prometida, hasta las últimas consecuencias de la avasallante civilización del siglo xx, tal y como explica detalladamente Ricardo Gullón [34].

---

[33] No cabe suponer que Gabriel García Márquez esté «poseído» por una maligna y reprobable fijación con el uso de tanta metáfora personificada, porque entonces habría que meter en el mismo saco a un montón de clásicos, comenzando por Calderón y terminando con Borges y la explicación que él da del personaje femenino de *La intrusa.*

[34] Gullón, Ricardo: «García Márquez o el olvidado arte de contar», en *Homenaje,* op. cit., p. 161.

En este plano de historia de la humanidad, Aguilar es necesario. Pero vista la auténtica función de la cola de cerdo, Prudencio Aguilar —con relación a los Buendía—, sirve únicamente para encubrir el motivo real que obliga a éstos a salir del pueblo (y también es útil para la representación del sugestivo rito tribal de la boda).

Lo cierto es que la marcha del pueblo fue extraordinariamente apresurada. Ursula y José Arcadio Buendía llevan un equipaje sumamente escueto. Van desprovistos de alimentos e implementos de explorador. Ni tan siquiera tienen un mapa. (Se diría que estamos ante un segundo desahucio del paraíso terrenal.) Caminan sin rumbo fijo durante «casi dos años» (p. 27). El nacimiento de José Arcadio sucede a los catorce meses (página 27) y no a los nueve meses como lógico colofón de la hacendosa noche de bodas que se nos relata en la página 26 y la preceptiva luna de miel que debió seguir a tantos meses de ayuno marital.

Ciertamente que la salida del pueblo no tuvo nada de paseo campestre. Fue una huida en toda regla, y el instinto de procreación no apareció hasta haberse satisfecho la más elemental urgencia: salvar la vida poniendo mucha selva por medio.

Ursula podrá averiguar que su madre ha muerto por medio de Francisco el Hombre al que alguien —¿Ursula?— pagó los dos centavos para que la noticia fuera incluida entre las demás del «mundo» y así saber de su familia sin delatar el propio escondite.

PIETRO CRESPI ES UN PERSONAJE CON MENOS CONSISTENCIA QUE EL HUMO

Volvamos de nuevo al fecundo Melquíades. Si él no resucita, no puede morir en Macondo. Si no muere en Macondo no puede ser enterrado. Y si Melquíades no es enterrado en Macondo, mal puede Ursula enterrar al ambiguo y acuoso Crespi al lado de Melquíades (p. 99):

> Ursula dispuso que se le velara en la casa. El padre Nicanor se oponía a los oficios religiosos y a la sepultura en tierra sagrada. Ursula

se le enfrentó. «De algún modo que ni usted ni yo podemos entender, ese hombre era un santo», dijo. *«Así que lo voy a enterrar,* contra su voluntad, *junto a la tumba de Melquíades.»* Lo hizo, con el respaldo de todo el pueblo en funerales magníficos.

Dicho de otra forma: si Crespi se puede enterrar al lado de la inexistente tumba de Melquíades, quiere eso significar que Crespi es de la misma naturaleza que Melquíades, es decir, es imaginario, es un ente no existente. (Lo cual concuerda con la no-presencia de Rebeca —su primera novia— en Macondo. También encaja que se entierren los *inexistentes* y ruidosos huesos de los padres de la *inexistente* niña Rebeca «en una tumba sin lápida, improvisada junto» a la *inexistente* tumba de Melquíades.)

Crespi es un ente tan carente de personalidad que hasta elige morir el día menos original, el de *todos* los muertos.

LOS AURELIANOS SON CAPATACES A SUELDO DE LOS BUENDÍA

Si Crespi es solamente un soporte para reforzar a la creencia de que Rebeca vive en Macondo antes de la boda con José Arcadio, hay unas comillas que nos alertan sobre un aspecto insólito: cuando llevan a Ursula todos los hijos bastardos con que el coronel ha jalonado sus batallas, uno de ellos, «un rubio con... ojos garzos» cuando entra pide un juguete que se supone regaló Crespi (p. 134):

Quiero la bailarina de cuerda.

Esa es una muñeca «que alguna vez llevó Pietro Crespi a la casa», aclara el narrador. En realidad esta bailarina es el juguete de más realce entre todos los que aparecen: se nombra en 70 y en 72, y es con ella con quien José Arcadio Buendía se vuelve loco.

Ahora bien, si Pietro Crespi no existe, tampoco sus juguetes pueden estar en la casa de los Buendía. En otros términos: los Aurelianos están contaminados de la inexistencia del italiano de la pianola. No solamente por el aspecto que estoy tratando, sino por algo de mayor envergadura.

De los diecisiete Aurelianos sólo hay posibilidad de identificar individualmente a cinco: Aureliano Amador, que es el mayor, y los otros cuatro que terminan por residir en Macondo: Aureliano Triste, Aureliano Centeno, Aureliano Serrador y Aureliano Arcaya.

Cuando los Aurelianos se nos presentan en la página 94, ya se nos explica el fin brusco e inesperado que tendrán:

> Tuvo diecisiete hijos varones de diecisiete mujeres distintas, que *fueron exterminados* uno tras otro *en una sola noche, antes de que el mayor cumpliera treinta y cinco años.*

Si es cierto que fueron «exterminados uno tras otro en una sola noche» y «antes de que el mayor cumpliera los treinta y cinco años», ¿cómo es posible que Gabriel García Márquez se olvide de matar —precisamente— al «mayor» de los Aurelianos y espere para acabar con él hasta la página 317, cuando es un «anciano» y cuando el lector hasta olvidó su existencia, alucinado con las orgías del aprendiz de Papa?

Estas dos irregularidades —la falta de identificación individual y el error de las muertes unánimes— además de la esperpéntica cruz de ceniza, deben alertarnos sobre la dudosa autenticidad del prolífico aspecto sexual de Aureliano Buendía.

EL CORONEL AURELIANO BUENDÍA, UN GALLO SIN ESPOLONES

El engendrador de veinte hijos —dieciocho varones (ya es casualidad ¿no?) más los gemelos de Remedios Moscote— no inicia su vida de galanteador con actitudes de rompe y rasga. Muy al contrario. Observémoslo. La primera vez que el coronel Buendía se encuentra ante una mujer para «hacer de *hombre*», su saludo es: «*me hicieron* entrar» (p. 51). La muchacha le tiende un cabo: «si echas otros veinte centavos a la salida, puedes demorarte un poco más». (Se diría que el futuro héroe liberal necesita algo más que un empujoncito para atreverse con una mujer.) El resultado es que saca muy poco provecho de sus cuotas porque:

> Aureliano salió del cuarto *sin haber hecho nada, aturdido por el deseo de llorar.*

La reacción de Aureliano ante este fracaso no tarda en dejarse saber. Al amanecer del día siguiente toma la decisión de casarse con la Eréndira para «*disfrutar todas las noches de la satisfacción que ella le daba a setenta hombres*». Es decir que la Eréndira es el remedio que busca Aureliano para superarse falsamente de sus frustraciones como hombre apocado e irresoluto —cuando menos—.

Después, el futuro coronel se enamorará de una niña y será incapaz de hacer frente al problema actuando activamente en su resolución. Prefiere confiar en el destino: «'Tiene que venir con ella', se decía Aureliano en voz baja. 'Tiene que venir.'» (p. 62).

Cuando Remedios visita la casa de los Buendía, lo que deja mayor impresión en el futuro guerrero son tres cosas: el cutis de lirio, los ojos de esmeralda y «*la voz que* a cada pregunta *le decía señor con el mismo respeto con que se lo decía a su padre*» (p. 62). Entonces, Aureliano ¿qué busca? ¿una compañera o el mismo rodrigón que pensó encontrar en la Eréndira? ¿Busca ser «respetado» como algo superior —de la misma forma que el corregidor Moscote es algo superior para la chiquilla Remedios— en lugar de ser «estimado» como marido?

Después de este encuentro fortuito llega la época de Catarino. Recordemos la escena en la que Aureliano rechaza la caricia de una mujer (p. 64):

> *Una de ellas... le hizo a Aureliano una caricia estremecedora. El la rechazó.*

Así que Aureliano rechaza a una mujer que sabe acariciar. Acto seguido Catarino le pone la mano en la espalda y Aureliano pierde la memoria y no la recobra hasta una madrugada ajena. ¿Qué ha pasado ahí? La escena es impecable (p. 64):

Catarino le puso una mano en la espalda y le dijo: «*Van a ser las once*». Aureliano... *la volvió a recobrar en una madrugada ajena* y en un cuarto que le era completamente extraño, donde estaba Pilar Ternera.

Lo último que sabemos de esa noche es: la mano de Catarino sobre su espalda a las «once». Y de ahí saltamos a la «madrugada *ajena*» donde vemos a Aureliano rebozado en fango y vómito. Algo tiene que haber pasado en la tienda de Catarino, y no entre las mujeres y Aureliano, ya que su iniciación sexual la realiza con Pilar Ternera, quien le disipa las dudas sobre «la incertidumbre de su virilidad». (Virilidad algo precaria si se piensa en cómo educó a Aureliano José mientras ambos vivieron juntos en las campañas guerreras, ya que el bastardo de Aureliano desertó y, llegado a Macondo, se dedicó a desempeñar un oficio poco claro en el burdel de su madre Pilar Ternera.)

(Además hay que examinar esa «madrugada *ajena*». ¿«Ajena» a qué? Si la madrugada es ajena a la noche, quiere decir que no son unas horas las que Aureliano se relaciona con Catarino, sino días (¿meses?). Si lo ajeno está referido a sus sentimientos varoniles también queda comprometido por esas horas que faltan en el relato.)

En esa «ajena» madrugada que pasa con Ternera es tratado como un niño, cosa que parece ser de su completo agrado (p. 65):

...le puso la mano en el vientre y lo besó en el cuello con una *ternura maternal*. «Mi pobre *niñito*», murmuró. Aureliano se estremeció.

Y lo que no consiguieron las caricias estremecedoras de la profesional que trabajaba en la tienda de Catarino, lo logran las caricias *maternales* de la querida *de su hermano* y *madre de* su sobrino. Y Aureliano, como un niño a su madre, le cuenta las dificultades que tiene en sus amores para que ella se las solucione (p. 65):

'¿Quién es?' *Y Aureliano se lo dijo...* 'Tendrás que acabar de criarla', se burló.

El coronel Aureliano, un «cobardica» con mucha suerte

Gabriel García Márquez monumentaliza al coronel presentándolo frente al pelotón de fusilamiento una y otra vez. Y en realidad el coronel es un caso digno del diván de un neurólogo. Tiene complejo de inferioridad (p. 51):

> Aureliano se desvistió, *atormentado por el pudor,* sin poder quitarse la idea de que *su desnudez no resistía comparación con su hermano.*

Y también es un frustrado (p. 52):

> *El tiempo* aplacó su propósito atolondrado, pero *agravó su sentimiento de frustración.* Se refugió en el trabajo. *Se resignó a ser un* hombre sin mujer toda la vida para *ocultar la vergüenza de su inutilidad.*

Y es hasta un frío y un descastado, al que la muerte de Remedios no produce ninguna conmoción afectiva (p. 87):

> *Fue más bien un sordo sentimiento de rabia que* paulatinamente *se disolvió en una frustración solitaria y pasiva,* semejante a la que experimentó en los tiempos en que estaba resignado a vivir sin mujer.

La muerte de una persona querida puede producir muy diversos sentimientos pero difícilmente *rabia,* y menos aún «una rabia ciega y sin dirección» como luego se nos concreta en la página 208. Aureliano «rabia» porque Remedios se le ha muerto antes de que él pudiera utilizarla como trampolín para acceder al poder. Por eso sigue visitando al Corregidor después de la muerte de Remedios. Pero al ver que sigue siendo el «Aurelito» de siempre, sustituirá los amigables conservadores por los liberales guerreros. La cuestión es hacerse un nombre y un poder a costa de lo que sea.

Ursula advierte que el coronel está incapacitado para el amor (p. 214):

> Llegó a la conclusión de que *aquel hijo* por quien ella habría dado la vida, *era simplemente un hombre incapacitado para el amor.*

Y también está incapacitado para las acciones provechosas: «el doctor lo había desahuciado como hombre de acción, por ser *un sentimental sin provenir,* con un carácter *pasivo y una definida vocación solitaria*» (p. 91). Por eso, aunque él mismo se otorgue el grado de coronel el mismo día de su autoingreso en el ejército, sus «acciones militares» son más bien «des-acciones», «destrucciones», «inutilidades» continuas (p. 146):

> *Sus órdenes se cumplían antes* de ser impartidas, aún *antes* de que él las concibiera, y siempre *llegaban mucho más lejos...*

De modo que sus órdenes son innecesarias en cuanto a su oportunidad temporal y en cuanto a su contenido, porque siempre hay alguien que se le adelanta y lo supera. Su presencia sólo sirve para desencadenar guerras estúpidas en las que «no pasaba nada» (p. 147), y para las que necesita el oro de su madre —incluso Visitación le lega sus ahorros de toda la vida ¿hay algo más ridículo que esta imagen?— también recurre a las viudas de sus amigos, quienes además de morir en sus necias batallas, lo sustituyen a la hora de los atentados personales.

Una vez que la guerra se termina —recordemos CÓMO la termina— puede sentarse cómodamente en el mecedor —recordemos los otros mecedores de la novela— a redactar el telegrama al gobierno sobre la cuestión de las pensiones, y una vez enviado, el gobierno solventará la cuestión matando, expatriando o comprando a cuantos liberales de pro quedaban en el país (p. 157):

> *...la única respuesta del gobierno fue...* que dos meses después del armisticio, cuando el coronel Aureliano Buendía fue dado de alta, *sus instigadores más decididos estaban muertos o expatriados, o habían sido asimilados para siempre por la administración pública.*

Y así, gracias al coronel Aureliano Buendía, el gobierno puede acabar con los pocos liberales que quedaron vivos después de las estúpidas guerras.

En fin, que, una opinión autorizada sobre el coronel, creemos que puede darla José Arcadio Segundo que también manipuló a los macondinos con el pretexto de la compañía bananera. Y José Arcadio Segundo dice del coronel:

...no fue más que un farsante o un imbécil. No entendía que hubiera necesitado tantas palabras para explicar lo que se sentía en la guerra, si con una sola bastaba: miedo.

Al fin de sus días, el coronel se muere acobardado —«como un pollito» (p. 229)— en la característica posición del que tiene miedo.

También muere de vergüenza al percatarse de lo que ha sido su vida. Recordemos que, en una ocasión, a la pregunta: «¿Cómo está, coronel?», Aureliano contesta: «Esperando que pase mi entierro.» Y la tarde que pasa el circo —su exacta imagen—, cumple su palabra y muere al contemplar cómo su vida ha sido un fracaso y, sobre todo, una mentira y una falsedad.

Muy acertadamente, Julio Ortega explica: «Aureliano ve así en el circo la parábola de su propia vida» [35].

No existe el «castaño solitario» donde se dice que el patriarca pasa sus últimos años amarrado

Considerando que he dicho que Aguilar no puede ir a conversar con José Arcadio Buendía durante la larga estancia de éste bajo el castaño, viene a resultar que la presencia del anciano esposo de Ursula en ese lugar se hace harto sospechosa. Más aún, recordemos que cuando Ursula agranda la casa, «dispuso construir en el patio, A LA SOMBRA DEL CASTAÑO, un baño para mujeres y otro para hombres» (p. 54).

En ese *baño* o *baños,* se suceden los siguientes acontecimientos:

- El coronel escribe cómodamente versos «en las paredes del baño» para descargarse del agobiante amor por Remedios Moscote (p. 63).
- Rebeca, «encerrada en el baño se desahogaba del tormento de una pasión sin esperanza escribiendo cartas febriles...»

[35] Ortega, Julio: «Gabriel García Márquez /*Cien años de soledad*», en *Nueve asedios,* op. cit., p. 82.

(p. 65), y también «pasaba horas enteras chupándose el dedo en el baño...» (p. 71).

- Aureliano Segundo «encontró a su hermano aferrado a una viga del baño... y ambos se curaron por separado» (p. 164) de los desaguisados que la práctica amorosa dejó en sus cuerpos.

- En el baño, Meme «lo esperaba [a Babilonia] desnuda y temblando de amor... como lo había hecho casi todas las noches de los últimos meses» (p. 248). En ese mismo baño perece el tercer pretendiente de Remedios, la bella, mientras ella toma su ablución diaria (p. 201).

- En el baño lleno de champaña se «zambulleron en bandada [los cuatro niños mayores]... mientras José Arcadio flotaba boca arriba, al margen de la fiesta» (p. 315).

De modo que después de confirmar, con las siguientes escenas, la existencia de un doble y amplísimo baño, el cual sirve sucesivamente de estudio poético, gabinete psiquiátrico, sala de curas, lecho de amores y sala de orgías, y después de recordar que el tal baño ha sido construido DEBAJO DE LA SOMBRA DEL CASTAÑO, nos encontramos con que José Arcadio Buendía pasa los últimos días, meses y años —todo el tiempo que está loco, a partir del día que conecta una bailarina de cuerda que baila tres días sin interrupción— y el tiempo de su resurrección «BAJO EL CASTAÑO SOLITARIO».

Qué duda cabe que la supuesta y estéril resurrección de José Arcadio Buendía deberá sufrir el mismo destino que las resurrecciones de sus dos compinches ya analizados, Melquíades y Prudencio Aguilar.

Así pues, deberá quedar eliminada la resurrección de José Arcadio Buendía, porque no hay en la casa de los Buendía ese lugar preciso donde se nos dice que su cuerpo resucitado pasa el tiempo, y porque José Arcadio Buendía no tiene mayores merecimientos que los acumulados por Melquíades y Prudencio para merecer semejante consideración por parte de los dioses.

Si José Arcadio Buendía no puede estar bajo el castaño solitario durante su supuesta resurrección, tampoco puede estar en ese lugar durante el tiempo en que está loco y lo tienen amarrado al árbol. ¿Dónde, entonces, pasó José Arcadio Buendía el tiempo que media entre su locura y su muerte?

José Arcadio Buendía es un zángano que se echa de casa como material inservible

Probablemente, cuando fue echado de su casa por el coronel, a causa de su locura, sufrió la suerte del zángano inútil y se le llevó —¿por qué no?— a un establecimiento apropiado a su estado: un asilo o manicomio.

Prueba de que José Arcadio Buendía no pasa el tiempo de su locura en Macondo la tenemos en una cita de la página 123 donde queda patente que tienen más noticias sobre el estado de salud de José Arcadio Buendía los que están fuera de Macondo que los habitantes de la casa de los Buendía:

> El coronel Aureliano Buendía disponía entonces de tiempo para enviar cada dos semanas un informe pormenorizado a Macondo. Pero *sólo una vez,* casi ocho meses después de haberse ido, *le escribió Ursula. Un emisario especial llevó a la casa un sobre lacrado, dentro del cual había un papel escrito con la caligrafía preciosista del coronel: Cuiden mucho a papá porque se va a morir.* Ursula se alarmó. «Si Aureliano lo dice, Aureliano lo sabe», dijo.

Analicemos, primero, el contenido de la cita. Creo observar que debe entenderse que el coronel escribe con frecuencia a Macondo. No se sabe si envía mensajes a su casa. Si los envía, Ursula solamente le contesta una vez. Por la forma de estar conectada esta única carta de Ursula con el mensaje de Aureliano en el que se detalla la precaria salud del padre, creo entender que la única respuesta de Ursula a su hijo el coronel es con motivo del anuncio de la inminente muerte de José Arcadio Buendía.

Si la respuesta de Ursula, la única en ocho meses, no está relacionada con el mensaje del coronel respecto a la salud de su padre, habría que poner en duda la perfección estilística de Gabriel García Márquez —lo que es imposible de todo punto—.

Así pues, Aureliano, que vive fuera de Macondo, sabe cómo está la salud de su padre mejor que nadie —«Si Aureliano lo dice, Aureliano lo sabe» sentenciará Ursula—. No es muy lógico que el conocimiento de la salud de su padre le venga de sus poderes telepáticos, porque hay que recordar que tales poderes no han resultado efectivos nunca: ni acertó en su boda con Remedios, ni fue oportuno en sus treinta y dos levantamientos, ni pudo dar el esquinazo al café envenenado, desconoció el desenlace de su destino de fusilado, equivocó el suicidio, firmó una paz errada... El coronel Aureliano vivió al buen tuntún como cualquier hijo de vecino, y si se me apura, afirmaré que con un grado mayor de desorientación que el común de los mortales, porque semejante número de gafes es difícil encontrarlos reunidos en una sola persona.

Así que el coronel, por estar fuera de Macondo, ha podido visitar a su padre en la institución donde se halla recluido, ha observado su inminente muerte y ha avisado por carta a su madre; carta que Ursula responde dando órdenes de que su marido sea devuelto al hogar para la última ceremonia.

Puesto que José Arcadio Buendía está fuera de casa, puede aparecer Cataure, el indio que —probablemente— ha cuidado a José Arcadio Buendía durante su destierro de Macondo, y que desde luego es quien lo conduce desde su asilo-manicomio a Macondo.

Los hechos, creo, no pueden desviarse de mi explicación —a menos que se acepten las incoherencias relatadas por Gabriel García Márquez—; pero, en cualquier caso, José Arcadio Buendía NUNCA ESTUVO BAJO EL CASTAÑO SOLITARIO, porque nunca hubo, como tal *solitario,* un castaño en la casa de los Buendía. Los polifacéticos baños anulan cualquier posibilidad de soledad.

AL LECTOR LE CORRESPONDE SER EL ÁRBITRO
DE LA EXISTENCIA DE AMARANTA.
A SU PLACER, PUEDE ELIMINARLA DEL RELATO

En este análisis sobre *Cien años de soledad* he llegado, prácticamente, al final de los grandes trazos argumentales (parte de la trama está por evaluar, y de la estilística no hay más allá de dos o tres catas realizadas en profundidad). Sólo queda un último y definitivo paso por dar, que el lector puede obviar continuando la lectura en la Tercera Parte. Lo desarrollado hasta aquí es suficiente para hacerse una idea de los procedimientos que utiliza Gabriel García Márquez para explicar una historia tan antigua como la ambición y la explotación del hombre por el hombre para alcanzar poder y dinero. Para comprender esta historia de iniquidades basta y sobra con lo visto hasta aquí, y no hace falta tocar un solo cabello de la cabeza de Amaranta, pero —siempre hay un *pero* como pago de una concesión— si Amaranta no ocupa su verdadero lugar en el análisis, será Ursula la que quedará disminuida del vigoroso papel que le ha sido encomendado y, además, no se podrá apreciar la suprema técnica que Gabriel García Márquez derrocha en esta novela.

El análisis del personaje de Amaranta responde a técnicas de mayor envergadura que las estudiadas hasta aquí. Todo lo que se refiere a la hija de Ursula es un auténtico invento del escritor colombiano que no tiene par en la narrativa del momento. Claro que, como todo lo nuevo, sorprende y enoja —por su desconocimiento— antes de llegar a agradar por lo perfecto de su manufactura.

Amaranta es la mujer más ambigua de toda la obra: le disputa el novio a Rebeca hasta —casi— el homicidio y cuando Crespi se le declara, recibe una tenaz negativa. Ella inicia a su sobrino Aureliano José en los juegos sexuales y luego se niega a consumarlos. Repite con su sobrino-nieto los mismos juegos y después se niega a escribirle una sola carta. Amaranta ama a Gerineldo Márquez y rechaza el casarse con él.

A esto añadamos lo ya analizado: Crespi no es más que una metáfora personificada; el sex appeal de Amaranta carece de rumbo (de sus «enamorados» uno es proxeneta —Aureliano José— y el otro pederasta —José Arcadio, el aprendiz de Papa—); Amaranta nunca aparece en boca de Ursula durante el tiempo que se supone al patriarca amarrado al castaño solitario (pp. 96 y 97). (Ursula afirma: «mira en lo que hemos quedado... *la casa vacía... y nosotros dos solos otra vez como al principio*»). Si todo esto se cumple, hay que concluir que Amaranta es menos útil para el argumento que Alvarado para Cortés.

Si Amaranta fuera un personaje de la misma calidad que Ursula —por ejemplo— o que sus hermanos, nunca podrían tener los Buendía una casa tan pequeña como la que se describe en la página cinco: «una salita... un comedor... un patio... un huerto... un corral... [y] DOS DORMITORIOS», porque son tres los que se necesitan: uno para el matrimonio formado por Ursula y José Arcadio Buendía, otro para los dos hijos varones y el tercero para Amaranta (la cocina está ocupada por los indios Visitación y Cataure). Si en esta casa sólo hay *dos dormitorios*, Amaranta no es un cuerpo paciente sino un ente «pensado». (Y también queda confirmada la imposible presencia de Rebeca en una casa tan diminuta en la que desde cualquier punto se pueden oír al mismo tiempo «la respiración [del] hermano, la tos seca [del] padre... el asma de las gallinas en el patio» (p. 30).)

En el aspecto narrativo hay que señalar que el nombre de Amaranta carece de individualismo en el relato. Generalmente aparece acompañado —en frase sintáctica o en argumentación lógica— de otra mujer —generalmente es mujer—, mientras que Rebeca goza de independencia dentro del relato. Puede comprobarse el carácter de sombra chinesca de Amaranta en las páginas 33, 36, 37, 39, 41, 44, 50, 53, 58, 59, 60, 61, 62, 65, 66, 69, 70, 71, 73, 74, 76, 78, 79, 80, 81, 82, 83 y 86. Hay una sola ocasión en que Amaranta goza de independencia, pero se debe a una frase de José Arcadio Buendía, quien acto seguido reconoce «estoy loco» (p. 73).

Ahora bien, si Amaranta no existe, estaríamos ante el fraude literario de mayor envergadura que pueda imaginarse. Si ello no es así es debido a que AMARANTA ES NECESARIA y hasta IMPRESCINDIBLE si no se quiere separar la anécdota de la novela de todo el entorno social, histórico y antropológico al que corresponde.

Amaranta es *necesaria* porque estamos ante un régimen matriarcal y el poder se transmite por las mujeres. *Amaranta es, por tanto, la hija que Ursula hubiera querido tener,* es también una prolongación de Ursula —una prolongación intelectual, claro— cuyo cometido es realizar todo aquello que Ursula no alcanza a hacer. Amaranta es el *alter ego* literario de Ursula. Así, Amaranta atraerá a los hombres —hombres con fachada— porque una casa gobernada por mujeres necesita tener siempre un hombre al que mostrar como figura decorativa y como semilla de nuevas herederas.

Amaranta simboliza dos fuerzas. De un lado sería la Juliana Burgos de *La intrusa.* Sería un símbolo del amor que Ursula tiene por sus tierras y su familia [36].

Si Amaranta no fuera un ente de ficción, si Amaranta hubiese nacido de verdad, es imposible imaginar una madre tan desnaturalizada que abandonase a su bebita en una época tan

---

[36] Borges, José Luis: *El informe de Brodie,* Emecé, Bs. As., 1970.

El propio Jorge Luis Borges interpretó el personaje de Juliana Burgos como la tierra hacia la que el hombre debe tener un amor apasionado y debe unirse con ella, y por medio de ella, al resto de los hombres.

En esta línea, Amaranta está llena de referencias a la Tierra y al Agua —esta segunda en su doble sentido de Naturaleza y elemento contaminante de la fantasía—; véanse las citas de las siguientes páginas:

33 «liviana y acuosa como una *lagartija*».

98 «*animalito* escurridizo».

126 Amaranta «sentada en el *mecedor* de mimbre» (igual que las matronas bajo cuya vigilancia fructifica el amor de los demás).

126 «*Me sacaron tajadas y tajadas y tajadas*», como cuando se ara la tierra. La imagen de tierra-mujer y viceversa es continua en la poesía española. Recordemos que Yerma dice: «yo soy como un *campo seco* donde caben arando mil pares de bueyes» (*Yerma,* III, 2).
«Se erizaba la piel de ella al contacto del *agua*».

127 «los dedos de Amaranta como unos *gusanitos* calientes».
«buceando como un *molusco* ciego entre las *algas*».
«ellos empezaban a besarse [en el] *granero*».
«las mujeres olorosas a *flores* muertas... él las convertía en Amaranta».

142 «rizaba *espumas*», «se sentía *ahogado*».

311 «saliendo de un *estanque*».

312 «las caricias de Amaranta en la *alberca*».

314 «él *flotaba*... pensando en Amaranta».

315 «José Arcadio *flotaba* bocarriba... evocando a Amaranta».

temprana que necesita ser amamantada «cuatro veces al día» (p. 37), y todo para ir detrás de un golfillo como José Arcadio [37].

Además de esta «ocupación argumental», Amaranta tiene una gran utilidad narrativa: justifica y soporta la presencia de Rebeca y Pietro Crespi —odiando a la una y amando al otro—, es lazo de unión entre los bastardos de Pilar Ternera, atrae a Gerineldo —el rodrigón del coronel—, hace entrar en sospechas sobre la aristocrática educación de Fernanda, sirve de contraste para apreciar el carácter de Remedios, la bella, y es —en fin— un personaje que une episodios y acontecimientos carentes de nexo.

La confirmación de la inexistencia de Amaranta como personaje actante la tenemos en la página 221. Allí leeremos que Fernanda «vagaba sola entre *tres fantasmas vivos* y *el fantasma muerto* de José Arcadio Buendía». Echemos cuentas: si el coronel es «una *sombra*», ahí tenemos a uno de los tres fantasmas vivos. *La otra sombra* es Aureliano Segundo, el marido que aparece y que se eclipsa como un trasgo travieso que reparte su tiempo entre la casa de Ternera y la suya propia. *La tercera sombra* es Úrsula. Las cuentas son exactas. *Tres* fantasmas vivos son *tres* personas que viven «apareciéndose» de uvas a peras como los fantasmas, pero no *cuatro* personas. Por lo tanto, Amaranta, como tal ente humano aislado y autónomo, NO EXISTE. Es la proyección de Úrsula, la representación de sus deseos y necesidades, pero nunca una persona. En realidad, Amaranta ni siquiera es un fantasma o una sombra. Es el pensamiento de Úrsula hecho realidad sobre el papel, es una criatura que

[37] La ausencia de Úrsula no es de un día o dos. Está fuera *cinco meses* (p. 38); tiempo que no emplea en buscar al hijo —tal como queda patente a su vuelta—, sino en encontrar «la ruta que su marido no pudo descubrir»; en llegar con cosas nuevas, «exaltada», «rejuvenecida», y «con ropas nuevas de un estilo desconocido». En este episodio, Amaranta —en alguna forma— *disimula* con su presencia la intempestiva desaparición de Úrsula. Sin Amaranta se notaría mucho la ausencia de Úrsula y daría qué pensar al lector. Pero la supuesta existencia de la pequeña hace suponer que la salida de Úrsula es momentánea y urgente. Además, la presencia de la pequeña junto a José Arcadio Buendía y Aureliano es en alguna forma sustitutiva de la madre, y el lector olvida preguntarse qué estará haciendo Úrsula fuera de casa.

pertenece al mundo fantástico de Ursula-narradora. Y cuanto más se vaya debilitando la corporeidad de Ursula más esperpéntica y desmesurada presentará ésta al lector la figura de «su hija». Este crecer de una cuando la otra mengua tiene su mayor contraste en la barroca muerte de Amaranta que está encubriendo el silencioso mutis que Ursula se ve obligada a hacer ante la despótica Fernanda.

URSULA, LA QUE HA GOBERNADO EL ENJAMBRE DESDE SIEMPRE, ES ECHADA DE CASA POR FERNANDA EN UNA MODALIDAD DE LA «SUERTE DE LA ABEJA REINA»

El artificio literario empleado por García Márquez para relatarnos la salida de Ursula de Macondo es algo complejo. Consiste en superponer tres escenas distintas: A) La protagonizada por Amaranta con su peculiarísima muerte. B) Los hechos que relatan la situación de Ursula. C) La supuesta muerte de Amaranta y la salida hacia el seminario romano del aprendiz de Papa.

Todo se inicia cuando la Muerte aparece «poco después de que Meme se fue al colegio». Esa marcha de Meme se hizo siguiendo las normas de la etiqueta más estricta: ambos padres la acompañaron en ese traslado. Durante el viaje del matrimonio Buendía-del Carpio, Fernanda pudo repetir hasta la saciedad aquello de que lo más lamentable era «que los bobos de la familia tuvieran una vida tan larga» (p. 204). (La frase, pronunciada en plural en la época de Remedios, la bella, tiene ahora su cabal cumplimiento ortográfico.) Y ambos cónyuges pudieron llegar a un fácil acuerdo sobre el destino de la matriarca. Cuando vuelven a Macondo lo hacen acompañados de una enfermera: «una mujer vestida de azul con el cabello largo, de aspecto un poco anticuado» (p. 238) que para Ursula viene a ser más fúnebre que si se tratase de la propia muerte. «No había nada pavoroso en ella» —leemos—, porque tanto Fernanda como Aureliano Segundo se la presentan a Ursula bajo achaque de una criada para su uso exclusivo y personal que deberá aliviarla de la ceguera que padece desde el nacimiento del primogénito de Fernanda:

Nadie supo a ciencia cierta cuándo empezó a perder vista... Ella lo había notado *desde antes* del nacimiento de José Arcadio [el tataranieto]..., cuando instalaron los primeros focos [de luz eléctrica] sólo alcanzó a percibir el resplandor.

(p. 212)

Como la Muerte es una criada, tiene «cierto parecido a Pilar Ternera en la época en que ayudaba a los oficios de la cocina», de ahí que Ursula la conozca *cosiendo,* lo que Ursula —con su ceguera— está muy lejos de poder realizar. Pasado cierto tiempo, la enfermera advierte a Ursula que deben abandonar la casa camino de ¿un hospital donde le tratarán los ojos? ¿del asilo? Para tranquilizarla, le advierte que el viaje será tranquilo y sin problemas, «sin dolor, ni miedo, ni amargura». «Al anochecer» puntualiza, como si para Ursula cualquier día y a cada hora no fuera una visión de «anochecer» para los pobres ojos que ya no perciben más que sombras.

Si esta salida de Macondo con la enfermera-muerte no estuviera referida a Ursula —sino a Amaranta según finge la estilística— carecería de sentido la frase de la página 238 *«el mundo se redujo a la superficie de su piel».* Nada hay en Amaranta que pueda dar razón de ese «mundo» reducido a la «superficie de la piel» pero es ésta la perífrasis exacta con la que se alude a la ceguera de una persona. Tampoco cuadra a Amaranta la vejez que se le achaca en la página 239, en cambio le calza a Ursula como pedrada en ojo de boticario. (Amaranta no puede estar tan estropeada como nos la describen, porque para ese entonces el coronel Aureliano aún no tiene cincuenta años, y por lo tanto Amaranta está en los cuarenta.)

Llegamos al espectacular asunto de las cartas enviadas a los muertos. Si Ursula es llevada a un asilo ¿por qué no habrá de recolectar cartas de todos los macondinos y entregarlas, luego, a los familiares que viven en el mismo establecimiento al que ella va? Ursula piensa reparar con este último gesto el abandono en que ha tenido al pueblo. Piensa solidarizarse con ellos, haciéndose su igual y compartiendo la suerte de todos los ancianos macondinos que, lógicamente, fueron desalojados del pueblo cuando llegó la compañía bananera —traída por su nieto

José Arcadio Segundo—, ya que, evidentemente, en Macondo sólo quedaron los brazos útiles para el cuidado y el corte del banano.

Y los macondinos acuden en masa, no tanto por mandar cartas y recados verbales —«No se preocupe... lo primero que haré al llegar será preguntar por él, y le daré su recado»— cuanto por ver que la gran Ursula, la creadora del matriarcado, está sufriendo la misma suerte que la de los pobres y explotados macondinos. Van a solazarse, a regodearse de venganza ante la impotente y destronada matriarca.

Todo listo, y guardado el equipaje en el baúl que le ha fabricado el carpintero, Ursula deja fuera lo necesario para el viaje (p. 240), y se llega al requisito de la proclamación de la virginidad. Esta virginidad no se refiere a la castidad corporal, sino a la *virginidad del dinero*. Y significa que Ursula se va de Macondo sin llevarse más que lo estrictamente suyo. En Macondo se quedan todas las cosas que adquirió con su trabajo, como también quedan los tres sacos de oro hallados en el San José de yeso. El testimonio de la virginidad —de irse íntegramente pobre— está dirigido a Fernanda, la tacaña, para que luego de haber salido Ursula, no se moleste en registrar toda la casa y reclamar objeto alguno, tal como hizo con las sábanas cuando la marcha de Remedios, la bella (y tal como hará, luego, después de la marcha de Santa Sofía de la Piedad [p. 305]). Ursula, una vez dado el testimonio de que se va del mundo de Macondo tan pobre como a él llegó, se prepara para el último viaje recostándose entre los almohadones de su silla de inválida (p. 240).

Se constata que Ursula no puede estar en su casa de Macondo después de la desaparición de Amaranta

La prueba de que Ursula se va de Macondo en la escena que se supone es la muerte de Amaranta la tenemos en la página 241 bajo una sencilla metáfora: «Ursula no volvió a levantarse después de las nueve noches de Amaranta.» Si Ursula no se levanta después del novenario en honor de Amaranta,

TODO LO QUE GARCIA MARQUEZ NOS DIGA EN LA PAGINA 283 SOBRE LO QUE HACE Y DESHACE URSULA ES FALSO: Toda esa actividad está desmentida, de antemano, en la página 241.

Si el narrador hace moverse tanto a Ursula es, precisamente, para disimular que la matriarca ya no está en casa.

La confirmación de que Ursula no está en la casa de Macondo se halla en la página 265. Cuando el oficial llega a registrar la casa buscando a José Arcadio Segundo, pregunta el número de personas que viven allí: «¿Cuántas personas viven en esta casa?» La respuesta, sin vacilación alguna, es: «CINCO». ¿Qué cinco?, pregunto yo. Y voy contando. En primer lugar está el matrimonio: Aureliano Segundo a quien la lluvia acorraló en su propia casa y su esposa doña Fernanda del Carpio y de Buendía. También está Santa Sofía de la Piedad, que es la que acompaña al militar. Allí está, cómo no, Amaranta Ursula, que no se irá a Bélgica hasta dentro de unos cinco años, y el pequeño Aureliano, que llegó a la casa al principio del capítulo. Ergo, si Pitágoras y sus congéneres enseñaron la verdad, ALLI NO ESTA URSULA AUNQUE GABRIEL GARCIA MARQUEZ LA HAGA APARECER EN ALGUNA ESCENA. (Es cierto que García Márquez dice que Fernanda tuvo escondido al pequeño Aureliano tres años. Pero es imposible que ello sea factible en una casa aislada por la lluvia, recorrida por Aureliano Segundo cada tres días con la manía de aceitarlo *todo,* y con un oficial concienzudo que registra *toda* la casa.)

Item más: En la página 249 García Márquez advierte que «Ursula se había de morir sin conocer su origen [el de Aureliano Babilonia]». Por lo tanto, no puede tener lugar la escena de la página 284 en la que Ursula recurre a los niños para que le ayuden a limpiar la casa. Ni tampoco que reconozca en Aureliano Babilonia a «un legítimo Aureliano Buendía» en la página 269. Y menos que llegue a confundirlo con su hijo en la página 289.

Quedan dos extremos por aclarar: la presencia de un anacrónico ataúd —ya que es un viaje— y la presencia del padre Antonio Isabel, que está fuera de lugar con sus óleos sacramentales en la salida de Ursula hacia el asilo. Para dar razón de ambas cuestiones hay que acudir a la tercera escena que he nombrado, la que describe la marcha del aspirante a Sumo Pontífice. Allí se lee: «cuando se llevaron el baúl... fue como si hubieran sacado de la casa un ataúd». De modo que cuando se va José Arcadio, su *baúl* parece un *ataúd,* ¿por qué no puede suceder lo mismo con la salida de Ursula? La única diferencia es que en la escena de la matriarca se nombra el término imaginario —ataúd— eliminando el término real, mientras que en la del tataranieto, la comparación se explicita en todos sus términos.

Si en la salida del pequeño José Arcadio está presente el padre Antonio Isabel, razón de más para que esté en la casa el día que Ursula se va, sin necesidad de que extremaunción alguna justifique su presencia.

Perfil literario-simbólico de Amaranta

Recapitulando y completando la figura de Amaranta tenemos:

A) Amaranta no existe como ser humano jurídico porque el más incestuoso de sus familiares piensa en ella como en una fuerza telúrica: «No había dejado de desearla ni un solo instante. La encontraba en... *los pueblos vencidos...* en los más *abyectos...* en *el tufo de la sangre seca...* en el *pavor... del peligro de la muerte... la guerra se parecía a Amaranta*» (p. 132).

Amaranta responde a una especie literaria del género Phenélope. Ambas bordan y desbordan las mortajas: la una para su suegro, la otra para sí misma (p. 222).

La literariedad de Amaranta es auténtica porque una verdadera mujer no se equivoca tan rotundamente con los hombres que elige: Crespi y Gerineldo, incapaces de atraer a ninguna mujer, mueren en el colmo de la ridiculez: Crespi en una palangana; Gerineldo en un mecedor. Aureliano José será el «chulo» de su madre, y José Arcadio Tercero un pederasta convencido.

Amaranta, como metáfora literaria, «salva» en cierto modo a Aureliano José y José Arcadio Tercero de una «vergüenza» total al suponérseles cierta fuerza varonil que atrae a una mujer.

B)   Amaranta es Ursula porque ambas terminan la vida en forma semejante. En Amaranta «el mundo se redujo a la superficie de su piel» (p. 238) Ursula se había «construido un mundo al alcance de la mano» (p. 241).

C)   Ursula sale de la casa de los Buendía de Macondo en fechas anteriores a lo que se describe como su muerte. Prueba de ello es que si Ursula hubiera estado en su casa de Macondo durante la lluvia, al ver cómo había quedado ésta, no se hubiera negado a declarar que los sacos con monedas de oro estaban debajo de su cama. Pero, como anteriormente la habían echado de casa, en venganza, se calla el escondite.

D)   Amaranta es una creación de la mente de Ursula. «Mis mujeres son masculinas» dirá Gabriel García Márquez de los personajes femeninos de sus obras. Y Ursula será Ursula-Pigmalión, y se inventará una Galatea a su medida. Si Pigmalión invocó a Venus, nacida de la espuma del mar para que el milagro se realizase, Ursula se inventa una hija del color del Caribe: amaranto, y se llamará Amaranta. Será liviana y *acuosa* como una lagartija y, como el amaranto, inmarcesible e inmortal. porque es una fábula.

E)   Ursula crea a Amaranta por varias razones: necesita una hija para continuar el matriarcado. También la necesita para que cumpla su función antropológica de evitar que los hijos se dispersen y busquen mujeres extrañas. Ursula vela por sus necesidades al inventar a Amaranta. Amaranta es el *alter ego* de Ursula, un doble imposible e ideal que nunca llega a dar cuerpo a los planes de Ursula, porque los hombres de su familia están hechos de material deleznable. Incluso el coronel Gerineldo debe ser rechazado por Amaranta: no quiere casarse con él porque busca más el amor de Aureliano que el de Amaranta, con ese matrimonio. Ni Crespi, ni Arcadio, ni Aureliano José, ninguno de ellos tiene fuerza bastante para potenciar la estirpe. Quien sí la tiene es Aureliano Segundo, capaz de robarle la hacienda a su hermana Remedios y casarse con una mujer de dudosa familia y costumbres.

Todo el esfuerzo de Ursula sólo ha servido para una cosa: para que la matriarca iguale a Fernanda en el número de hijos.

Para nada más. Tantos amores y desamores, peleas, astucias, incestos... Todo eso no son más que deseos insatisfechos de Ursula, la gran madre, la matriarca, la casi todopoderosa, tan potente que se ha inventado un personaje y ha enredado al lector, y lo ha llevado de acá para allá a su placer.

URSULA, LA GRAN MATRIARCA, LA GRAN NARRADORA

Ahí tenemos firmemente delineado un narrador. Ursula es una narradora, la de mayor potencia. Ella se inventa a Amaranta y cuantas personas son necesarias para darle corporeidad. La metáfora personificadora de Amaranta, la maestría con que la hace aparecer, la oportunidad del momento, la tenacidad de que la dota, las virtudes que le concede, hacen de Ursula la mejor de cuantos escritores han respirado la polución del siglo xx.

Su «fraude» es impecable, sugerente, precioso, perfecto. Ursula sabe inventarse una Amaranta versátil y polifacética: hija, hermana, tía, novia, cuñada, amante...; una Amaranta que forja su vida despegada de Ursula, ignorante de la presencia de José Arcadio Buendía, indiferente ante José Arcadio, atenta y vigilante con Aureliano... con pasión y frialdad hacia Crespi, atracción y desdén hacia Gerineldo, y altivez con Fernanda. Los más secretos sentires de Ursula están ahí desgranados, y Amaranta será la encargada de realizar cuantas misiones no pueda realizar Ursula.

Ese es el gran valor de Ursula y su mérito inapreciable: Ursula crea. No sólo ha parido dos hijos, ha edificado la CASA, acogido a los nietos, comerciado cautamente, defendido astutamente sus intereses con uñas y dientes, sino que *ha creado de la nada* a una criatura: le ha dado nombre y hechura, pasiones y deseos, voluntad y querencias.

Ese es el gran valor de Ursula: *la invención creadora* que hace trastabillar al lector con algo tan nuevo que por inesperado parecía imposible. Cuán lejos, en cambio, está la mezquina Fernanda que se ha dedicado simplemente a ocultar la realidad, fabricando fantasía y falsificando la verdad en todo aquello que ha convenido a sus fines miopes y destructores.

TERCERA PARTE

LA NOVELA ESPEJO

LOS CRÍTICOS SE MANIFIESTAN UNÁNIMES

JOSEFINA LUDMER, en la página 22 de su libro «*Cien años de soledad*»: *una interpretación,* dice:

...el libro como objeto se presenta, abierto, como un díptico: vemos dos páginas a la vez, una frente a otra. El corte en medio del díptico hace que los márgenes queden dispuestos en forma de simetría especular: el margen derecho para la página derecha, el izquierdo para la página izquierda. El libro en su totalidad reproduce esta estructura: *dos mitades, una frente a otra;* el libro se cierra y se dobla sobre sí mismo; las líneas de la segunda parte se corresponden con y se superponen a las de la primera. Sobre esta idea de libro como espejo está armado el relato de *Cien años.* Tiene veinte capítulos, sin numerar; *los diez primeros narran una historia, los diez segundos la vuelven a narrar, invertida...* el libro llamado *Cien años de soledad* es un espejo, pero speculum sui; su historia se autorrefleja, se duplica sobre sí misma y se vuelve a escribir...[38].

Luego, en la página 34, en nota a pie de página, continúa:

El capítulo décimo comienza con el mismo movimiento. La novela tiene veinte capítulos: el capítulo décimo abre la segunda inscripción... La ficción está escrita dos veces y en forma de espejo, decíamos en la introducción: éste es uno de los datos más concretos que encontramos en apoyo de nuestra hipótesis.

[38] Ludmer, Josefina: *«Cien años de soledad»: una interpretación,* Buenos Aires, Ed. Tiempo Contemporáneo, 1972, p. 22. Los subrayados son míos.

Sigue la nota con la siguiente cita:

Raúl Silva-Cáceres («La intensificación narrativa en *Cien años de soledad*» en *Recopilación de textos sobre Gabriel García* / Seleccionados por Pedro Simón Martínez / La Habana, Casa de las Américas, Centro de investigaciones literarias, 1969) observó este paralelismo entre las aperturas de los capítulos *primero y décimo:* «Sin ir más lejos, ya en el comienzo de la obra se introduce una disposición temporal muy sugestiva por la movilidad que se le asigna al valor temporal del recuerdo / aquí el lector introduce la cita del primer párrafo del capítulo primero. / Forma que por otra parte, es repetida idénticamente en la mitad exacta del libro con otro de los descendientes» / aquí el autor introduce la cita que abre el capítulo décimo.

Más adelante, en la página 203, Ludmer insiste: «*Esto supone que los diez primeros capítulos cuentan una historia y los diez segundos la vuelven a contar invertida.*»

Lo anotado por Josefina Ludmer es cierto sólo en parte. La afirmación de que en el libro se practica el relato-espejo es cierta. Pero no así la consideración de que la novela, en su totalidad, esté organizada como un espejo simétrico.

HAY HECHOS QUE SE REFLEJAN EN AMBOS LADOS DEL ESPEJO

— En ambas historias una mujer es quien gobierna: Ursula primero, y Fernanda después.

— Hay un brote de patriarcado en ambas partes de la historia. En la primera, al principio, cuando José Arcadio Buendía organiza Macondo; en la segunda, cuando Aureliano Segundo sale a buscar a Fernanda y comienza a desposeer a su hermana Remedios de sus riquezas. Con el primero se abre la estirpe, con el segundo se inicia su fin.

— La primitiva expedición hacia Macondo está formada por igual número de miembros que la iniciada por el coronel al emprender la guerra.

— El zángano principal en ambos relatos se llama igual: Aureliano. El coronel Aureliano en el primer relato. Aureliano Segundo, en la segunda parte del espejo (por lo tanto los gemelos no se cambian).

— Dos mujeres —en segundo término— auxilian, «remedian» a los zánganos. En la primera historia, Remedios Moscote, ya que por medio de su conocimiento, Aureliano traba amistad con el corregidor, sabe del fraude de las papeletas y se decide a entrar en acción. En la segunda historia es Remedios, la bella, quien, con su ganado, «remedia» y auxilia a Aureliano Segundo. En ambas Remedios hay extrema sabiduría y tontez supina. En la Moscote, la falta de sabiduría encubre una anormalidad mental, somática y fisiológica. En Remedios, la bella, la aparente imbecilidad cubre una cordura cabal.

— José Arcadio Buendía, fundador de la estirpe, es «echado» de casa por el zángano que le sustituirá, el coronel Aureliano Buendía. En la segunda parte la fundadora del matriarcado, la primera reina, es «echada» por la reina que regirá la segunda parte del relato.

— Cuando muera José Arcadio Buendía lloverán flores. Caerán pájaros cuando fallezca Ursula.

— En la segunda parte de la historia hay unos gemelos que atrapan una sífilis y se curan en el baño con «ardientes lavados de permanganato y... aguas diuréticas» (p. 164). En la primera parte, los reales amores de José Arcadio con Ternera impresionan tanto a Aureliano que «muy pronto padecieron ambos la misma somnolencia, sintieron el mismo desprecio por la alquimia... y se refugiaron en la soledad» (p. 33). De este amor se curan sentándose «en sus bacinillas once veces en un solo día».

— Ternera es compartida por los dos hermanos, Y la imaginaria Petra Cotes también —al principio— se reparte entre los dos hermanos.

— Quien se beneficia de Ternera es José Arcadio en su hijo Arcadio, que seguirá la única línea de descendencia. De Cotes también se beneficia uno solo —Aureliano—, que es el que dejará descendencia.

— La fantástica actividad sexual que se le puede suponer al coronel por haber engendrado veinte hijos, de los cuales ninguno se salva de morir trágicamente en el tiempo que dura el relato, se corresponde, en la segunda historia, con los imaginarios desafueros febriles y escandalosos con la Cotes, que determinan la proliferación fabulosa del ganado de Aureliano Segundo, que también perecen violentamente en la plaga de la lluvia.

— Tanto el coronel como Aureliano Segundo piden oro a su madre.

— Ambos zánganos son cobardes. El coronel tiene miedo, según José Arcadio Segundo; y Aureliano Segundo pasa tres días escondido en un armario mientras van asesinando a los Aurelianos.

— Las dos mujeres que intentan entrar en la colmena vienen de fuera de Macondo y son ilegítimas.

— Los dos zánganos que intentan entrar en la colmena, Gerineldo y Babilonia, quedan paralíticos.

— Las dos mujeres que hubieran sido buenas rectoras de la estirpe son echadas fuera de la colmena: Rebeca y Remedios, la bella.

HECHOS QUE SIRVEN PARA REFORZAR UNO DE LOS LADOS DEL ESPEJO

Remedios, la bella —hermana de un José Arcadio y un Aureliano— rechaza a cuatro pretendientes: el que muere bajo la ventana, el que es atropellado por el tren, el despeñado en el baño y el coceado.

Esta situación real ayuda a soportar el reflejo de una fantástica Amaranta —también hermana de un José Arcadio y un Aureliano— que rechaza también cuatro pretendientes: el hermano menor de Crespi, Crespi, Aureliano José y Gerineldo.

El aprendiz de Papa, cuando regresa de Italia, sufre muerte violenta: lo ahogan en la bañera. José Arcadio Tercero soporta así la imagen de Crespi que se ahoga en tono menor: le basta una palangana para transitar a la otra vida.

Aureliano Segundo tiene dos hijas y un hijo, que soportan —a la inversa— los tres hijos de Úrsula —dos varones— y «la hija». Por eso, a la benjamina de Aureliano Segundo —que también nace distanciada de sus hermanos— se le pone el nombre de la hija de Ursula, pero al revés. Aquélla era Ursula (-Amaranta) y ésta será Amaranta-Ursula.

Remedios Moscote debiera haber tenido gemelos, pero es en la otra historia cuando Santa Sofía de la Piedad los engendra.

El coronel debiera morir fusilado, pero quien sufre esa muerte es su sobrino Arcadio.

Su hijo Aureliano José muere por la espalda, y en la segunda parte muere José Arcadio Segundo ametrallado, más o menos, a traición.

Melquíades y Pilar Ternera tienen un oficio semejante: escribir —Melquíades— y leer —Ternera—, que van ayudando a los Buendía a descifrar su porvenir. Melquíades lo hace en una forma que no sirve para nada, ya que cuando un Buendía llegue a descifrar las profecías, ya no queda tiempo para rectificar e impedir el desastre.

Ternera tampoco es más lúcida en la mayoría de los casos: las esposas que proporciona a Aureliano y a Aureliano José son totalmente efímeras. En cambio, acierta en la que proporciona a Arcadio, porque las cartas no están de por medio, sino el dinero, ya que se la compra a sus padres. Con José Arcadio se equivoca porque predice que será feliz y muere asesinado por odio. Los consejos que imparte a Meme son desacertados hasta el extremo que ésta concibe, a pesar de las cataplasmas de mostaza.

EL AUTOR BUSCA CONSCIENTEMENTE LA DISPOSICIÓN ESPECULAR

No hace falta seguir. Salta a la vista la organización espectacular de *Cien años*. Incluso —creo— esta distribución le entra, al lector, por los ojos. No es algo que el lector tenga que buscar; García Márquez se lo da hecho desde el frontispicio. (Un poco sospechosa tanta generosidad.)

El lector se tropieza de entrada con esta «e» invertida de SOLƎDAD. Después está el dibujo de la cubierta, que casi se corresponde con el de la contraportada, aunque sólo las estrellas se reflejen en su sitio. Los soles, las lunas y las flores

GABRIEL GARCÍA MÁRQUEZ
CIEN AÑOS DE SOLEDAD

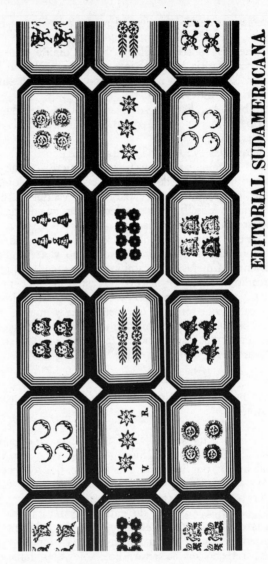

EDITORIAL SUDAMERICANA

están en el lugar opuesto al que les correspondería: de arriba a abajo y de izquierda a derecha. Los otros ocho motivos: muerte, libertad, diablo, ángel, naturaleza, trabajo, dolor y amor están distribuidos algo arbitrariamente a ambos lados del espejo, y se pueden, combinar de distintas formas. Una de ellas sería ésta:

— El dolor y el amor están en la misma cara del espejo para indicar que ambos son inseparables.

— En esa misma cara están el bien y la naturaleza. Ello puede significar la dotación que se le da a todo viviente: el bien —los ángeles—, la naturaleza —los animales—, el amor —los cupidos—, y el dolor —los corazones sangrantes—.

Frente a ellos, en la página de la derecha están la muerte y el mal, porque ambos van unidos, y con ellos están el trabajo y la libertad. Es como si los dones entregados en la página izquierda debieran hermanarse con algunos de los enunciados en la página de la derecha y luchar contra otros de éstos: con el trabajo —las campanas—, defender la libertad —los gorros frigios—, e impedir que el mal —los demonios— o la muerte —las calaveras— lleguen a dañar al hombre que se desenvuelve entre las coordenadas del cielo —sol, estrellas, luna— y de la tierra —flores—.

EL ESPEJO INEXACTO

Este análisis que acabo de hacer es una simple lectura realizada sin mayor preocupación que ponerle nombres a las figuras que se hallan representadas. Pero la doble portada se presta a vastas lucubraciones. Y es esto lo que debe alertar, en el sentido de que, si son varias las conclusiones a sacar y todas igualmente válidas, en realidad, ningua lo es totalmente, y por lo tanto, lo único que consigue el espejo, tanto el gráfico como el narrativo, es entretener al lector en «algo bueno para nada». Si tenemos en cuenta que la primera edición no tenía esta portada de «espejo» —que guarda una cierta similitud con los jeroglíficos precolombinos—, sino que ostentaba un barco, la «portada-espejo» adquiere un sentido de *rizo rizado,* de firme voluntad de orientar al lector hacia el espejo. Es una especie de *espantapájaros* dedicado al lector incauto. Dicho de otro modo: es demasiado flagrante para que el lector se lo trague sin más, y con él, la idea de que el libro es algo tan simple como un espejo.

El libro es un espejo. Yo misma he dado pruebas de ello. Pero cuidado, el libro es un espejo EN PARTE. Es decir, *no es un espejo exacto* como definen Josefina Ludmer y Raúl Silva-Cáceres —entre otros—. Y este no ser un espejo total incide directamente en la identificación de los narradores.

Repasemos las citas de ambos críticos. Ludmer dice que son «*dos mitades*», que «*los diez primeros* [*capítulos*] *narran una historia y los diez segundos la vuelven a contar*» (p. 22). Insiste casi con la misma frase en la página 203: «*los diez primeros capítulos cuentan una historia y los diez segundos la vuelven a contar*». Pero luego, en la página 34, se lee: «*El capítulo décimo comienza con el mismo movimiento... el capítulo décimo abre la segunda inscripción*». Y llama en su ayuda a Silva-Cáceres: «*Se toma el origen de una historia en el capítulo primero y el de la segunda en el décimo*».

Ambas afirmaciones se contradicen. La una y la otra no son posibles. No puede cumplirse que el libro tenga *dos mitades exactas* si, estando formado por veinte capítulos, la segunda parte comienza en el capítulo diez. Siendo verdad que una historia comienza en el primer capítulo y la otra en el décimo, y si las matemáticas rigen con los mismos principios en ambos lados del Atlántico, no hay exacta duplicidad. Hay «cierta» duplicidad, pero no exacta. No hay *dos mitades,* ni la historia se repite *idénticamente en la mitad exacta del libro.* No sólo porque los números así lo demuestran, sino porque la segunda parte va más allá que la primera, puesto que acaba con la estirpe. El nacimiento del hijo con la cola de cerdo no tiene reflejo en la primera parte del relato, como no sea en el primo que muere a manos de un destazador. Pero en cualquier caso este primo no forma parte de la familia —estricta— de Ursula. Tampoco tiene su reflejo en la primera parte del relato el fabuloso vendaval que acaba con Macondo.

Si el libro tiene veinte capítulos, y se emplean los nueve primeros en relatar la primera historia —dado que la segunda historia comienza en el décimo—, resulta que en el segundo relato se emplean ONCE capítulos, es decir, que *no hay exactitud*. Si comenzara en el capítulo once, sí. Pero iniciándose en el diez, no. No hay «*mitad exacta*», ni dos mitades. Hay espejo y dos partes, pero la exactitud cede su lugar en beneficio del narrador.

En realidad es un espejo *exactamente inexacto*. Es decir, que el trazado del espejo es exacto. Por eso, la letra invertida en SOLƎDAD es la del medio; ni la «L», ni la primera «D», la «Ǝ». Lo que sucede es que no hay exactitud entre «ESPEJO» y «LIBRO». Hay menos espejo que libro, o al contrario, hay más libro que espejo. Es decir, SOBRA LIBRO. Y la parte de libro que sobra es en beneficio del narrador, del narrador llamado Gabriel García Márquez.

EL RELATO «MÁS ALLÁ» DEL ESPEJO

La historia que *narran los Buendía* se termina en el capítulo decimoctavo, en el duplicado exacto de los nueve primeros capítulos, pero como García Márquez tiene algo que decir, la historia prosigue hasta que el mensaje de Gabriel García Márquez sobre los Buendía tenga explicación cabal.

Así, pues, el capítulo diecinueve y el veinte no pertenecen a los mismos narradores que han tenido a su cargo los dieciocho primeros. Estos dos capítulos finales corresponden a la historia de los Buendía puesto que lo que sucede en ellos les pasa a los Buendía pero no se narra solamente lo que les sucede a los Buendía. En esas treinta y tres últimas páginas se relata lo que García Márquez narra de propia pluma. Aquí no tiene cabida ni la tesonera Úrsula intentando afianzar la estirpe echando mano de costumbres ancestrales, ni hay nada de la estúpida Fernanda intentando disimular su cicatería con cataplasmas literarias. Lo que queda *fuera del espejo* está escrito en el siglo veinte por un hombre que dista mucho de compartir el mismo Macondo que Úrsula y Fernanda. La atmósfera de los dos últimos capítulos ha cambiado. Las calles son distintas, y también las gentes. Un análisis lo dejaría patente pero, es tan claro y evidente el deseo del autor de expresar esa diferencia que no vale la pena analizar que el sol da luz.

Baste una muestra como testigo: el autor introduce un *alter ego* como personaje en la obra. Es Gabriel —el novio de Mercedes la apotecaria—, *bisnieto* de Gerineldo Márquez —el amigo inseparable del coronel Aureliano Buendía— el pretendiente de Amaranta, el... el que *no* se casa y que por lo tanto, *no puede tener bisnietos*. Véase que para reforzar ese nuevo ámbito donde transcurren los dos últimos capítulos a Gabriel García Márquez no le ha bastado presentarnos un Macondo diferente, sino que lo ha enfatizado con su propia presencia —injustificada, genéticamente hablando—.

Disiento, por tanto, con Ricardo Gullón [39], que observa:

> su imperturbabilidad [la de García Márquez] se revela en *lo inalterable del tono;* desde la primera página hasta la última *se mantiene al mismo nivel, sin fluctuaciones, sin variantes...*

«El tono» cambia tan radicalmente que no necesita ningún refrendo. Tal vez haya una continuidad dentro de la casa de los Buendía donde el aire ha quedado estancado y el silencio ha momificado las estructuras mentales de alguno de sus miembros, pero el cambio es evidente: los Buendía necesitan salir de casa, deben trabajar para subsistir... En cambio, los macondinos entran en la mansión y se pasean por ella, pueden negar sus favores a los Buendía y recordarles que son tan mortales como el resto de los macondinos si se levanta la mano contra ellos.

Si el lector toma el libro «en frío» y comienza a leer por el capítulo diecinueve, el relato «suena» completamente distinto de lo que luego se pueda leer en los primeros dieciocho capítulos. En los dos últimos el lector se encuentra «pisando» sobre las calles del auténtico Macondo y no del fantástico pueblo que se le ha servido en los dieciocho capítulos precedentes. Este Macondo del final no tiene fantasía. Algo ha pasado y se nota en

---

[39] Gullón, Ricardo, *op. cit.*, p. 148.

el distinto pulso del narrador. De todas las fantásticas hipérboles que el lector ha ido asimilando a lo largo y ancho de más de trescientas páginas, sólo queda una pobre imagen: el sedal con que Gastón se deja amarrar y, si acaso, los amores de Amaranta Ursula, que no alcanzan a emular los de Rebeca.

LOS BUENDÍA Y MACONDO

Cien años de soledad es el relato, la novela, de una familia —los Buendía— que incluye una «intranovela» —la de Macondo—, que el lector cree que le están explicando al mismo tiempo que la repetitiva historia de la familia de los Arcadios, Aurelianos o Ursulas, pero la realidad es que *la historia de Macondo no es la historia de los Buendía.* Ambas historias forman líneas divergentes, con dos finales distintos, y completamente opuestos.

La historia de Macondo hay que rastrearla y recomponerla como el más difícil y cuidadoso de los puzzles. Y en los dos últimos capítulos la historia de Macondo sustituye a la de los Buendía.

Recordemos que en la página 69 leemos: «Fue el primer entierro y el más concurrido que se vio en el pueblo, superado apenas *un siglo después* por el carnaval funerario de la Mamá Grande.» De modo que *Macondo sigue vivo cien años después del entierro de Melquíades,* y si en *Cien años de soledad* no aparecen relatados los susodichos funerales de la Mamá Grande, es porque *Macondo no se termina en la página 351.*

Lo que se termina en la última página es la CASA de los Buendía. Recordemos también que cuando se llevan el cadáver de la Mamá Grande «los sobrinos, ahijados, sirvientes y protegidos... *desmontaron las puertas, desenclavaron las tablas y desenterraron los cimientos* para repartirse la casa... Lo único que para nadie pasó inadvertido... fue el estruendoso suspiro de descanso que exalaron las muchedumbres...». Así es que, después del estruendoso funeral que acaba con la casa de Mamá Grande como si hubiese pasado un vendaval, los macondinos no solamente viven sino que vivirán con mayor felicidad y descanso que antes.

De esta forma, cuando leemos en *Cien años de soledad* que «el viento cuya potencia ciclónica *arrancó de los quicios las puertas y las ventanas... y desarraigó los cimientos...*», estamos leyendo algo totalmente semejante a lo que sucede en el fin de la Mamá Grande, y por tanto, asistimos al final de la casa de los Buendía; un final esperado por los macondinos PARA REPARTIRSE el patrimonio que aún estaba bajo el puño de los caciques.

Lo último que se oye en *Los funerales de la Mamá Grande,* es el estruendoso suspiro de descanso; y en *Cien años de soledad* es *la potencia ciclónica del viento.*

Las escenas son tan similares que no cabe duda alguna de que sean reflejo la una de la otra. Si después de los funerales, la casa de la Mamá Grande ha quedado como si por ella hubiera pasado un ciclón, y no obstante, los macondinos pueden recostarse «en un taburete en la puerta para contar esta *historia, lección y escarmiento...*» [40], también en *Cien años de soledad* los macondinos podrán sentarse gozosa y tranquilamente a contar la historia de los Buendía «para lección y escarmiento de las estirpes futuras».

Esta es la historia que nos hace llegar García Márquez. La transmite contándola a «su modo»; como una ambiciosa partida de ajedrez donde se enseñará al contrincante, no sólo una jugada clave para dar jaque al rey en la partida que se está terminando, sino una lección —una y múltiple— capaz de resolver cualquier situación extrema con las mismas constantes. En *Cien años de soledad* no se narra solamente la «historia» de los Buendía-Iguarán y su «fin», sino la historia de todos los Buendía y la «lección» necesaria y suficiente para defenderse de cuantos son como ellos.

Es evidente que Macondo no perece en la página 351 de *Cien años de soledad,* porque el castigo está reservado «a las *estirpes*», no a los pueblos; y porque esa «ciudad de los espejos (o de los espejismos)» no puede referirse más que a LA CASA y posesiones de los Buendía, ya que «el espejo» sólo se cumple

[40] García Márquez, Gabriel: *Los funerales de la Mamá Grande,* op. cit., p. 146.

en ellos, los «narcisos» que se han autocomplacido en sí mismos y han prescindido de la presencia y sentimientos de los demás. Ese ha sido su *espejismo,* el que creyeran que habían construido una ciudad en Macondo. Ellos sólo construyeron odio al buscar únicamente su propio beneficio en todo momento. *Creyeron* que edificaban y formaban Macondo, pero eso fue un *espejismo:* Macondo se construyó a sí mismo y, cuando fue lo bastante potente, terminó con los Buendía. No siempre hay a mano un Alejandro para resolver los sucesivos enredos de los Gordios que jalonan la Historia de los pueblos. Un ejército de hormigas puede ser tan —o más— eficiente que la espada del más invicto general.

Esta es la *historia* —la de los Buendía— que ya he reconstruido en las páginas precedentes. Ahora hay que enfrentarse con la *lección* que dan los macondinos al lector de buena voluntad y probada paciencia.

EL RELATO «AB OVO»

Los Buendía y los macondinos: ni juntos, ni amigos

Voy a comenzar por recomponer *lineal* y *paralelamente* la historia de los Buendía y de los macondinos.

Los bisabuelos de los protagonistas —el criollo cultivador de tabaco y el comerciante aragonés— amasan una considerable fortuna que hereda, unida, su bisnieto —el primo de José Arcadio Buendía y Úrsula Iguarán— gracias al matrimonio de los primogénitos de ambas ramas.

El caciquismo del primo se hace insostenible, y el pueblo elimina al rico heredero y —probablemente— a algún miembro más de la familia. Después del acontecimiento no mejoran las relaciones entre el pueblo y los Buendía-Iguarán. La tirantez de las mismas obliga a huir al sector más joven del «clan» de los Buendía. Varios de sus fieles amigos y los familiares más allegados acompañan en el éxodo a José Arcadio. Juntos emigran en busca de un lugar propicio para vivir y prosperar sin impedimentos.

Cuando José Arcadio Buendía lo *ordena,* se paran y construyen un pueblo, donde el patriarca inicia la primera fase de su breve dominio y que consiste en quedarse con las mejores tierras. Por su parte, Úrsula comienza a amasar dinero con la exclusiva de la industria artesanal. El dominio comenzado a ejercer por José Arcadio y aumentado por Úrsula se completa el día en que los Buendía *permiten* que el corregidor se instale en el pueblo. Ambos se dan y toman palabra —de *enemigos,* es cierto— pero, a fin de cuentas, es un pacto en firme. Recuérdese

que quienes entran a parlamentar con Moscote son solamente
José Arcadio Buendía y su hijo Aureliano (p. 56); el resto del
pueblo se queda fuera.

COMIENZA EL DESCONTENTO

Los Buendía ya han amasado una buena fortuna. Toda la
pobreza descrita en las páginas 9, 10, 11, 14, 15, 19 y 30 se
ha terminado y construyen una casa, LA CASA, «la más fresca»,
la mejor de toda la ciénaga, y con ella se construye también la
barrera que los irá separando cada vez más del pueblo: invitan
a todos los fundadores excepto a Ternera. No la consideran lo
bastante digna para estar con ellos, aunque sí ha sido buena
para traer al mundo un hijo de cada uno de los varones Buendía.
De momento sólo hay una persona descontenta. Claro está que
no hay enemigo pequeño. No hay más que recordar que sus in-
terpretaciones de las cartas, en el caso de Meme, son fatales.
(Esta actitud de Ternera tiene dos posibilidades de análisis: o
intenta reconciliar a los Buendía con el pueblo, por medio de
la unión de Meme con Babilonia o bien, está tomando las me-
didas de una meditada venganza. Yo me inclino por lo primero.
Ternera es demasiado vital, humana y telúrica para mantenerse
con vida sin otro motivo que el de tomar venganza en su misma sangre.)

LOS MACONDINOS INICIAN EL «COBRO» DE LAS OFENSAS

El malestar general comienza cuando el pueblo ve cómo los
dos Buendía se van a buscar mujer legítima *fuera* del pueblo:
José Arcadio con Rebeca —sea desheredado o no, a los macondinos de momento les trae al fresco— y Aureliano elige, nada
menos, que a la hija del corregidor, el enemigo público del
pueblo.

Cuando Remedios muera, el pueblo se verá vengado de la
ofensa de Aureliano. Y luego, cuando éste vuelva la espalda

a su suegro abrazando los ideales liberales del pueblo, los macondinos exultarán de gozo.

Más tarde, al ver partir a los nuevos veintiún hombres simbólicos a la conquista de otro nuevo mundo —el de la guerra—, se sienten rejuvenecidos, trascendidos e imitados. Su amistad con los Buendía se ha reanudado.

Queda por cobrar la ofensa de José Arcadio. Se satisfarán de ella en la persona de Arcadio, que se ha quedado con la parte intelectual del poder —la escuela— y además con el gobierno del pueblo liberal. La irresponsabilidad de Arcadio en la forma de gobernar el pueblo es tal que propiciará que los conservadores, cuando conquisten Macondo, maten a todos los hombres jóvenes que no se habían ido con el coronel y estaban acuartelados en la escuela con Arcadio. Por eso los macondinos no levantarán un sólo dedo para evitar que fusilen a Arcadio. Debe pagar la muerte de todos los que han sido arrastrados a la muerte por sus locuras. Además está la ofensa de la esquilmación de las tierras de los pequeños propietarios a favor de su padre y la «extranjera». Ursula no se molestará por su nieto. Rebeca, tampoco; aunque cada cual por razones distintas: el pueblo por odio a él y a su familia; Ursula por usurpación de poder —Arcadio se había atrevido a construir *otra casa*—; y Rebeca, por eliminar un cómplice en la consolidación de su fortuna y al heredero bastardo de su marido. (La existencia de los bastardos de Arcadio será un obstáculo para heredar el delfinado. Rebeca no contó con la jugarreta del destino, que tenía guardada en la manga el naipe de unos gemelos varones póstumos.)

La balanza en este momento está equilibrada: ofensa por ofensa. Los Buendía y los macondinos tienen sus marcadores igualados.

En el siguiente round el coronel pierde la guerra, y con ella a todos los primogénitos de los fundadores que confiaron en él. Por lo tanto, el pueblo considera justo que lo fusilen: muerte por muerte. Contraviniendo el sentimiento popular —que busca cancelar su ofensa según la antigua ley judía del Levítico— el coronel es salvado a última hora por la intervención de José Arcadio.

Los macondinos se verán vengados de esta nueva ofensa infligida por el mayor de los Buendía —porque el cadáver del coronel es el trofeo de guerra al que el pueblo se creía con derecho total y les es «robado» cuando su hermano lo salva—, porque Rebeca lo matará. Ella también recibirá su parte de castigo por haber intervenido en la salvación del coronel: será rechazada por éste, será dejada de lado como si fuera una pieza sobrante del puzzle.

La balanza ha quedado de nuevo equilibrada.

LA PRÁCTICA DEL TALIÓN

Volverá a desnivelarse otra vez cuando el coronel Aureliano Buendía *haga la guerra a los liberales*. Será su mejor guerra, la más cruel, la más sangrienta de todas las que emprendiera. (Mientras tanto, Ursula anda buscando la forma de no naufragar apoyándose en la alianza con el coronel Moncada.) Esta traición de Ursula el pueblo la cobrará en su nieto Aureliano José, al que matan por la espalda. La comedia de dejar que el militar lo mate, y luego descargar varias cargas de revólver sobre el asesino providencial, es algo tan clásico que algún presidente de América Latina, muerto violentamente, habría podido contar este episodio como sucedido a su propio padre.

El coronel puede quedar vivo. El pueblo no es vengativo. Sólo quiere justicia y, puesto que ya se ha cobrado la ofensa, deja al coronel en paz. Las esperanzas del pueblo se cifran en los hijos de Santa Sofía de la Piedad, la cual ha entrado en LA CASA a cuidar a sus hijos —como una criada con resonancias bíblicas— pero, al fin, uno del pueblo ha entrado en la fortaleza de los Buendía.

La expectación es grande. Los bisnietos de Ursula tienen tres cuartas partes de sangre bastarda del pueblo, contra una de los Buendía.

Las esperanzas resultan ser fundadas. La mayor, Remedios, ha salido una auténtica hija del pueblo: desdeña a un comandante, a un príncipe que viene de lejos, a un forastero y a un gringo. Está lejos de todo convencionalismo en el vestido y arreglo de su persona. Se ocupa de los mismos menesteres que el pueblo: cuida su ganado y su vivero. El pueblo ve en ella la auténtica heredera del matriarcado, pero de un matriarcado benigno y fecundo para Macondo.

Los planes se vienen abajo con la inesperada —cuanto perjudicial— actuación de Aureliano Segundo, que escapa un buen día del pueblo y se trae a una «reina» extranjera: Fernanda del Carpio, la más mezquina entre todas las mujeres. La primera misión de la «reina» importada será deshacerse de Remedios, la bella, ante la impotencia del pueblo, que no puede impedirlo.

El castigo que recibirá el estúpido Aureliano Segundo —que no sabe ver más allá de sus narices —será la infelicidad que recibirá de la ridícula y cicatera Fernanda del Carpio.

Mientras tanto, los Buendía traen el ferrocarril, que inunda el pueblo de montones de novedades paradójicas —como el cine— que polarizan la atención y sentidos del pueblo. Entre las «nuevas» cosas que llegan a Macondo, está la Compañía Bananera, con la cual la tranquilidad y el régimen de tira y afloja que imperaba en el pueblo termina, al cambiar los antiguos policías por «sicarios de machetes», que se ensañan con el indefenso pueblo y matan simbólicamente a lo más selecto de él en las personas del coronel Visbal y su nieto.

El pueblo responderá matando a las gentes adeptas a los Buendía —representados en los Aurelianos—. Los mata el pueblo porque son cazados «como conejos», y por «criminales invisibles»: uno muere de disparo de máuser, otro de disparo de fusil, otro con un punzón de picar hielo, otro de un tiro de revólver y queda dentro de un caldero de manteca hirviendo, otro...

Entretenido el pueblo en esta «caza», no se da cuenta de que José Arcadio Segundo está metido de lleno en la Compañía Bananera. Si el pueblo espera algo de él, no anda equivocado: monta la enorme matanza de tres mil cuatrocientos ocho muertos. Y todo esto porque creyó ser más listo y más fuerte que los gringos, y quiso enfrentarse con ellos —bajo achaque de reformas sindicales— para así echarlos del pueblo y quedarse para él solo con el sabroso bocado de la Compañía Bananera ya en marcha. José Arcadio muere también. Es mejor para él que sea así. No se sabe qué tipo de muerte le hubiera reservado el pueblo después de haber quitado a los muertos, no sólo el derecho de ser héroes, sino también el de ser muertos.

EL PUEBLO, A LA OFENSIVA FINAL CONTRA LOS BUENDÍA

Queda aún LA CASA, el símbolo del poder. Y aunque Fernanda haya situado al heredero fuera del alcance del pueblo, y se haya deshecho de Ursula —con gran contento del pueblo, que ve sufrir en carne propia a los Buendía sus mismas humillantes derrotas— ha cometido un gravísimo error: ha «echado» del pueblo a Meme, otra gran esperanza para ellos porque se había entregado a un hijo del pueblo, Babilonia.

Así pues, el pueblo sitia a los Buendía con la lluvia. La lluvia no la convoca el Sr. Brown, sino el pueblo. Es decir, el pueblo no convoca nada. Lo que sucede en que como casi todos los hombres han muerto en la matanza, no queda nadie para ir a trabajar el banano, y el resto se niega a ir a cumplir con sus obligaciones en las fincas de los Buendía, Mr. Brown tiene que irse a Macondo, igual que hubiera sucedido si llega a llover más de cuatro años seguidos.

El Sr. Brown no puede convocar la lluvia porque ello es el fin de su negocio en Macondo. Después que el gobierno le ayuda a salir del atolladero de la matanza tiene que desmantelarlo todo y marcharse, ya que los pocos macondinos que quedan prefieren la muerte por hambre que la muerte en los campos de banano, campos que —a juzgar por la descripción de la página 324: «cuya piscina seca estaba llena hasta los bordes de podridos zapatos de hombre y zapatillas de mujer»— parecen una transposición de los campos de exterminio nazis en la segunda guerra mundial.

La lluvia que retiene en casa a los Buendía es la hostilidad que el pueblo les muestra, y esconde, al mismo tiempo, el saqueo a plena luz de sus posesiones.

Una prueba de que no hay lluvia es que la gente sí que entra en la casa de los Buendía. Y Fernanda sigue teniendo *comensales* —probablemente los apoderados de la compañía que vienen a liquidar el negocio—. También entra el teniente —durante la lluvia— a buscar a José Arcadio Segundo. Además hay otras personas que van a la CASA «a menudo... llevando noticias *ingratas* del diluvio» (p. 270). También hay una cuadrilla de trabajadores que se presenta con sus máquinas para revolver la casa buscando el tesoro. Macondo está lo bastante viable como que para que un amigo de parranda de Aureliano sea enviado a sonsacar a Ursula el escondite del dinero (p. 278). Aureliano Segundo trabajará duramente en el patio a pesar de la supuesta lluvia (p. 279). Por último, en 281 leemos: «Al otro lado de la lluvia», y ese «otro lado» es la calle comercial de Macondo donde la gente está cómodamente sentada en espera de que los Buendía vayan desprendiéndose de las pocas pertenencias que tienen, como por ejemplo la vajilla de plata (p. 285).

El único que sale de la casa es Aureliano Segundo. Se atreve a salir cuando se termina la comida y pretende que Ternera le diga dónde está el tesoro de Ursula. Pilar lo enreda con varios detalles inútiles, sabiendo probablemente su emplazamiento porque trabajó durante mucho tiempo como cocinera y criada en casa de los Buendía.

LA RIFA DE LAS TIERRAS DEL DILUVIO

La rifa de «las tierras del diluvio» significa que el pueblo ha obligado a Aureliano Segundo a vender el patrimonio familiar. El pueblo se ha hartado de su pobreza, representada por las mariposas amarillas, que tienen el mismo color que el banano pero que no sirven para nada —igual que para nada sirven los vales con que la compañía paga los jornales, evitando gastar su capital en sueldos. (En cambio el amarillo del banano es oro —también amarillo— y comodidades —tren amarillo— para los Buendía y sus amigos los gringos.) El amarillo es muerte en *Cien años de soledad* tanto para los pobres a causa de la miseria con todas sus secuelas como para los ricos por motivos de esa misma riqueza. Recuérdese que la muerte se anuncia por discos y silbos anaranjados, y varios de los Buendía: Aureliano José, José Arcadio, Arcadio y José Arcadio Segundo, mueren por los discos y silbos anaranjados de los disparos de las armas de fuego [41].

En realidad no hay rifa. Aureliano Segundo vende las tierras del mayorazgo de los Buendía a los pequeños propietarios que se han reunido en régimen de cooperativa: «se formaron sociedades para comprar billetes a cien pesos cada uno» (p. 298) [42].

La cesta de comida que llega mensualmente enviada por Petra Cotes representa lo poco que el pueblo permite que les quede, y que se termina con la muerte de Fernanda, porque para entonces el único que queda es Aureliano. A éste no le mandan comida para que salga a buscarla y se alimente de sopa de cabezas de gallo —el padre de su tatarabuelo, el fundador de la dinastía, era gallero antes de fundar Macondo—. Con ello, el círculo metafórico que ilustra —por antítesis— la ausencia de vigor en los varones de la estirpe estaría casi completo.

Sólo falta que se amancebe con una negra: Nigromanta. La venganza estaría cumplida: de los tres vástagos hay dos fuera; el uno asimilado al orden sacerdotal y la otra extraviada por la corruptora Europa. Si el único representante que queda en Macondo ignora su filiación, parecería ser que la estirpe de los Buendía haya sido, al fin, raída de la tierra. Pero no. Inesperadamente llega el estudiante de Papa con modas nuevas. Se le permite la pederastia hasta el día que azota a los cuatro muchachos. A la primera oportunidad lo asesinarán en el baño y con escarnio: así

---

[41] No comparto la opinión de Ricardo Gullón sobre el valor del color amarillo; *op. cit.*, p. 170.

[42] Afirmo que las tierras del diluvio pertenecen al mayorazgo de los Buendía por las siguientes razones: Si Aureliano Segundo puede rifar las «tierras del diluvio» es porque tiene que ser su propietario. Ahora bien si el diluvio fue «convocado» por el señor Brown (p. 267) *las tierras del diluvio* tienen que ser los terrenos donde la Bananera tenía asentados sus reales —y sus dólares—. Si Aureliano Segundo vende las tierras de la Bananera es porque *tienen que ser suyas desde siempre* —ya que la penuria en que lo halla el final de las lluvias no permite la compra de tales extensiones de tierra de cultivo—. Si Aureliano Segundo es dueño de las tierras de la Bananera él es quien se las alquila al señor Brown para instalar su negocio. De ahí el cargo de «capataz» —¿capataz un Buendía? Jamás. Socio, sí— que José Arcadio Segundo absorbe y que tan funestas condiciones tiene para los macondinos. El odio que profesan contra los Buendía no es gratuito: se han dedicado a esquilmarlos a «cuatro manos».

morían los antiguos romanos cuyo poder intelectual era demasiado peligroso para las miopes miras de un emperador torpe. Si así murió Lucio Anneo Séneca, que fue a estudiar a Roma y se le consideró como al hombre de más valer de su tiempo, el pueblo mata así al que se fue a Roma a estudiar y lo único que hizo fue desprestigiar a Colombia en Roma, importar costumbres poco ortodoxas y dilapidar un oro que no era de los Buendía. Después se llevarán los tres sacos de oro, y sólo tendrán que esperar que el último vástago que queda en Macondo desaparezca en el mismo anonimato en el que ha crecido.

Aquí se podría terminar la HISTORIA de los Buendía: con el ajusticiamiento del legítimo primogénito por un pueblo harto de arbitrariedades, y con la absorción del último vástago bastardo entre lo más bajo del pueblo: Aureliano Babilonia desconoce su apellido e ignora su verdadera identidad, e incluso se le hace creer que su nombre y apellido es un tópico socorrido a falta de originalidad a la hora de bautizar a un niño, y por lo tanto, ningún derecho puede reclamarle al pueblo vengativo.

Este sería el típico final de las grandes familias incapaces de gobernar los pueblos y las naciones. Así desapareció el zarevich que hizo encumbrar a Rasputín; así terminó el delfín que engendró María Antonieta, y así muere el último heredero legal de los Buendía: «el silencioso y pálido *delfín* se deslizó hasta el fondo de las aguas fragantes» (p. 17).

UN FINAL CON CASTIGO INCLUIDO

Este no es el final de la historia. La narración que falta no puede ser debida a la pluma de Ursula o a la de Fernanda —las dos narradoras que hemos nominado como tales—. Tal vez Fernanda pudo barruntar un final catastrófico, pero no pudo llegar a inventarse los amores de su hija Amaranta Ursula con el nieto bastardo. Es demasiada fertilidad intelectual para una mujer tan chata y mezquina.

Es aquí cuando entra en escena Gabriel Márquez dándonos cuenta de todo lo que resta y que conoció personalmente por vivir en Macondo y por ser amigo del propio Aureliano Babilonia desde el día en que éste sentó cátedra sobre la historia, pasión y muerte de las cucarachas. La parte que le cabe en suerte a Gabriel Márquez y que éste explica al lector con todo detalle es ésta:

El plan de dejar que los Buendía terminen un poco «casualmente», dado que el heredero ignora que lo es, no puede llevarse a cabo porque Amaranta Ursula, tan tenaz como su tatarabuela, siente el llamado de la tierra y regresa a Macondo casi inesperadamente.

No importa. Un buen estratega sabe cómo convertir los obstáculos en victorias. En ella se ejemplificará cómo terminar con la estirpe que se aborrece. Esta lección que encierra *Cien años de soledad* es lo que nos explica Gabriel García Márquez con la dedicación del más hábil de los maestros.

Así discurren los hechos:

Amaranta, despreciando al otoñal Gastón, prefiere a su sobrino Aureliano para hacer reverdecer en él el tronco de los Buendía. El pueblo consiente los amores —el pueblo siempre es paciente— pero no permitirá que aparezca un heredero. No están dispuestos a tener a otro Buendía, y ahí entra en escena la olvidada Pilar Ternera, que incitará al tataranieto a saciar sus amores en Amaranta Ursula.

Véase qué justicia más calderoniana: es un castigo sin venganza, o mejor, una venganza que jamás podrá ser castigada. La única que recuerda cómo terminó el hijo con cola de cerdo que parieron los primos de Ursula y José Arcadio Buendía es Pilar Ternera, que por aquella época andaba alrededor de los veinte años y no ignoraba los asuntos del amor puesto que los practicaba desde los catorce. Pilar Ternera es de las pocas personas —tal vez la única— que conoció los amores de Meme con Babilonia, porque fue ella la que aconsejó a Meme que se entregara a Babilonia y por lo tanto, Pilar Ternera tiene que saber que el niño que traen a Fernanda y que aparece por la casa es hijo de Meme, y como tal lo reconoce el día que Aureliano entra en *El niño de Oro* (p. 333). Y es ella, la tatarabuela de Aureliano, la que le aconseja unirse a su tía Amaranta —bisnieta de la propia Pilar—.

Cuando Pilar suponga que el fruto de los amores incestuosos hará pronto su aparición, se morirá. ¿Quién puede culpar al pueblo de lo sucedido? ¿Hay algo más perfecto que lo realizado por los macondinos? Porque Pilar nunca ha sido una Buendía. Nunca ha recibido nada de ellos. Ella siempre ha dado: instrucción sexual, trabajo físico, hijos... Pero nunca ha sido tomada en consideración. Pilar, pues, es pueblo. Y Pilar —en nombre de ese pueblo— termina con lo que ella misma comenzó, porque sin Pilar los Buendía —Ursula y José Arcadio Buendía— no hubieran tenido descendencia ya que toda cuanta se pasea por el libro proviene de Arcadio, el hijo que en ella suscitó el primogénito de los Buendía. Pilar Ternera lo único que hace antes de morir es dejar sus cuentas particulares bien ajustadas. Supone que del resto se encargarán los macondinos.

Y así es. Amaranta Ursula sobrelleva dificultosamente su embarazo y pare sola. El pueblo no quiere saber nada de ella ni de su hijo. El alumbramiento es sin asistencia de comadrona alguna, porque la que se supone que atiende a Amaranta Ursula es la «sonriente comadrona de las muchachitas que se acostaban por hambre» y que viven en «un burdel de *mentiras*» (p. 328). Es un burdel con la misma dosis de realidad que la cátedra que Aureliano Babilonia adquiere en lo referente a los sistemas mortíferos contra las cucarachas.

No solamente no hay comadrona porque la que se cita es imaginaria, sino porque no hay comadrona alguna que se comporte como la que asiste a Amaranta Ursula. No me refiero al acto del alumbramiento en sí (p. 346), sino de los hechos que se le siguen. Acepto incluso que se pretenda detener una hemorragia con apósitos de telaraña y oraciones de cauterio. Pero estos procedimientos requieren que se intenten otros remedios, tanto o más eficaces que los descritos, con el cordón umbilical que aparece descuidadamente olvidado sobre la mesa. Debemos elegir un tipo de comadrona: o médica, y entonces la asepsia y procedimientos no son posibles, o debemos inclinarnos por una curandera. Caso de ser esta última, como así parece indicar la narración, el desprecio olímpico a los elementos más importantes del parto como son el ombligo y la placenta obliga a descartar la posibilidad de que allí haya habido mujer alguna —curandera, partera o enfermera— aparte de la pobre Amaranta Ursula.

Nadie ha ido a auxiliarla. Amaranta Ursula pare sola, se desangra sola y sola muere acompañada de Babilonia y su niño cerdito.

Después de ver cómo Amaranta Ursula termina de desangrarse, Aureliano sale a buscar quien se cuide de la criatura. Nadie quiere ocuparse de alargar la vida de este niño, y todo por culpa de Aureliano Babilonia, el cual contrariando a Amaranta Ursula —que deseosa de terminar con los Aurelianos había buscado para su hijo un nombre normal, Rodrigo— insistió en prolongar la estirpe con otro Aureliano sobre el que pronosticó —nada menos— que ganaría treinta y dos guerras. Y esto los macondinos no pueden aceptarlo. Que un Buendía gane treinta y dos guerras significa que los macondinos tendrán que morir como moscas. Los habitantes de Macondo no pueden olvidar que quedaron más que diezmados cuando el coronel perdió —precisamente— otras treinta y dos. Si perderlas resultó tan caro ¿qué no costará ganarlas con lo manazas que son los Buendía con las vidas de los otros? Decididamente hay que dejar a la estirpe librada a sus propias fuerzas.

LO QUE PIENSAN LOS MACONDINOS DEL ÚLTIMO DE LA ESTIRPE PROCREADO INCESTUOSAMENTE

Por eso, cuando Aureliano va a buscar ayuda a Macondo, no encuentra a nadie. Es como si de la noche a la mañana la gente se hubiera mudado de pueblo. Se diría que en Macondo se ha producido el fenómeno que los físicos explican como resultado de haber viajado a la velocidad de la luz regresando luego al lugar de partida, que es hallado en ruinas.

Digo mal. Nigromanta lo acoge después de su recorrido por los cuatro puntos cardinales, que sólo ha servido para alertar al pueblo y prender fuego al barril de pólvora: si Aureliano no ha aprendido la lección y se niega a terminar pacíficamente sus días con caldo de cabezas de gallo y noches de amor con Nigromanta, si Aureliano piensa revivir a los Buendía, el pueblo lo impedirá como sea.

Y Nigromanta completa la obra que iniciara Pilar Ternera. Nigromanta *retiene* a Aureliano entre sus brazos mientras Amaranta Ursula es un cadáver solitario sobre la mesa del comedor, y mientras su hijo no tiene quien se cuide de darle el primer alimento.

Mientras tanto, las hormigas hambrientas darán cuenta del Cuarto Aureliano. ¿En una noche? Tal vez. O tal vez pueden hacer su labor sin prisas, porque ¿sabemos a ciencia cierta cuánto tiempo, cuántas noches permanece Aureliano con Nigromanta? No. Sabemos de una borrachera que termina en la plaza y del rescate de Nigromanta (p. 348), y luego sabemos de un «amanecer». ¿Ese amanecer es el del día siguiente? ¡Quién sabe!

Cuando Aureliano vuelva a su casa, la doble desgracia se habrá consumado. Aureliano se sentará en el mecedor —cómo no—, precintará puertas y ventanas como para defenderse de un ciclón y se dedicará a hacer lo único que ha practicado siempre: leer.

Mientras tanto, ahí vienen todos juntos como las hormigas —Ursula fue una hormiga: «Ursula en una secreta e implacable labor de *hormiguita*»—. Las hormigas, otra sociedad zoológica en contra de la colmena [43], que vienen decididas a concluir de una vez por todas con la «guerra inmemorial entre el hombre [que sojuzga al pueblo y lo trata a su placer] y las hormigas» pueblerinas que se han unido en una causa común. Ya crujen bajo los pies de los macondinos los «geranios antiguos». Se doblan suavemente, como «un murmullo» bajo sus pisadas. Después, todos a una, arrancan «las puertas y las ventanas» de sus «quicios» y ponen «término a la estirpe». Porque las «estirpes que se condenan a sí mismas a 'cien años' de poder en 'soledad' no merecen tener 'una segunda oportunidad sobre la tierra'».

Por eso, «el primero de la estirpe está amarrado en un árbol y al último se lo están comiendo las hormigas». El creador de la estirpe está amarrado a la tierra, al árbol —falo, poder creador, telurismo—, y al último se lo comen las hormigas, el pueblo débil —pero unido— contra el poderío inhábil.

[43] Recuérdese qué oportunamente vendría aquí el cuento de Horacio Quiroga, *La miel silvestre*.

La novela como lección histórica

Esto es lo que explica, insinúa, aconseja y alecciona García Márquez a todos los Macondos y macondinos que puedan existir en el mundo. Y luego añade: «lo que me duele es tanto tiempo que perdimos» (p. 341) en averiguar cómo darle término a un problema que ya hace años tiene la solución explicada en letras de imprenta.

El consejo no es despreciable, porque como profetiza José Arcadio Buendía, «siempre habrá un Buendía [un 'buen día' en la historia de los pueblos, en el cual un hombre se despierte con ganas de ser el dueño de todos y eso será así] por los siglos de los siglos», ya que aunque esto no suceda más que «una vez cada cien años», las hormigas deben estar alertas, no descuidarse y no dejarse avasallar por quien no es más que ellas.

Quien diga que García Márquez es un escritor «escapista» después de observar las consecuencias de esta *explosiva lección* regalada gratuitamente a los millones de lectores de *Cien años de soledad,* supongo que de Marx pensará que fue el mayor *play boy* de su época.

Debo señalar que en el discurso que Gabriel García Márquez pronunció en la Academia Sueca la víspera de recibir el premio Nobel abogó porque «de una vez y para siempre las estirpes condenadas a cien años de soledad tengan *una segunda oportunidad sobre la tierra*» (cito de memoria); cada cual puede sacar las consecuencias que prefiera. Entre la concepción de *Cien años de soledad* y la concesión del Nobel median lo menos quince años —si no se tiene en cuenta que el escritor habla de su novela como un libro que siempre tuvo escrito y que un día lo pasó a las cuartillas—. Son quince años de decantación sociopolítica, de guerras y opresión en el largo Pacífico —nunca más belicoso— que no han solucionado las armas ni la sangre. En este tiempo se han ido acumulando experiencias, presidentes socialistas amigos de tú a tú, condecoraciones, premios, corbatas, fraques, proyectos… y la vida que no perdona con su continuo desgaste y evolución. Pero en *Cien años de soledad* hay un mensaje muy claro.

Esta es una de las lecturas que pueden hacerse de *Cien años de soledad*. Y viene a ser como una lectura «aclaratoria» de todos los cabos que quedan sueltos. No es, desde luego, ni la única, ni la más oportuna, ni... Pero es *una lectura* válida para los que no se conforman con situaciones ambiguas, errores argumentales, metáforas sin resolver y ausencia de conclusiones. Es la lectura para el que crea que cuando Gabriel García Márquez escribe, hace algo más que buscar dinero para comprarse una casa o realizar un viaje. Es una lectura para aquellos que consideran que hay leyes que rigen el inconsciente y el subconsciente y que la tarea del escritor —aun queriendo llamarse «mágico» y «fantástico»— es lo más alejado que hay de la frivolidad. Es una lectura seria sobre uno de los libros más serios que se hayan escrito, y donde el narrador ha trabajado con todo cuidado su papel, que seguidamente voy a sintetizar.

Ello no obsta para que *Cien años de soledad* sea un «cuento fantástico» para aquellos que crean a pies juntillas en la posibilidad de la existencia real de alfombras voladoras y levitaciones definitivas al empíreo celeste.

También puede leerse *Cien años de soledad* como la historia del hombre intelectual que está obligado a defenderse con la coraza de la soledad y la poesía de aquellos que querrían poder anularlo. Tal vez por esta razón Gabriel García Márquez ha relegado su papel de narrador en los personajes de la obra.

Según García Márquez, todo lo que aparece en *Cien años de soledad* son «experiencias contadas» y por lo tanto, cualquiera puede narrarlas: Melquíades, Ursula, Fernanda, Gabriel Márquez... Esto es lo que voy a aclarar en el próximo capítulo.

EL NARRADOR:
DONDE LAS MUJERES TIENEN LA PALABRA

> *No se le había ocurrido pensar hasta entonces que* la literatura fuera el mejor juguete que se había inventado para burlarse de la gente...
>
> (p. 327)

El narrador es un personaje más viejo que el coronel Aureliano Buendía

Toda la fantasía y los despropósitos de *Cien años de soledad* —un coronel miedoso, una pitonisa que no acierta nunca, un gitano émulo de Homero...— están cuidadosamente meditados desde la primera frase. El «muchos años después» sustituye al «Hace muchos, muchísimos años que en un olvidado país...» de los cuentos de hadas. Pero además está situando al lector en el extremo opuesto de lo que acostumbra a requerir una narración de autor omnisciente —a quien deberían corresponder las palabras iniciales de la obra—. Gabriel García Márquez está fingiendo que no le va a contar al lector una cosa pasada, sino una acción futura: «muchos años *después*».

Este futuro —no obstante— es un *futuro relativo* puesto que será un pasado para el lector —a partir de la página 115, donde el coronel es salvado del pelotón de fusilamiento por su hermano José Arcadio—, y también es un pasado para el autor, cuyo *alter ego* aparece en toda su pimpolleante juventud en la página 327 cuando el libro está dando las últimas boqueadas.

Es un futuro *totalmente relativo* porque se apoya en un *pasado* que se le revelará al lector en la narración *futura*. Es un futuro que es un pasado. Y lo es no solamente en el primer capítulo o en la primera situación, sino en todo su contenido: además del tiempo circular y recurrente, el futuro de Aureliano Babilonia es el resultado de un pasado escrito que, no obstante, se descifra después del suceso. Sólo las últimas líneas hacen converger las líneas del pasado y las del futuro.

Ese «muchos años después» ya tiene en germen dos elementos maestros de la obra:

—Primero: hacer que el lector pierda pie: «muchos años después»; «*después*» ¿de qué? se pregunta el lector. Si esa es la primera frase ¿qué puede colocar *antes* para que el recuerdo del coronel sea *después?* A partir de este momento el lector empieza a entrar en un mundo en el que la regla principal es la irregularidad y la anomalía, donde desde la primera línea se subvierte el orden temporal, y el resto de las complicaciones andan pisándose los talones unas a otras para entrar tumultuosamente en escena.

— Segundo: enmarcar al narrador. Si hay un «*después*», el lector viene forzado a pensar que quien narra es obviamente Gabriel García Márquez en su papel de pontífice supremo que, situado en su ebúrnea torre, va a dignarse contarle una historia muy, pero que muy divertida.

Pero, si bien se mira, el narrador no es alguien contemporáneo del lector que va a contarle algo que ya ha sucedido. El narrador está situado en una época muy alejada de ese lector de la segunda mitad del siglo XX, que es cuando se edita la novela. El narrador está situado, habla, DESDE MUCHOS AÑOS ANTES de que el coronel Aureliano Buendía pase sus noches en la cárcel de Macondo.

El narrador no cuenta de delante hacia atrás, sino todo lo contrario: situado en un pasado muy remoto —en su kilómetro cero— cuenta todas las cosas —o la mayor parte— *en su proyección hacia el futuro.* Y esa voz no es, no puede ser· la de Gabriel García Márquez ni tampoco la de su *alter ego* Gabriel Márquez. Será más bien la de un personaje que, como Lázaro de Tormes, quiere dejar constancia y justificación de sí mismo desde el principio.

En ese «muchos años después» está la clave del narrador, que es el dato más importante de todas cuantas innovaciones técnicas se han puesto en circulación en *Cien años de soledad*. De ahí que en alguna ocasión su autor haya podido decir que una vez formada la primera fase de la novela, supo —desde ese mismo instante— que el libro era un hecho. Cierto. Porque con ella el escritor colombiano tenía seguro su puesto de ojeo para poder soltarle al lector, desde el punto de partida, una liebre mecánica con dispositivo de tiempo y espoleta retardada.

«NARRADORES» A PORRILLO

El puesto de narrador es el empleo más solicitado entre los personajes de *Cien años de soledad*. La tradición oral la inicia el patriarca José Arcadio Buendía «inventando» para sus hijos la forma de la tierra, los filósofos africanos y un nuevo y minúsculo Mediterráneo que puede atravesarse a pie enjuto, amén de otras muchas lindezas que sus hijos reciben como credo religioso.

Pilar Ternera es la depositaria de una tradición con más solera que la del patriarca Buendía: ella *lee* el *pasado* en las cartas. También en el futuro, pero sus aciertos son ocasionales.

Los primeros documentos escritos aparecen en Macondo en los lejanos tiempos de la plaga del insomnio, cuando Aureliano —imitando, sin saberlo, a Alfonso e Isidoro— intenta compilar todo el saber macondino en una ibeeme de estar por casa para evitar que los macondinos sucumban al hechizo de la imaginación mucho más gratificadora que la realidad. Ya coronel, seguirá escribiendo sus versos secretos que quemará antes de sentarse a construir pescaditos hasta el final de sus días.

Por su parte José Arcadio, su hermano, cuando regrese de sus innumerables viajes, llegará «todo escrito».

Arcadio lee lo suficiente para convertirse en maestro, y con sus actos autoritarios da lugar a que se escriban unas de las páginas más sangrientas sobre la existencia de los macondinos.

De modo que en la casa de los Buendía hay una buena colección de manuscritos además de una buena biblioteca con volúmenes de Geografía, Historia de la Filosofía, una enciclopedia, *Las mil y una noches,* el *Decamerón, Los viajes de Gulliver, Alicia en el país de las maravillas, Moby Dick* y varias obras literarias de fama mundial cuya influencia es rastreable en las fantasías a que se entregan los narradores. El origen de la biblioteca: fecha y donaciones, se desconocen pero es posible que el criollo cultivador de tabaco mientras saborease la calidad de su producción, bien retrepado en un sillón de mimbre, se diera a la lectura rodeado por la aureola del humo nicotinoso. También puede haberse originado en el comerciante aragonés, quien con estas obras pretendía ocupar los ocios de una mujer que pasó media vida sin salir de casa. Los gitanos también pudieron proporcionar algunos de ellos. Ursula pudo comprarlos en sus dos viajes —uno cuando la marcha de su hijo José Arcadio y el otro bajo achaque del viaje de Amaranta—. También pudieron llegar junto con las vajillas, los tapices y los muebles de la casa que se inaugura en la página 58. Lo cierto es que hay biblioteca desde los tiempos del patriarca Buendía y que luego debe irse poblando con las obras de fama porque su influencia en la estilística de la narración es innegable.

Fernanda, desde la salida de sus hijos para el colegio, *hace de la escritura su único oficio y preocupación.*

El sabio catalán llena de garrapatas moradas tres cajones repletos de hojas. Alfonso, en su afán de leer, llega a coger un rollo que nunca devuelve, porque lo deja olvidado en la casa de las muchachitas que se acostaban por hambre.

EL PÍCARO «BISNIETO» DE GERINELDO

Pasemos a Gabriel Márquez. Este personaje tiene acceso a cuanto se escribe en Macondo, en la casa de los Buendía y en la librería del catalán. Si el librero fuera el supuesto Melquíades, Gabriel Márquez no hubiera tenido ninguna dificultad en sustraer o copiar la parte de los escritos del librero referida a los Buendía. Pero el librero no es más que un débil reflejo en el cifrado espejo de Melquíades. El catalán es la imagen virtual —y metaforizada— de lo que son los auténticos manuscritos, tal y como veremos en las próximas páginas al analizar lo que realmente lee Aureliano Babilonia.

Gabriel Márquez tiene entrada en todo cuanto haya en la casa de los Buendía porque la frecuenta. Incluso en algunas ocasiones pasa la noche en ella (p. 329). Es hora de preguntarse: si Gabriel Márquez lleva en su maleta la obra de Rabelais, ¿dónde se ha procurado ese libro, en la librería del catalán? ¿O es más lógico que esa obra esté en casa del pantagruélico Aureliano Segundo, quien practicaba concursos gastronómicos con Camila Sagastume, que casi le cuestan la vida? Lógicamente es una obra digna de los Buendía más que del morigerado —por cuanto sabio— catalán. Si Gabriel Márquez puede tomar «prestado» ese libro de casa de los Buendía, ¿por qué no pensar que también cogió los llamados manuscritos de Melquíades, que a su debido tiempo son pasados en limpio —sin tomarse más molestias que la de ordenar las páginas sustraídas— y entregados a un editor?

Teóricamente puede hacerlo —y lo hace—, pero existe un obstáculo para que Gabriel Márquez —como personaje— pueda narrar todos los sucesos de los Buendía —incluido el huracán destructor de la página 351— ayudándose solamente de los manuscritos que roba una de las noches que pasa en casa de los Buendía invitado por Aureliano Babilonia. El impedimento estriba en que el lector —nosotros, los lectores— conocemos los tempestuosos amores de Amaranta Ursula y Aureliano Babilonia, y eso no puede estar escrito en los manuscritos que se lleva Gabriel Márquez, porque *son acontecimientos posteriores a su traslado a París*. Además, si Gabriel Márquez se lleva los manuscritos cuando se va a París, ¿cómo puede leerlos Aureliano Babilonia cuando vuelve de su última noche de amor con Nigromanta? (Curioso nombre el de esta mujer. ¿Fue utilizando su «nigromancia» como pudo retener a Babilonia entre sus brazos para que las hormigas tuvieran oportunidad de devorar a su hijo? ¿Fue su propia imagen negra la que hizo olvidar a Aureliano Babilonia que tenía un hijo hambriento en su casa? ¿O lo que sucedió fue que Nigromanta consultó la voluntad de la muerta Pilar Ternera para saber la norma que debía seguir con el último de los Buendía? No se debe ignorar que no es Aureliano Babilonia quien busca a Nigromanta, sino todo lo contrario: ella sale a buscarlo en medio de la noche y carga con el borracho envuelto en vómito.)

Si defiendo la idea de que Gabriel Márquez tuvo acceso a los manuscritos depositados en la casa de los Buendía y los robó, debo declarar cuándo o cómo debió copiarlos porque, de otro modo, Babilonia no podría leerlos. Pero antes de afirmar si hay un ejemplar o dos de los manuscritos —llamados de Melquíades— será conveniente determinar qué son esos dichosos manuscritos escritos por un hombre de cuya inexistencia tenemos todas las pruebas necesarias.

Los famosos manuscritos de Melquíades son los libros de la biblioteca de los Buendía

Rehusar que Melquíades sea un personaje de la historia es un aviso que el propio Gabriel García Márquez le está indicando al lector al imponer al gitano un nombre en clave. Melquíades, también llamado Milcíades, es el nombre del papa que gobernó la Iglesia Católica Romana desde el 311 al 314. Fue el primer pontífice que no murió de muerte violenta —martirizado—, lo cual hace suponer que fue el primer pontífice que dispuso de tiempo suficiente para organizar su Iglesia. Esto fue factible y pudo hacerlo gracias a que consiguió de Magencio la devolución de los bienes de la Iglesia que le habían sido confiscados en 303. Esta circunstancia, unida al agradecimiento que le mostró Constantino después de la victoria de Puente Milvio, trajo la paz a la Iglesia, con lo cual la cantidad de mensajes, escritos, documentos, comunicados y demás textos dictados o escritos por el papa Melquíades son inimaginables. Debía ordenar y organizar toda la vida oficial y encauzar el reconocimiento público que todos sus fieles estaban obligados a rendirle como cabeza visible de la Iglesia. ¿Qué cantidad ingente de escritos saldrían de sus manos? Eso sin contar las encíclicas que pudo dirigir a sus obispos repartidos por todo el mundo católico con ocasión del Concilio que se reunió en Letrán en el año 313 contra los cismáticos donatistas. Bien podríamos decir que este Papa fue un *Melquíades escritor de encíclicas,* de la misma forma que el Melquíades de Macondo deja unos escritos que, leídos por Aureliano Babilonia, serán *«las encíclicas cantadas...* [de] *Melquíades»* (p. 350).

Al nombre simbólico de quien se hace aparecer como autor de los escritos, basta añadir que los versos están cifrados «con la clave privada del *emperador Augusto* [los pares], y los impares con las *claves lacedemonias»* (p. 349), para ver que el gitano escritor no es otra cosa que una metáfora con valor genérico de «el que escribe» o «lugar donde se guardan los escritos». La conjunción del pueblo que inventó el pensamiento, del emperador que propagó la cultura griega por el mundo conocido —e impuso su derecho y administración a diestra y siniestra— y del primer Papa burócrata, no puede tener otra intención que señalar como metáfora al gitano que está representando simplemente, «lo escrito», «el que escribe».

Véase, además, que los manuscritos que lee Aureliano Babilonia tienen una cierta particularidad que voy a rastrear directamente de la cita (p. 349):

> Aureliano olvidó sus muertos... porque entonces sabía que en los manuscritos de Melquíades estaba escrito su destino. Los encontró *intactos...* [y] empezó a descifrarlos en voz alta. Era la historia de la familia, escrita por Melquíades hasta *en sus detalles más triviales,* con cien años de anticipación... La protección final, que Aureliano empezaba a vislumbrar cuando se dejó confundir por el amor de Amaranta Úrsula, radicaba en que Melquíades no había ordenado los hechos en el tiempo convencional de los hombres, sino que concentró un siglo de episodios cotidianos, de modo que todos coexistieran en un instante. Fascinado por el hallazgo, Aureliano leyó en voz alta, *sin saltos,* las encíclicas cantadas... y encontró anunciado el nacimiento de la mujer más bella del mundo que estaba subiendo al cielo en cuerpo y alma, y conoció el origen de los dos gemelos...

La particularidad de la cita son los escollos que en ella encontramos: Aureliano Babilonia *lee sin saltos* los episodios que están como *coexistiendo en un instante,* y sin embargo, los lee por orden: Primero aparece Arcadio, que oyó los manuscritos de boca de Melquíades; en segundo lugar aparece Remedios, la bella, la hija mayor; en tercer lugar, los hermanos de Remedios, los gemelos. Si siguiéramos leyendo la cita, veríamos que a continuación aparece Aureliano Segundo yendo en busca de Fernanda y luego Meme esperando a Babilonia en el baño. Ante todo este orden, yo me pregunto ¿cómo puede ser que leyendo linealmente lo que está narrado en un caótico instante, aparezcan los acontecimientos en una sucesión temporal impecable?

Analicemos:

A) Aureliano Babilonia lee *sin saltos* la historia que ha escrito Melquíades «en sus detalles más triviales» de «episodios cotidianos». Y sin embargo, lo primero que aparece en la historia de las encíclicas de Melquíades es una breve alusión al destino de Arcadio y siguen los detalles más concisos sobre los hijos de éste —que son los protagonistas de *la segunda parte del libro*—. ¿Dónde está la primera parte? ¿Dónde están Ursula y José Arcadio Buendía? ¿Dónde el coronel y sus guerras? ¿Dónde Amaranta? ¿Por qué si Aureliano Babilonia lee *sin saltos* no lee eso también? ¿Por qué en los pergaminos que tiene Aureliano Babilonia no está *toda la historia*? Y más, teniendo presente que en el epígrafe o título resumen de los manuscritos se nombra explícitamente al patriarca «*amarrado en un árbol*». Si esos manuscritos fueran una *auténtica* historia escrita por un *auténtico* Melquíades, el libro hubiera comenzado por el principio, es decir, la lectura hubiera debido iniciarse por el patriarca para, de este modo, hacer que los manuscritos guardaran unidad dentro de la obra. Pero no. Aureliano *empieza* a leer por la mitad, a pesar de que *no lee a saltos*. De ello se infiere que Babilonia está leyendo el segundo volumen de la historia. En otras palabras, que *la historia de los Buendía tiene varios volúmenes*.

B) Aureliano, antes de leer, realiza algunas acciones: «Aureliano... volvió a clavar las puertas y las ventanas con las crucetas de Fernanda para no dejarse perturbar por ninguna tentación del mundo.» Y pregunto: ¿Cómo puede ser que teniendo las puertas y las ventanas cerradas y clavadas —tal y como se preparan para resistir un huracán tropical— pueda *leer* lo que Melquíades «había *redactado*»? Aunque en toda la casa hu-

biera un sol que derritiera las piedras —a pesar de estar ta-
piada —o aunque ese resplandor del mediodía se estuviera
refiriendo a las bombillas eléctricas de la casa, necesariamente *en el cuarto de los manuscritos hay oscuridad absoluta.*
¿Razones? Aureliano Babilonia, al hallar los manuscritos, «los
encontró intactos, entre... los *insectos luminosos* que habían
desterrado del cuarto todo vestigio del paso de los hombres
por la tierra, y *no tuvo serenidad para sacarlos a la luz*» (p. 349).
Evidentemente, si en el cuarto pueden verse insectos *luminosos*
es porque esa habitación está *completamente a oscuras.* La oscuridad es tan necesaria para poder observar estos insectos como
lo fue para los Curie en su búsqueda del *radium.*

Para obnubilar al lector, se explica que la claridad del idioma era tal y «como si hubieran estado escritos en castellano bajo
el resplandor deslumbrante del mediodía». ¿Acaso se intenta des-
merecer el castellano escrito a la luz de un velón que fue capaz
de llenar todo un Siglo de Oro? Hasta la segunda mitad del
siglo xx no ha sido costumbre exponer los escritos castellanos
al «resplandor deslumbrante del mediodía» de las fotocopiado-
ras que sólo sirven para duplicar las creaciones literarias, nunca
para crearlas. ¿Es ésta la procedencia de los *manuscritos* que
Babilonia ha manejado? Como quiera que sea la hipérbole, supuestamente magnificadora de los manuscritos de Melquíades,
no es sino una pseudo metáfora que no tiene más razón de ser
que desorientar al lector sobre una lectura en la oscuridad la cual
implica un repaso a las memorizaciones que se han ido asentando
en la mente de Aureliano Tercero Babilonia.

Si la oscuridad es total y *no saca los manuscritos a la luz,*
difícilmente puede estar leyendo. Con toda evidencia, *Aureliano
Babilonia está recordando.* Pero ¿qué ocupa su mente en ese
momento? ¿Qué mensaje transmiten sus enfebrecidas neuronas?
Sigamos analizando la escena.

C) Lo primero que cita Aureliano Babilonia de los manuscritos que lee es que Arcadio escuchó de boca del propio Melquíades el contenido de los manuscritos que estamos tratando
de identificar. Ahora bien, Arcadio ha tenido que leer otras cosas muy distintas a la historia de los Buendía —supuestamente
contenida en esos manuscritos—; Arcadio ha debido leer libros

que le hayan proporcionado la sabiduría necesaria que haga de
él el maestro de Macondo. Arcadio ha conseguido lo que no logró su padre: ser el intelectual de la familia. Pues bien, uno de
los libros que lee Arcadio le aporta cierta información práctica
que puede utilizar durante el período en que es el jefe civil y
militar de Macondo. De uno de esos libros saca el uniforme que
le distinguirá como la máxima autoridad macondina: «se inventó
un uniforme con galones y charreteras de mariscal, inspirado en
las láminas de *un libro de Melquíades,* y se colgó al cinto el
sable con borlas del capitán fusilado» (p. 94). De modo que
en la casa de los Buendía hay libros de Historia virreinal y de
Geografía, y una Enciclopedia. Y lo que es más interesante aún
es que tales libros reciben el nombre de LOS LIBROS DE MEL-
QUIADES. De modo que las lecturas de Arcadio —el estudio de
cuyos libros lo convirtieron en el maestro de Macondo— son
los libros de Historia, de Literatura, de Geografía y de... lo que
sea; libros normales y corrientes vendidos por Melquíades junto
con utensilios tan útiles como el molino de maíz, y son los mismos libros que *leerá* Aureliano Babilonia en la página 349. Aureliano Babilonia, en el último momento de su vida, lo que hace
es recordar las lecturas que ha hecho a lo largo de su solitaria
vida. En esas lecturas está incluida toda la vida de los Buendía
y todas las anécdotas que les suceden, porque, como bien dice
Gabriel García Márquez, todo lo que hay escrito de *Cien años
de soledad* son «anécdotas contadas». En cualquier biblioteca
medianamente surtida *se hallan desordenados y concentrados un
siglo de episodios cotidianos idénticos a los que les ocurren a
los Buendía.* Todo lo que sucede a los Buendía en *Cien años de
soledad* ya ha aparecido antes en letra de imprenta. Veamos algunos ejemplos:

— El éxodo y la fundación de Macondo, el terrible castigo
por una culpa original —engendrar iguanas—, la ascensión de
Remedios, las levitaciones del padre Nicanor Reyna y otras varias anécdotas están recogidas en la Biblia. Los amores incestuosos están ya relatados en la Biblia, en la Historia de Roma —Ca-
lígula es un buen exponente—, en la Historia de los Incas, en
las obras clásicas: *Edipo, Fedra.*

— La petición del coronel Aureliano Buendía a su médico en el sentido de que marque el lugar exacto del corazón para saber dónde aplicar el arma suicida corresponde a la vida de Adriano, en la época en que éste intrigaba cerca de Trajano para hacerse nombrar heredero del trono imperial y, previendo una suerte adversa, quería tener un procedimiento efectivo para eliminarse *motu proprio* antes de caer ante los partidarios o servidores de Lucio Quieto.

— Pericles casó con Aspasia, la cual —al decir de diversos autores— no deja de tener ciertos puntos de contacto con Rebeca y Fernanda.

— Echar al patriarca-padre de su propia casa tiene el antecedente de Layo, aunque en *Cien años de soledad* no se consuma el incesto ni el asesinato del padre. Pero sí se cumple la sustitución del padre por el hijo en el poder, y también la inclinación incestuosa del hijo hacia la madre. (Aunque en *Cien años de soledad* el incesto corresponde a un hijo y la sustitución en el poder vaya a cargo del otro.)

— El matriarcado limitador de placeres matrimoniales —detentado por Úrsula y Fernanda— tiene su antecedente más divertido, efectivo y antiguo en Lisístrata.

— La desaparición de Remedios, la bella, en la que la familia se aprovecha del sacrificio de la hija, tiene analogías en Jefté —el juez bíblico—, y en Ifigenia.

— Amores como los de Meme con un menestral, con embarazo y convento incluidos —aunque con un final menos tortuoso— los hay, incluso, en mi propia familia, que si por algo se distingue es por su atonía aventurera.

— Inventarse hijos inexistentes es tan antiguo como la consolidación de la primera fortuna de la Historia Moderna. En los juzgados siempre hay un hijo «inventado» reclamando ser reconocido: desde la gran duquesa Anastasia a los hijos de los Beatles.

Y así podríamos seguir hasta pasar revista a todas las anécdotas, tanto las reales como las hiperbólicas. Y luego aún nos quedaría el hallar los paralelismos en los cuentos de hadas, comenzando por el de *La Cenicienta* y siguiendo por el de *El ladrón de Bagdad*. Aureliano leerá esos libros [44] y las cartas que José Arcadio, el Papa, y Amaranta Ursula le escriben a su madre, Fernanda. De ahí viene que Aureliano Babilonia sepa «los precios de las cosas» de Roma (p. 316) y también esté enterado de «los rincones más íntimos de su tierra» (p. 322), es decir, de la tierra de Gastón, porque Amaranta Ursula los describe en las cartas que envía a su madre.

LAS CARTAS TAMBIÉN SON LOS «MANUSCRITOS DE MELQUÍADES»

De las argumentaciones hasta aquí anotadas debe concluirse QUE AURELIANO BABILONIA NO HA LEIDO DURANTE TODA SU VIDA MAS QUE LOS LIBROS DE LA BIBLIOTECA DE LOS BUENDIA MAS LAS CARTAS DE JOSE ARCADIO Y AMARANTA URSULA. En esos escritos se hallan unidas todas las anécdotas, pasajes, argumentos, episodios, escenas que provienen de las traducciones del *sánscrito* —la lengua de los *Veda* y el *Mahabharata*—, la más arcaica de las lenguas indoeuropeas; la lengua que, significando «hecho con arte, elaborado», es una alusión a la elaboración literaria que han sufrido las anécdotas (ya sabidas) antes de ser incorporadas a *Cien años de soledad*.

En la biblioteca de los Buendía hay obras que llegan a Aureliano Babilonia conteniendo relatos que datan de la época del *emperador Augusto*. Y también hay *profecías* a lo Nostradamus porque el final de lo que le va a pasar a Aureliano Tercero ya está escrito —aunque en clave— en *Fuente Ovejuna* y en *Los funerales de la Mamá Grande* —amén de otras obras que cuentan el final de las familias poderosas que ejercen el poder de forma dictatorial, alguna de ellas de cierto académico de la Real Española.

LOS BUENDÍA LITERATURIZAN SU VIDA

El propio Gabriel García Márquez nos avisa de la trasposición anecdótica que existe entre las obras de literatura y lo que

[44] Los mismos que utilizó Arcadio para alcanzar el grado de maestro.

sucede a los Buendía y —sobre todo— el que los manuscritos de Melquíades son obras literarias, cuando aclara que la aparición de Francis Drake en *Cien años de soledad* no tiene más valor que el de enredar al lector en un laberinto inextricable: «... entonces descubrió que... *Francis Drake había asaltado Ríohacha solamente para que ellos pudieran buscarse por los laberintos más intrincados* de la sangre...» Y así es en efecto. Ya hemos visto que la bisabuela de Ursula no pudo ser contemporánea a Sir Francis Drake y que por lo tanto su presencia en la obra, su asalto a Ríohacha en las circunstancias que se narran en *Cien años de soledad* no es más que un recurso literario de Ursula, que combina la realidad histórica con las anécdotas familiares, para embellecerlas y trasponerlas hiperbólicamente.

De modo que ahí tenemos la solución a dos cuestiones: La primera se refiere a que la contaminación entre literatura y vida —vida de los Buendía, claro— es cierta y efectiva. Y la segunda aclara que será Ursula, necesariamente, quien narre la primera historia que incluye a gitanos que vuelan en alfombras mágicas. (Por lo tanto no es de extrañar que Aureliano Segundo, influido por su madre, invente —al alimón con Fernanda— una Petra Cotes que le va como pedrada de ojo de boticario para justificar su repentina riqueza.)

Así que *los Buendía,* desde el primero de ellos —José Arcadio Buendía con su Egeo liliputiense y Ursula con sus alfombras mágicas—, *han inventado y escrito su historia inspirándose en hechos literarios;* y lo mismo hace Aureliano Babilonia siguiendo la tradición familiar. Si todos se han observado a sí mismos como un reflejo de la literatura, él intenta buscar su destino en esos mismos argumentos literarios —tal vez por aquello de que no hay nada nuevo bajo el sol—, por lo que *no necesita leer nada.* Le basta recordar lo leído para ver qué clase de anécdota es la que le va a acontecer después de las muertes de su hijo y esposa.

Así que cuando Aureliano Babilonia regresa a su casa después de una noche —¿o son más de una?— de ansiedad, borrachera, vómitos y amor de Nigromanta, el recuerdo del dolor pasado, la desorientación del pueblo que se ha negado a reconocer la existencia del pasado inmediato, la soledad que le invade al comprobar la muerte de su hijo, la definitiva ausencia de Amaranta Ursula, y el miedo que le produce ver que hasta las hormigas están en su contra, queda obligado a parapetarse en su propia casa.

Es un gesto inútil para escapar de la muerte, producido por el estado de confusión y de angustia semejante al del suicida que ya tiene un pie fuera de la cornisa. En ese expectante silencio, el terror le hace recordar —según es lugar común— toda su vida. Y comoquiera que no ha tenido más vida que la literaria que ha sorbido de los libros, su memoria se entretiene en recordar esa literatura en forma caótica, y así, en su mente se agrupan —coexistiendo en un instante— todos los episodios que, escritos en los libros, están en casa de los Buendía desde hace un siglo.

Y es entonces cuando Aureliano Babilonia, dándose cuenta de su situación, intenta averiguar el consejo que puede darle su sabiduría libresca, y se profetiza a sí mismo, porque el final de las estirpes cuyo mal gobierno les condenó a la soledad, tienen idéntica la última escena tanto en sánscrito como en clave augusta, o en castellano: «y quebrantando su casa/... rompen el cruzado pecho/ con mil heridas crueles/... Saqueáronle la casa,/ como si de enemigos fuese/ y gozosos entre todos/ han repartido sus bienes»... «Nadie advirtió que los sobrinos, ahijados, sirvientes y protegidos de la Mamá Grande cerraron las puertas tan pronto como sacaran el cadáver, y desmontaron las puertas, desenclavaron las tablas y desenterraron los cimientos para repartirse la casa»... «Empezó el viento tibio, incipiente... no sintió tampoco la segunda arremetida del viento, cuya potencia ciclónica arrancó de los quicios de las puertas y las ventanas, descuajó el techo de la galería oriental y desarraigó los cimientos.»

UN FINAL REAL A LA PAR QUE LITERARIO

El final, sea uno el Comendador, la Mamá Grande o Aureliano Tercero, es siempre el mismo, si las obras realizadas con el poder en la mano son análogas.

Una prueba más de que Aureliano Babilonia no puede estar leyendo manuscrito alguno está en que después de que el viento desarraigue los cimientos, él todavía puede «seguir leyendo» y hermanar hechos tan opuestos como el ataque de Drake y el nacimiento de Amaranta Ursula.

Si Aureliano estuviera realmente leyendo, el ataque del viento —llevándose la casa por los aires— le dejaría en la ignorancia del parentesco que comparte con Amaranta Ursula.

Por esta misma razón —no haber libros sinos revisión de la memoria— es por lo que se habla de «espejismos» al referirse a la casa de los Buendía: Ha sido un espejismo el poder que ha detentado. Ha sido un espejismo la existencia de un narrador profético. Es un espejismo creer que alguien capaz de ser contemporáneo del invento de la daguerrotipia, pueda tener el sánscrito como «lengua materna» (p. 349). Es un espejismo que el lector crea que Macondo desaparece, porque sigue en pie. Lo único que se acaba es la casa y la estirpe de los Buendía.

Melquíades no puede ser el autor de la historia de *Cien años de soledad* porque hay que poner en entredicho la lógica de unos manuscritos cuya esencia es su carácter profético, pero no pueden ser descifrados mientras los sucesos no hayan ocurrido: «nadie debe conocer su sentido mientras no hayan cumplido cien años» (p. 161). Esos «cien años» no se refieren a treinta y seis mil quinientos días de veinticuatro horas cada uno de ellos, sino a la época de los Buendía, a los «*cien años* que los Buendía gobiernan Macondo en *soledad*».

Babilonia no puede leer-recordar la primera parte de la historia en el cuarto alumbrado por las luciérnagas, porque no la conoce, porque no hay ningún vestigio de ella (a excepción del daguerrotipo de Remedios —«Miren qué lujo... ¡Una *bisabuela* de catorce años!»—, cuyo parentesco, «bisabuela», no es cierto. La bisabuela de Amaranta Ursula es Pilar Ternera porque Remedios no logró ningún heredero). Babilonia no conoció nada de esa primera parte, y por lo tanto, no puede asimilarla y reconocerla en su erudición libresca.

En cambio, conoce la segunda parte porque ha ido atando cabos aquí y allá, aunque sólo los más próximos. Ignora su relación exacta con el coronel. Tiene barruntos de varias cosas y algunos hechos. La certeza no va más allá de lo que sabe de su propio abuelo-suegro: Aureliano Segundo. Esas noticias puede haberlas tomado de la correspondencia que Fernanda intercambiaba con sus hijos. De ahí que ignore quiénes son sus padres pero conozca los precios que rigen en Roma en esa época, y sepa con detalles algunos rincones románticos de Bélgica. Su erudición es epistolar.

EL NARRADOR:
DONDE UN JOVENCITO ENCUENTRA
SU VENGANZA

GABRIEL MÁRQUEZ ES UN LADRÓN

PUESTO QUE Aureliano Babilonia NO LEE NINGÚN MANUS-
CRITO, Gabriel Márquez puede haberse llevado a París todo lo
que han escrito los Buendía y el libro de contabilidad del nacimiento de los Aurelianitos, y hasta las cartas que Fernanda reci-
bía de sus hijos. *Gabriel se lo ha llevado todo,* excepto las cartas de amor que Rebeca escribía al Coronel Aureliano, porque
éste las quemó.

Veamos qué es ese «todo lo que han escrito los Buendía».

He dicho que el relato de *Cien años de soledad* está frag-
mentado en tres partes:

Primera parte de la historia/espejo izquierdo: Capítulos del
1 al 9.

Segunda parte de la historia/espejo derecho: Capítulos del
10 al 18.

Tercera parte de la historia, no reflejada en el espejo: Capítulos 19 y 20.

Descartado definitivamente un posible Melquíades pariente
de Cide Hammete Benengeli, que buenos servicios prestó a Cervantes, la expresión de que Aureliano «empezó a descifrarlos»
—los manuscritos— es una metáfora que se refiere a la síntesis
literario-histórica que Aureliano Babilonia hace en sus últimos
instantes de todos cuantos argumentos literarios aprendió en su
época de ratón de biblioteca.

De estos fragmentos de historia: los dos que conforman el espejo y el tercero que queda fuera de ella, ¿cuántos conoce Aureliano?

— La primera historia la desconoce totalmente.

— La segunda historia la ha ido construyendo mentalmente y la reconoce en su acervo libresco. (De saber lo del antepasado con colita de cerdo hubiera tenido algún temor durante el embarazo de Amaranta Ursula. Pero lo único que hay de los recuerdos familiares es esa «bisabuela» cuyo parentesco llega corrupto incluso a la legítima sobrina-nieta política. Los datos inconexos de esa historia pudo recogerlos de los protagonistas centrales o laterales —Aureliano Segundo y Santa Sofía— en la remansada época que sucede a las lluvias y cuya estrechez puede haber desatado las lenguas en un afán por revivir en el recuerdo épocas más doradas.

— La tercera parte de la historia la conoce perfectamente Aureliano Babilonia porque él ha sido su protagonista.

AURELIANO BABILONIA IGNORA LA HISTORIA DE LOS BUENDÍA

Tal vez me he excedido al decir que Aureliano «conoce». Babilonia ni siquiera *conoce*. Ha vivido inconscientemente. De haber pensado un poco hubiera ligado cabos: hubiera sacado las oportunas consecuencias de lo sabido por boca de su tatarabuela Pilar Ternera (p. 333) y conocería su bastardía (p. 309), y habría analizado la conducta de un pueblo que se niega a reconocer que haya existido el coronel Aureliano Buendía, capaz de hacer perder a los macondinos treinta y dos guerras (p. 344). Eso tendría que haber sido suficiente para que echara cuentas y dedujera que dos más dos son cuatro y cola.

Pero Aureliano Babilonia ha vivido tan inconscientemente como todos sus antepasados, cuyos intereses y ambiciones, reunidos, han sido heredados por ese hombre que es todo confusión y babel. Si bien se mira, el nombre de Babilonia no está haciendo referencia a la sabiduría de lenguas —sobre todo el sánscrito—, sino a su total confusión mental respecto a su origen, a la conducta que debe llevar y, sobre todo, a los sentimientos y reacciones que los macondinos pueden tener ante el opresor.

NO HAY MÁS SÁNSCRITO QUE EL QUE SE ENSEÑA EN E.G.B.

Falta sacar una elemental conclusión sobre ese *sánscrito*. La ausencia de manuscritos queda confirmada cuando en la página 349 se lee que Melquíades «la había redactado [la historia de los Buendía] en sánscrito que era su lengua materna». (Lo cual como muchas de las tajantes afirmaciones de Gabriel García Márquez es una burrada o una metáfora.) El sánscrito no puede ser la lengua materna de nadie y menos de un gitano trashumante. El sánscrito podría ser —tal vez— la lengua culta de Melquíades si fuera un brahmán supraintelectual, que no es, desde luego, el caso. Siendo un gitano, ese sánscrito materno está y debe ser leído metafóricamente: el sánscrito es la forma más arcaica del grupo indoeuropeo. Y *en indoeuropeo hablamos usted y yo y muchos americanos* desde que a Don Cristóbal se le ocurriera echarse a la mar y por meterse a comerciante nos salió descubridor [45]. Así que ese «sánscrito-lengua-materna» es el mismo que utilizó Juan de Valdés —el primero en fijar y dar esplendor a nuestro romance—, lo cual confirma que no hay manuscritos porque no hay sánscrito, porque no hay nada oculto, porque no hay profecía, porque no hay Melquíades resucitado. Y por lo tanto, Aureliano lee los libros que ha leído toda su familia, co-

---

[45] Esta afirmación mía es la misma que Leopoldo Marechal hace concluir a uno de sus personajes de *Adán Buenosayres*. (Cuando el grupo se decide a ir de exploración a Saavedra, en una de sus primeras aventuras, se topan con un supuesto mago al que interrogan sobre fórmulas rituales e ingredientes mágicos. El mago guarda silencio hasta que se le termina la paciencia, y responde entonces: «La puta que los parió.» Y Franky Admunsen, el improvisado intérprete, aclara: «¡Eso es *sánscrito puro!*» Véase que los ingredientes para la aparición del «sánscrito» tienen mucho en común: un supuesto pontífice de la magia y unos oyentes/lectores en busca de aventuras que están más en su deseo que en la realidad de la narración.) Editorial Sudamericana, Buenos Aires, 1970, p. 201. El subrayado es mío.

menzando por *Las mil y una noches* (que Ursula ha asimilado hasta creer que realmente las alfombras pueden volar y las lámparas ser como las de Aladino —p. 161—.) Así que de sánscrito, nada, porque los Buendía se mueven en un mundo semítico-helénico. Véase que se explica pormenorizadamente que los escritos están redactados en sánscrito, pero que los versos pares están estructurados según la clave privada del emperador Augusto y los impares de acuerdo con el uso de las milicias lacedemonias. En lenguaje peatonal y menos protocolario quiere decir que los versos pares están en *latín* y los impares de *griego*. Si un escrito redactado en griego y latín puede calificarse de «sánscrito», también será «sánscrito» lo que se escriba en castellano —lengua que se surte de ambas *ídem* clásicas—.

Cómo consigue reunir Gabriel Márquez todo lo referente a los Buendía

Veamos ahora cuánto conoce Gabriel de los tres fragmentos en que está dividida la historia; veamos cuánto sabe para poder después entregarlo a la imprenta y cobrar los derechos de autor.

La segunda parte o segunda historia puede conocerla por las mismas fuentes que Aureliano Babilonia, pero con un dato a su favor: no es parte interesada en la historia y los comentarios con que la gente responde a sus preguntas son más completos y reales que cuando los comenta con Babilonia. La perspectiva de que puede gozar Gabriel facilita su labor al máximo. El propio Babilonia puede contarle lo relativo a su propia persona de último vástago. Hay muchas horas de afecto y de amistades comunes en el burdel de *El niño de Oro* (¿«de oro» en memoria de la masculinidad inverosímil de José Arcadio —que tanto impresionó a Pilar Ternera el día que le echó los naipes en la despensa de granos (p. 29)—, y que José Arcadio se hizo pagar a un precio *desorbitado* como si fuera «de oro» y que le da bastante como para «vivir de eso» (p. 84)?).

Todos pueden añadir su granito de arena a la erudición de Gabriel: la gente del pueblo, la prostituta mulata que cobra en cartas de amor sus honorarios, Nigromanta, Pilar Ternera y los familiares de Alvaro, Germán y Alfonso.

Pero hay pequeños detalles que Gabriel no puede saber por estas personas. Ellas pueden ponerle al corriente del origen bastardo de Babilonia (y pueden negarse a repetir la historia al propio interesado). Pero ¿cómo puede llegar a saber Gabriel que Fernanda había pensado ahogar al pequeño nieto —y desistido de ello después— como si fuera un gatito inválido? ¿Cómo llega a conocimiento de Gabriel la vida-fábula de Fernanda en el Colegio donde educan a las futuras reinas en las artes más exquisitas? ¿Cómo se entera de la fábula de Petra Cotes? ¿Cómo alcanza un conocimiento tan de primera mano que el lector puede rastrear sin problemas la realidad que encubren?

¿Es acaso su abuelo Gerineldo quien se lo cuenta? No. Gerineldo es un personaje de la obra como los demás y sometido a idénticas servidumbres. El abuelo de Gabriel es absorbido por la vorágine y la fantasía de la narración ya que se enamora de la inestable Amaranta; es un ente que participa de la ficción general y no puede comunicarle a su nieto las claves de lo *real-relatado*.

Gerineldo no podría ser la fuente de Gabriel porque *no puede haber sido el abuelo de Gabriel*, ya que no se casó. Gerineldo, un tanto especial él, fue rechazado por la inexistente Amaranta con un: «quieres tanto a Aureliano que te vas a casar conmigo porque no puedes casarte con él» (p. 123). Gerineldo —digo— es un hombre tan aislado de los suyos que en su muerte no le acompañará ningún familiar ni deudo. Solamente siguen al cadáver algunos militares sobrevivientes de la capitulación de Neerlandia y un recado de Ursula: «Salúdame a mi gente y dile que nos vemos cuando escampe» (p. 271).

Es casi impensable que Gerineldo fuera quien proporcionase la historia a Gabriel, ya que se le ha asignado un papel muy poco airoso en el relato: siempre está a las órdenes del ineficaz coronel Aureliano, como un perro fiel que no sabe rebelarse ni siquiera cuando es motejado de traidor y encarcelado. Luego es despreciado por la hermana pero sigue fiel a Ursula. Imposible encontrar un novelador con tan poco aprecio por sí mismo (aunque la tradición literaria nos haga tener presente que el escritor, a quien trata peor, es al personaje que le proporciona la historia, por una alambicada regla de justicia poética).

Descartado el bisabuelo Gerineldo, hay que volver a preguntarse cómo ha tenido acceso Gabriel a las noticias que nos transmite de la segunda parte de la historia. ¿Cómo es que Gabriel sabe más que Aureliano Babilonia sobre Fernanda, cuando la mayor proximidad de éste a su abuela debiera dar el resultado inverso?

He dicho antes que Aureliano sabía detalles peculiares y determinados sobre Roma y Bélgica, y he afirmado que la información provenía de las cartas de sus tíos Amaranta Ursula y José Arcadio, el aprendiz de Papa. Hay otro tipo de escritos debidos a la mano de Fernanda: *las memorias* que escribe para su hijo y donde se hallan datos tan interesantes como la condición bastarda de Aureliano Babilonia: «Sacó del ropero un cofrecito damasquinado con el escudo familiar, y encontró en el interior perfumado de sándalo la carta voluminosa en que Fernanda desahogó el corazón *de las incontables verdades que le había ocultado*». La tercera página aclara las cosas a José Arcadio con diafanidad suficiente como para que éste mire a Aureliano y comente: «Entonces... tú eres el bastardo.»

Por lo tanto, Fernanda no se está andando por las ramas: nada hay de recreación bíblica de Moisés encontrado flotando en una canastilla. No. Nada de eso: la verdad clara y redonda: «bastardo».

GABRIEL MÁRQUEZ SUSTRAE DOLOSAMENTE LOS ESCRITOS DE FERNANDA

Así que la segunda parte de la historia está contada en los papeles de Fernanda, la cual habrá administrado justicia según su criterio, y habrá cargado las tintas a su placer, *así que hay una historia escrita,* la que Fernanda volcó sobre los papeles para desahogarse de cuanto quiso. Será una historia tergiversada, si se quiere, pero historia al fin. En esa abultada carta estará la infancia y juventud de Fernanda tan hiperbolizada y metaforizada como nos la encontramos los lectores en *Cien años de sole-*

dad, pero hay algunos datos que son reales: la bastardez de Aureliano.

Preguntémonos ahora: Si Aureliano no sabe quién es él y desea saber su origen, ¿por qué en lugar de ir a la parroquia y repasar todos y cada uno de los libros del archivo, no entra en el dormitorio de Fernanda y busca la carta que tenía José Arcadio en la mano cuando le saludó con un «tú eres el bastardo»? Por lógica esa carta debería echar luz sobre su origen. ¿Por qué no va a buscarla Aureliano?

Por la sencilla razón de que no está. Alguien se la ha llevado; alguien que tiene paso franco en la mansión de los Buendía. Y ése no es otro que Gabriel.

Por esta razón el narrador de *Cien años de soledad* sabe más que Aureliano. *Y ese hecho de la sustracción es el que hace a Gabriel cómplice de la muerte de Aureliano Babilonia, de Amaranta Úrsula, del bebé cerdito y del fin de los Buendía.*

Si Gabriel no se hubiera llevado los manuscritos, Aureliano hubiera podido conocer su origen y evitar el incesto; incesto que nunca quiso cometer. Así, pues, Gabriel, un macondino de toda la vida, ha cerrado filas con el pueblo y ha ayudado a eliminar al último cabo de la familia detestada.

El hecho es que la clave del desastre la tiene Gabriel y ha puesto el océano por medio (de modo semejante la llave de una de las pruebas del príncipe antes de desencantar a la princesa está en el fondo del lago. Pero aquí no hay ninguna rana agradecida, ni ningún pez como el de *Las mil y una noches*) y Aureliano cae en la trampa (p. 348). Por eso su última frase será: «¡Los amigos son unos hijos de puta!» Y bajo el nombre de amigos Babilonia se está refiriendo no a las gentes del pueblo, sino a Alvaro, Germán, Alfonso y sobre todo Gabriel —«Aureliano y Gabriel estaban *vinculados* por una especie de complicidad... *ambos se encontraban a la deriva* en la resaca de un mundo acabado... Aureliano lo acomodó varias veces en el taller de platería, pero *se pasaba las noches en vela*» (p. 329)—.

El motivo del insomnio que Gabriel sufre cuando se queda a dormir en la casa de los Buendía está explicado negro sobre blanco: «perturbado por el trasiego de *los muertos* que andaban hasta el amanecer por *los dormitorios*», Gabriel no puede dormir pensando en todos *los muertos* nombrados por Fernanda y cuyas historias puede leer en los manuscritos encontrados en el *dormitorio* —de Fernanda o de José Arcadio—.

GABRIEL MÁRQUEZ OYE LA HISTORIA DE LOS BUENDÍA DE BOCA DE PILAR TERNERA

Gabriel ya está en posesión de la segunda parte de la historia. Una parte de los sucesos de los Buendía en la que la fantasía más flagrante se mezcla con la realidad más cruda. ¿Cómo deslindar lo uno de lo otro? Muy fácil: Pilar Ternera es la mujer con la trayectoria cronológica más amplia de todo *Cien años de soledad.* Incluso ha superado a la matusalénica Ursula.

Pilar Ternera es la mujer más real de todo el relato: a los catorce años ya se había entregado a un hombre. A los veintidós acompaña a los Buendía en su éxodo hacia Macondo y sustituye a su antiguo novio por los hijos de los Buendía: primero será José Arcadio y luego Aureliano. Cumple con ambos. Y después cumple también con su hijo Arcadio buscando y pagándole una buena esposa y madre de sus hijos.

Pilar Ternera lo sabe todo; absolutamente todo. Ella conoce todos los hechos directos y, siendo la dueña de un burdel, sabe lo que saben los demás y también lo que piensa todo el mundo. Gabriel no tiene más que tirarle de la lengua y comprobar que la fantástica historia hallada en los papeles de Fernanda es cierta —metáforas aparte—.

GABRIEL MÁRQUEZ BUSCA Y ENCUENTRA LOS ESCRITOS DE URSULA

Pero Gabriel también se da cuenta de que en esos manuscritos no está *toda* la historia. Allí falta todo el matriarcado de Ursula. Y Gabriel decide buscarlo. Probablemente está en la casa de los Buendía lo que falta. Alguien tiene que haberlo escrito.

Y está en lo cierto: Ursula tuvo que dedicarse a escribir en el tiempo que pasó en el asilo. Era ya una costumbre inveterada en ella. Ursula había visto escribir a Aureliano —primero en la máquina de la memoria, y luego sus misteriosos versos—; ella misma tuvo que llevar con todo cuidado sus cuentas para poder reunir un capital tan jugoso; ella —y no Amaranta— llevaba la cuenta de los Aurelianos, así es que pudo muy bien entretener los interminables días del asilo recordando la vida. Pero en un recuerdo como intentando *volver a vivir*. Era un recuerdo en el que la pluma escribía, a veces, no lo sucedido, sino un intento de lo que *tal vez hubiera podido ser*.

Nadie más que Ursula puede ser la autora de la fantasía de Drake, porque a nadie beneficia más que a ella y a su bisabuela quemada. Ella inventa a Amaranta. Sólo ella puede hacerlo, y lo hace, como en una venganza hacia Fernanda.

Estos manuscritos están en la casa de los Buendía, en Macondo. Gabriel no tiene más que dedicarse a buscar los manuscritos de Ursula durante las «noches en vela» que pasa en la casa de los Buendía, buscando donde estén relatados tantos acontecimientos sucedidos y tanto «trasiego de muertos» —ese Melquíades que va y viene de la muerte a la vida como una pelota de tenis bien jugada, y José Arcadio Buendía, y Crespi, y Amaranta...—, y busca por un sitio y otro incluídos los «dormitorioS» —de ahí el plural, porque busca más de un juego de manuscritos y por tanto no registra sólo el dormitorio de Fernanda, sino el de Ursula y el de Aureliano—, y busca por donde sea preciso hasta encontrar los dichosos manuscritos.

Además de leer los manuscritos, después de hallarlos, también puede tragarse entera la biblioteca de los Buendía y comprender —y redondear, perfeccionándolos— los relatos fantasiosos de Ursula y Fernanda.

Así pues, Gabriel tiene acceso a:

— La primera parte de la historia, contenida en los manuscritos de Ursula.
— La segunda parte de la historia, narrada por Fernanda.
— El principio de la tercera parte de la historia, que le cuenta el propio Aureliano Babilonia.

— La parte de la historia comprendida entre la salida de Gabriel de Macondo y la última página del libro, son muchos los que se lo pueden contar a Gabriel:

— Parte de lo sucedido lo puede conocer como respuesta a sus propias cartas. Mercedes, el portavoz de Gabriel, se encarga de comunicar a Aureliano las noticias de Gabriel en París. El viceversa, por evidente, no tengo que demostrarlo.
— Si Mercedes se va de Macondo antes del fin, será Nigromanta quien le cuente el final de los Buendía, o cualquiera de los habitantes de Macondo, o de sus contornos, porque el encallamiento y hundimiento de un gran navío transmite noticias de su trágico fin en ilimitados círculos concéntricos, y la costa siempre guarda algún resto del encontronazo.
— Pero ni siquiera hace falta que Gabriel regrese a Macondo, o que Nigromanta le cuente el final, o que Mercedes pierda el tiempo en explicar nada a Gabriel sobre los Buendía. Con toda probabilidad Gabriel ya ha intuido el final. El ya sabe cómo va a acabar todo, porque el final de los Buendía ya está en la literatura y Gabriel ya ha leído la biblioteca de esa familia y, lo que es más importante, gana a Úrsula y Fernanda en el quehacer de mezclar y contaminar la literatura con la realidad.

GABRIEL MÁRQUEZ PUEDE INVENTAR EL LITERARIO FINAL DE LA VIDA DE LOS BUENDÍA

Véase sino una cita de la página 342:

Aureliano podía imaginarlo entonces con un suéter de cuello alto que sólo se quitaba cuando las terrazas de Montparnasse se llenaban de enamorados primaverales, y durmiendo de día y escribiendo de noche para confundir el hambre, en el cuarto oloroso a espuma de coliflores hervidos donde había de morir *Rocamadour*.

Si Gabriel es capaz de explicar a Mercedes que él ha dormido en el cuarto del hijo de la Maga —Carlos Francisco— Rocamadour, significa nada menos que Gabriel conoció a Lucía antes que Oliveira iniciara su amistad con ella. Y por lo tanto compartió la habitación y la cama de la Maga *antes* que Oliveira. Gabriel no dice que vive en el cuarto donde *había muerto Rocamadour,* sino que pasaba el tiempo «durmiendo de día y escribiendo de noche para confundir el hambre, en el cuarto oloroso a espuma de coliflores hervidos DONDE HABÍA DE MORIR ROCAMADOUR» (p. 342).

Por lo tanto, si Rocamadour *aún no ha muerto,* Gabriel se finge a sí mismo un personaje que pertenece al primer centenar de páginas de *Rayuela.* Y si Gabriel puede literaturizarse de esa forma y fingirse-creerse amigo de Gregorovius, Etienne, Horacio, Ronald, Babs, el fantasma borracho del padre de la Maga y demás miembros del reparto de *Rayuela,* Gabriel puede hallar con toda tranquilidad el final literaturizado de la literaria vida de los Buendía, ya que conoce las claves de su historia porque ha tenido a su alcance la biblioteca en que Ursula y Fernanda abrevaron sus desengaños y dieron luz a sus fantasías.

De modo que Gabriel no tiene más que imitar a James Macpherson y terminar el relato desde la página 308 del capítulo XVII, plagiando el estilo de Fernanda y remedando la mezcla de fantasía y realidad iniciado por Ursula.

Después sólo falta pasarlo a máquina y sentarse a la puerta de la casa para ver pasar a los alucinados lectores que, creyendo en la seriedad mayestática de los críticos que pontifican sobre el narrador omnisciente, piensan haber vuelto al tiempo de los cuentos de las mil y una páginas, cuando en realidad lo que tienen en la mano es un fragmento de la dura vida suramericana que alguna señora ama protagonizó en la cuenca del Magdalena.

CÓMO ESCRIBIR UNA OBRA MAESTRA

Así que Gabriel posee los manuscritos de las dos primeras partes de la historia con sus hiperbólicas fantasías que adornan y deforman la realidad a gusto de las dos matriarcas más la versión real de una mujer del pueblo, Pilar Ternera, que conoce los auténticos escondrijos de la realidad —y cuya edad apenas roza el siglo—, más todo cuando el propio Aureliano Babilonia quiera explicarle, más los comentarios de Mercedes, de Nigromanta, del librero catalán...

En fin, Gabriel lo tiene todo para jugar la más apasionante partida de ajedrez que se conozca. Para ello le bastará, simplemente, prestar su poesía al relato de ambas mujeres.

Lo mejor de *Cien años de soledad* no es el clasicismo en que se mueve —clasicismo en el narrador, en las pasiones, en la trama, en el desenlace...—.

Lo que debe ser elogiado en *Cien años de soledad* no es la sencilla, divertida y casi infantil historia con que he abierto el estudio bajo el epígrafe de «El relato».

Tampoco es una obra que deba ser aplaudida por haber sabido interesarnos con la humana historia de la familia que fundó Macondo, después se autodestruyó a sí misma y fue rematada por el pueblo. La lección social que se pueda desprender de *Cien años de soledad* no es lo más importante.

Lo que realmente pesará para los futuros historiadores de la literatura será LA POESÍA que oculta, encubre y declara los hechos —todo ello simultáneamente—, y EL NARRADOR que consigue presentar a sus criaturas legalizándolas en su dimensión onírica. Ya no más *sueños* en la Cueva de Montesinos, ya no más *imaginación* a lomos de Clavileño, ya no más *fantasía* al pensar en Dulcinea. Todo es real. Todo es legal.

El hombre ya no tiene que escindirse de su fantasía, sino que debe aprender a vivir apoyándose en ella. Ningún hombre alcanzará la libertad —cualquiera que ésta sea—, la felicidad, la autenticidad, mientras no la haya conformado en su mente y la haya alimentado con su fantasía.

Hasta aquí llega esta guía. Pero *Cien años de soledad* conserva su integridad para cualquier otra lectura más allá o más acá de la mía.

Cien años de soledad es también una novela que explica al lector todo lo que opina Gabriel García Márquez sobre el amor, la muerte, el poder, la literatura, la soledad y así indefinidamente, porque las posibilidades de *Cien años de soledad son prácticamente ilimitadas,* porque en esas trescientas cincuenta páginas se puede elegir, a gusto, unos ingredientes, dejando otros, y se tiene un libro. Luego se hace otra combinación y se tiene otro relato no menos sugestivo y real, pero completamente distinto.

Todo depende del lector, del material que se elija y de la profundidad del análisis que se le aplique. Pero en cada una de esas lecturas habrá que escoger entre aceptar como «legales» e irrelevantes las fecundas ambigüedades del autor, o intentar su explicación y dejarse conducir por el escritor colombiano para quien todo es posible, porque *Cien años de soledad* está impregnada de fantasía, que es donde únicamente son reales y verdaderas todas las cosas y donde sólo se puede vivir la vida.

BIBLIOGRAFÍA *

* La selección bibliográfica no es una nómina de los autores que comparten mis conclusiones, ya que el mío es un trabajo —en cierta medida— de francotirador. La lista —en absoluto exhaustiva— ha sido confeccionada siguiendo la pauta de mayor lucidez o apertura de criterio del autor. En ocasiones ha sido seleccionada por estar en abierta contradicción con mis afirmaciones. Ello facilita al lector materia de reflexión y estudio, y una información de los diversos procedimientos que se pueden utilizar para el estudio de las obras literarias. La facilidad de adquisición tampoco ha sido tomada en cuenta. Podrá observarse que alguna obra y diversas revistas son de no fácil acceso, pero ahí están los servicios interbibliotecarios y las embajadas —amén de amigos viajeros—. En cambio, he obviado alguna obra que espera pacientemente en los anaqueles de las librerías pero cuyo interés —considerado desde mi punto de vista— era excesivamente discreto. Caben —cómo no— los olvidos y las ignorancias. En cualquier caso, una elección es siempre subjetiva y refleja las limitaciones de quien la realiza.

Obras sobre el autor

APULEYO MENDOZA, Plinio: *Gabriel García Márquez. El olor de la guayaba* (Conversaciones con), Barcelona, Editorial Bruguera, 1982.

ARNAU, Carmen: *El mundo mítico de Gabriel García Márquez,* Barcelona, Ediciones Península, 1971.

BECCO, Horacio Jorge, y FOSTER, David William: *La nueva narrativa hispanoamericana,* Buenos Aires, Casa Pardo, 1976.

BOLLETINO, Vicenzo. *Breve estudio de la novelística de García Márquez,* Madrid, Playor, 1973.

CARRILLO, Germán Darío: *La narrativa de Gabriel García Márquez,* Madrid, Ediciones de Arte y Bibliografía, Castalia, 1975.

DONOSO, José: *Historia personal del «Boom»,* Barcelona, Editorial Anagrama, 1972.

FARIAS, Víctor: *Los manuscritos de Melquíades. «Cien años de soledad», burguesía latinoamericana y dialéctica de la reproducción ampliada de la negación,* Frankfurt, Editorial Klaus Dieter Vervuert, 1981.

FERNANDEZ BRASSO, Miguel: *Gabriel García Márquez. Una conversación infinita,* Madrid, Ed. Azur, 1969.

— *La soledad de Gabriel García Márquez,* Barcelona, Editorial Planeta, 1972.

GONZALEZ DEL VALLE, Luis y CABRERA, Vicente: *La nueva ficción,* Madrid, Editorial Eliseo Torres & Sons, New York, 1972.

GULLON, Ricardo: *García Márquez o el arte de contar,* Madrid, Editorial Taurus, 1973.

HARSS, Luis: *Los nuestros,* Buenos Aires, Editorial Sudamericana, 1973.

— *La soledad de Gabriel García Márquez,* Barcelona, Editorial Planeta, 1972.

KULIN, Katalin: *Planos temporales y estructura en «Cien años de soledad» de Gabriel García Márquez,* Cuba, Revista de la Unión de escritores y artistas de Cuba, 1970.

LUDMER, Josefina: *Cien años de soledad: Una interpretación,* Buenos Aires, Editorial Tiempo Contemporáneo, 1972.

MARCO, Joaquín: *Nueva literatura en España y América,* Editorial Lumen, Barcelona, 1972.

MATURO, Graciela: *Claves simbólicas de García Márquez,* Buenos Aires, Ed. Fernando García Cambeiro, 1972.

MCMURRAY, George R.: *Gabriel García Márquez,* Nueva York, Ungar, 1977.

MEJIA DUQUE, Jaime: *Mito y realidad en Gabriel García Márquez,* Bogotá, 1970.

MENA, Lucila-Inés: *La función de la historia en «Cien años de soledad»,* Barcelona, Plaza & Janés (editores), 1979.

PALENCIA-ROTH, Michael: *Gabriel García Márquez, la línea, el círculo y la metamorfosis del mito,* Madrid, Editorial Gredos, 1983.

RAMA, Angel, y VARGAS LLOSA, Mario: *García Márquez y la problemática de la novela,* Buenos Aires, Corregidor Marcha Ediciones, 1973.

RAMIREZ MOLAS, Pedro: *Tiempo y narración,* Madrid, Editorial Gredos, 1978.

SHAW, Donald L.: *Nueva narrativa hispanoamericana,* Madrid, Editorial Cátedra, 1981.

TOVAR, Antonio: *Novela española e hispanoamericana,* Madrid-Barcelona, Alfaguara (Hombres, hechos e ideas), 1972.

TEXTOS RECOPILADOS

EARLE, Peter: «Gabriel García Márquez», Madrid, Editorial Taurus, 1981. Contiene:

VOLKENING, Ernesto: «Gabriel García Márquez o el trópico desembrujado».

RAMA, Angel: «Un novelista de la violencia americana».

LASTRA, Pedro: «La tragedia como fundamento estructural de *La hojarasca*».

CARBALLO, Enmanuel: «Gabriel García Márquez, un gran novelista latinoamericano».

MCGRADY, Donal: «Acerca de una colección deseconocida de relatos por Gabriel García Márquez».

EARLE, Peter, G.: «El futuro como espejismo».

FUENTES, Carlos: «García Márquez: *Cien años de soledad*».

BENET, Juan: «De Canudos a Macondo».

TODOROV, Tzvetan: «Macondo en París».

RODRIGUEZ MONEGAL, Emir: «Novedad y anacronismo de *Cien años de soledad*».

GULLON, Ricardo: «García Márquez o el olvidado arte de contar».

ARENAS, Reinaldo: «Cien años de soledad en la ciudad de los espejismos».

GARIANO, Carmelo: «El humor numérico en *Cien años de soledad*».

OVIEDO, José Miguel: «Gabriel García Márquez: la novela como taumaturgia».

MENTON, Seymour: «Ver para no creer: *El otoño del patriarca*».

MARTIN GAITE, Carmen: «*El otoño del patriarca* o la identidad irrecuperable».

ORTEGA, Julio: «*El otoño del patriarca*, texto, y cultura».

GONZALEZ BERMEJO, Ernesto: «García Márquez: ahora doscientos años de soledad».

GIACOMAN, Helmy, F.: *Homenaje a Gabriel García Márquez*, Madrid, Editorial Las Américas, 1972. Contiene:

RODRIGUEZ MONEGAL, Emir: «Novedad y anacronismo de *Cien años de soledad*».

LASTRA, Pedro: «La tragedia como fundamento estructural de *La hojarasca*».

RAMA, Angel: «Un novelista de la violencia americana».

VOLKENING, Ernesto: «Gabriel García Márquez o el trópico desembrujado».

— «A propósito de *La mala hora*».

SILVA CACERES, Raúl: «La intensificación narrativa en *Cien años de soledad* de García Márquez».

DORFMAN, Ariel: «La muerte como acto imaginativo en *Cien años de soledad*».

GULLON, Ricardo: «García Márquez o el olvidado arte de contar».

ORTEGA, Julio: «*Cien años de soledad*».

ZAVALA, Iris M.: «*Cien años de soledad*: Crónica de Indias».

JILL LEVINE, Suzane: «*Cien años de soledad* y la tradición de la biografía imaginaria».

CARLOS, Alberto J.: «Aproximaciones a los cuentos de Gabriel García Márquez».

CARRILLO, Germán D.: «Desenfado y comicidad: dos técnicas magicorrealistas de García Márquez en *Un hombre muy viejo con unas alas enormes*».

LERNER, Isaías: «A propósito de *Cien años de soledad*».

CASTRO, José Antonio: «*Cien años de soledad* o la crisis de la utopía».

JILL LEVINE, Suzane: «*Pedro Páramo, Cien años de soledad*: un paralelo».

ALVAREZ GARDEAZABAL, Gustavo: «De *Antígona* a *La hojarasca*, verificación trágica.

VARIOS AUTORES: *9 asedios a García Márquez*, Santiago de Chile, Editorial Universitaria, 1971. Contiene:

BENEDETTI, Mario: «Gabriel García Márquez o la vigilia del sueño».

CARBALLO, Enmanuel: «Gabriel García Márquez, un gran novelista latinoamericano».

LASTRA, Pedro: «La tragedia como fundamento estructural de *La hojarasca*».

LOVELUCK, Juan: «Gabriel García Márquez, narrador colombiano».

ORTEGA, Julio: «Gabriel García Márquez. *Cien años de soledad*».

OVIEDO, José Miguel: «Macondo: Un territorio mágico y americano».

RAMA, Angel: «Un novelista de la violencia americana».

VARGAS LLOSA, Mario: «García Márquez: de Aracata a Macondo».

VOLKENING, Ernesto: «Gabriel García Márquez o el trópico desembrujado».

VARIOS AUTORES: *Gabriel García Márquez, Recopilación de textos sobre,* Cuba, Centro de investigaciones literarias, Casa de las Américas, 1969. Contiene:

HARSS, Luis: «La cuerda floja».

CASTRO, Rosa: «Con Gabriel García Márquez».

DURAN, Armando: «Conversaciones con Gabriel García Márquez».

COUFFON, Claude: «Gabriel García Márquez habla de *Cien años de soledad*».

OVIEDO, José Miguel: «Macondo: un territorio mágico y americano».

RAMA, Angel: «Un novelista de la violencia americana».

CARBALLO, Enmanuel: «Un gran novelista latinoamericano».

LASTRA, Pedro: «La tragedia como fundamento estructural de *La hojarasca*».

CAMPOS, Julieta: «La muerte y la lluvia».

TELLO, Jaime: «Los funerales de la Mamá Grande».

TELLEZ, Hernando: «*La mala hora:* una novela del trópico».

PALACIOS, Antonia: «Testimonio de vida y muerte».

BENEDETTI, Mario: «La vigilancia dentro del sueño».

VARGAS LLOSA, Mario: «El Amadís en América».

FUENTES, Carlos: «Macondo. Sede del tiempo».

ALVAREZ, Federico: «Al filo de la soledad».

GONZALEZ, Omar: «Entre lo nimio y lo glorioso».

SILVA-CACERES, Raúl: «La intensificación narrativa en *Cien años de soledad*».

REVISTA *El Escarabajo de Oro:* «Un mito que deviene novela».

FRANCO, Jean: «Un extraño en el paraíso».

VARGAS, Germán: «Un personaje: Aracataca».

DOMINGUEZ, Luis Adolfo: «La conciencia de lo increíble».

ARENAS, Reinaldo: «En la ciudad de los espejismos».

COTELO, Rubén: «García Márquez y el tema de la prohibición del incesto».

HOYOS, Alberto: «Un viaje al reino de la realidad mítica».

BENVENUTO, Sergio: «Estética como historia».

LOPEZ MORALES, Eduardo, E.: «La dura cáscara de la soledad».

VOLKENING, Ernesto: «Anotado al margen de *Cien años de soledad*».

Otras opiniones: Javier Arango Ferrer. Jean Franco. Alberto Dallal. Juan Flo. Federico Alvarez. Ernesto Völkening. Mauricio de la Selva. José Miguel Oviedo. Oscar Collazos. Manuel Pedro González. Francisco Oráa. Angela Bianchini. Paolo Milano. Jean-Baptiste Lassègue. Jaime Giordano. Guillermo Blanco. Roberto Montero. Miguel Donoso Pareja. Rosario Castellanos. Claude Couffon. Emir Rodríguez Monegal.

ARTÍCULOS, REVISTAS, ENSAYOS, PRÓLOGOS, TESIS

AMOROS, Andrés: «Cien años de soledad», en *Revista de Occidente,* Madrid, tomo XXIV (Segunda época), núm. 70, enero de 1969.

ARAUJO, Elena: «Las macondanas», en *Eco,* Revista de las Culturas de Occidente, Bogotá, tomo XXI/5, septiembre 1970, núm. 125.

ARCINIEGAS, Germán: «La era de Macondo», en *Imagen,* núm. 67, Caracas, febrero 1970.

— «Macondo, primera ciudad de Colombia», en *Panorama,* Maracaibo, 28 de enero de 1968.

ARENAS, Anita: «El tiempo: engranaje de una generación ausente en 'Cien años de soledad'», *Revista de Literatura Hispanoamericana,* Maracaibo, Venezuela, 1972.

ARENAS, Reinaldo: «'Cien años de soledad' en la ciudad de los espejismos», en *Casa de las Américas,* La Habana, año VIII, núm. 48, mayo-junio 1968.

AZANCOT, Leopoldo: «Fundación de la novela latinoamericana», en *Indice,* Madrid, año XXIV, núm. 237, noviembre 1968.

BEJARANO, Marino: «Gabriel García Márquez y el artificio de la soledad», *Imagen,* Caracas, 1970.

BELLA, Andrés: «Clasicismo e innovación en 'Cien años de soledad'», *Insula,* Madrid, 1972.

BARRIOS GUZMAN, Pedro: «Macondo», en *El Nacional*, Caracas, 19 de mayo de 1968.

BONET, Juan: «La pobladísima soledad de Gabriel García Márquez», en *Baleares*, Palma de Mallorca, 9 de agosto de 1968.

BROWN, Kenneth: «Los 'Buendía(s)' de antaño», *Cuadernos Hispanoamericanos*, vol. CIV, 1976.

CAMPOS, Jorge: «Gabriel García Márquez», en *Narrativa y crítica de nuestra América*, Madrid, Editorial Castalia, 1978.

— «García Márquez: fábula y realidad» (Reseña de 'Cien años de soledad'), en *Insula*, Madrid, núm. 258, Madrid, s/f., 1968.

CASTRO, Juan Antonio: «La línea recta y el laberinto de García Márquez», en *Ya*, Madrid, 21 de mayo de 1969.

CASTROVIEJO, Concha: «Cien años de soledad», en *La Hoja del Lunes*, Madrid, 26 de agosto de 1968.

DELAY, Florence, et LABRIOLLE, Jaqueline: «Márquez, est-il le Faulkner colombien», París, *Revue de Litterature Compareé*, vol. 47, 1973.

DROSS, Tulia A. de: «El mito y el incesto en 'Cien años de soledad'», en *Eco*, Revista de la Cultura de Occidente, Bogotá, tomo XIX/2 de junio de 1969, núm. 110.

EARLE, Peter G.: «Utopía, Universópolis, Macondo», *Hispanic Review*, vol. 50, Philadelphia, 1982.

FRANCO, Jean: «El mundo grotesco de García Márquez», en *Indice*, Madrid, año XXIV, núm. 237, noviembre 1968.

FUENTES, Carlos: «García Márquez, 'Cien años de soledad'», en *La cultura en México*, Suplemento de *Siempre*, México, núm. 28, 29 de junio de 1966.

— «Gabriel García Márquez: la segunda lectura», en *La nueva novela hispanoamericana*, México, Joaquín Mortiz, 1969.

GALLAGHER, David: «Cycles and Cyclones», *The Observer* (Londres), 28 de junio de 1970.

GALLAGHER, David: «Gabriel García Márquez», en su *Modern Latin American Literature*, Nueva York, Oxford University Press, 1973.

GALLO, Marta: «El futuro perfecto de Macondo», *Revista Hispánica Moderna*, vol. XXXVIII, Columbia University, N. Y., 1974-75.

GARCIA MARQUEZ, Gabriel, en Indice, *Indice*, Madrid, año XXIV, núm. 237, noviembre 1968. Contiene: G. G. M., «Autosemblanza»; Armando Puente, «Gabriel García Márquez (Gabo), señor de Macondo»; Leopoldo Azancot, «G. C. M. habla de política y de literatura»; Luiso Torres, «Maconeando»; Leopoldo Azancot, «Fundación de la novela latinoamericana»; Vargas Llosa, «Lezama y García Márquez»; «Esto lo contó García Márquez»; Claude Fell, «Ante la crítica francesa», y Jean Franco, «El mundo grotesco de García Márquez».

GRANDE, Félix: «Con García Márquez en un miércoles de ceniza», en *Cuadernos Hispanoamericanos,* revista mensual de Cultura Hispánica, Madrid, tomo LXXIV, núm. 22, junio 1968.

HIGGINS, James: «*Cien años de soledad:* historia del hombre occidental», *Cuadernos del Sur* (Bahía Blanca, Argentina), núm. 11, julio 1969-junio 1971.

LERNER, Isaías: «A propósito de *Cien años de soledad*», en *Cuadernos Americanos,* México, XXVIII, enero-febrero 1969, núm. 1.

LEVINE, Suzanne Jill: «*Cien años de soledad* y la tradición de la biografía imaginaria», *Revista Iberoamericana* (Pittsburgh), XXXVI, julio-septiembre 1970, núm. 72.

— «La maldición del incesto en *Cien años de soledad*», *Revista Hispanoamericana,* XXXVII, julio-diciembre 1971, núms. 76-77.

LOPEZ CAPESTANY, P.: «Gabriel García Márquez y la soledad», *Cuadernos Hispanoamericanos,* núm. 297, Madrid, 1975.

MAISTERRA, Pascual: «*Cien años de soledad.* Un regalo fabuloso de Gabriel García Márquez», en *Tele/Exprés,* Barcelona, 28 de noviembre de 1968.

MALLET, Brian J.: «Risa y sonrisa en la obra de García Márquez», *Arbor,* Madrid, XC, abril 1975, núm. 352.

MARCO, Joaquín: «Introducción y estudio a 'Cien años de soledad'» de la Edición Austral de Espasa-Calpe, Barcelona, 1982.

MARTIN, J. A.: «Dimensión mítica de Melquíades en 'Cien años de soledad'», *Revista de Literatura Hispanoamericana,* Maracaibo, Venezuela, 1974.

MEINHARDT, Warren L.: «García Márquez: ¿Plagiario de Balzac?», *Hispania,* Cincinnati, LV, marzo 1972, núm. 1.

MOIX, Ana María: «24 × 24 entrevistas», fotos de Colita, Barcelona, Editorial Península, 1972.

MONTERO, Janina: «Historia y novela en Hispanoamérica: El lenguaje de la ironía», *Hispanic Review,* Pennsylvania, 1979.

— «Gabriel García Márquez: historia y mito», en su *La perspectiva histórica en Augusto Roa Bastos, Alejo Carpentier y Gabriel García Márquez* (tesis doctoral), Philadelphia, Department of Romance Languages, University of Pennsylvania, 1973.

MORENO CASTILLO: «Cien años de soledad, una adivinación del mundo», *Camp de l'Arpa,* Barcelona, núm. 22, 1975.

MUÑOZ, Mario: «Los habitantes de Macondo y su periferia», *La palabra y el hombre,* Xalapa, Veracruz, México, núm. 12, 1974.

PASCUAL BUXO, José: «García Márquez o la crisis de la realidad», *Insula,* Madrid, núm. 303, 1972.

RAMA, Angel: «García Márquez, gran americano», en *Marcha*, Montevideo, núm. 1193, 1964.

— «Introducción a 'Cien años de soledad'», en *Marcha*, Montevideo, número 1368, 2 de septiembre de 1967.

— «García Márquez: la violencia americana», *Marcha*, Montevideo, número 1201, 1964.

ROBERTS, Gemma: «El sentido de lo cómico en 'Cien años de soledad», *Cuadernos Hispanoamericanos*, Madrid, 1976, vol. CIV, núm. 302.

RODRIGUEZ-LUIS, Julio: «García Márquez: Compromiso y alienación», en *La literatura hispanoamericana*, Madrid, Editorial Fundamentos, 1984.

SALDIVAR, D.: «De dónde y cómo nació 'Cien años de soledad», Madrid, *La Estafeta Literaria*, núm. 551, 1974.

SANTOS, Dámaso: «'Cien años de soledad' merecería el anonimato y la exégesis del 'Lazarillo'», en *La Estafeta Literaria*, Madrid, núm. 408, 15 de noviembre de 1968.

SEGRE, Cesare: «Il tempo curvo di García Márquez», en su *I segni e la critica*, Turín, Einaudi, 1969, y en su *Crítica bajo control*, Barcelona, Planeta, 1970.

VARGAS LLOSA, Mario: «García Márquez: de Aracataca a Macondo», en *La novela hispanoamericana actual*, Madrid, Ed. Las Américas, 1971.

VILDA DE JUAN, Carmelo: «'Cien años de soledad', gran novela colombiana», *Reseña*, Madrid, 1968.

VOLKENING, Ernesto: «Anotado al margen de 'Cien años de soledad' de Gabriel García Márquez», *Eco*, XV, 1967, núm. 87.

ZAVALA, Iris M.: «'Cien años de soledad': crónica de Indias», *Insula*, Madrid, XXV, septiembre 1970, núm. 286.

ZAPATA OLIVELLA, Manuel: «Realidad y fabulación en Márquez», *Revista Nacional de Cultura y Bellas Artes*, Caracas, núm. 195, 1970.

ÍNDICES

ÍNDICE ONOMÁSTICO

ÍNDICE TEMÁTICO

ÍNDICE GENERAL

BIBLIOGRAFÍA

ÍNDICES

ESTE LIBRO
SE TERMINÓ DE IMPRIMIR
EL DÍA 27 DE FEBRERO DE 1987

LITERATURA  Y SOCIEDAD

TÍTULOS PUBLICADOS

1 / Emilio Alarcos, Manuel Alvar, Andrés Amorós, Francisco Ayala, Mariano Baquero Goyanes, José Manuel Blecua, Carlos Bousoño, Eugenio Bustos, Alfredo Carballo, Helio Carpintero, Elena Catena, Pedro Laín, Rafael Lapesa, Fernando Lázaro Carreter, Francisco López Estrada, Eduardo Martínez de Pisón, Marina Mayoral, Gregorio Salvador, Manuel Seco, Gonzalo Sobejano y Alonso Zamora Vicente
EL COMENTARIO DE TEXTOS
(Tercera edición)

2 / Andrés Amorós
VIDA Y LITERATURA EN «TROTERAS Y DANZADERAS»
Premio Nacional de Crítica Literaria «Emilia Pardo Bazán», 1973

3 / J. Alazraki, E. M. Aldrich, E. Anderson Imbert, J. Arrom, J. J. Callan, J. Campos, J. Deredita, M. Durán, J. Durán-Cerda, E. G. González, L. L. Leal, G. R. McMurray, S. Menton, M. Morello-Frosch, A. Muñoz, J. Ortega, R. Peel, E. Pupo-Walker, R. Reeve, H. Rodríguez-Alcalá, E. Rodríguez Monegal, A. E. Severino, D. Yates
EL CUENTO HISPANOAMERICANO ANTE LA CRÍTICA

4 / José María Martínez Cachero
LA NOVELA ESPAÑOLA ENTRE 1939 Y 1969
(Historia de una aventura)

5 / Andrés Amorós, René Andioc, Max Aub, Antonio Buero Vallejo, Jean-François Botrel, José Luis Cano, Gabriel Celaya, Maxime Chevalier, Alfonso Grosso, José Carlos Mainer, Rafael Pérez de la Dehesa, Serge Salaün, Noël Salomon, Jean Sentaurens y Francisco Ynduráin
CREACIÓN Y PÚBLICO EN LA LITERATURA ESPAÑOLA